D0773895

Im Knaur Taschenbuch Verlag sind bereits
von der Autorin erschienen:
Thereses Geheimnis
Ein Lied für die Ewigkeit

Über die Autorin:
Verena Rabe wurde 1965 in Hamburg geboren. In Göttingen und
München studierte sie Neuere Geschichte, Wirtschafts- und Sozial-
geschichte und Volkswirtschaftslehre und machte 1990 in München ihren Magister. Heute lebt sie wieder in Hamburg. Sie ist verheiratet, hat zwei Kinder, arbeitet als freie Autorin und engagierte
sich jahrelang im Vorstand des Writers' Room, einem von der Hamburger Kulturbehörde unterstützten Verein für Autoren.
Charlottes Rückkehr ist ihr dritter Roman.

VERENA RABE

Charlottes Rückkehr

Roman

Helga Scharnowski

Knaur Taschenbuch Verlag

Besuchen Sie uns im Internet:
www.knaur.de

Originalausgabe Mai 2008
Copyright © 2008 by Knaur Taschenbuch.
Ein Unternehmen der Droemerschen Verlagsanstalt
Th. Knaur Nachf. GmbH & Co. KG, München
Alle Rechte vorbehalten. Das Werk darf – auch teilweise –
nur mit Genehmigung des Verlags wiedergegeben werden.
Umschlaggestaltung: ZERO Werbeagentur, München
Umschlagabbildung: FinePic, München
Satz: Adobe InDesign im Verlag
Druck und Bindung: CPI – Clausen & Bosse, Leck
Printed in Germany
ISBN 978-3-426-63806-4

2 4 5 3 1

Für alle jüdischen Kindertransportkinder,
die zu früh lernen mussten,
ohne ihre Eltern zu leben.

Für ihre Eltern,
die sie allein nach England schickten
und ihnen damit das Leben retteten.

1

Es war wieder einer dieser Morgen, an denen sie sich schon beim Wachwerden zur Ordnung rufen musste. Der Radiowecker schaltete sich um halb sieben ein, aber sie zog sich die Decke über den Kopf. Sie hätte so gerne weitergeschlafen. Gestern Nacht war sie mal wieder erst um ein Uhr ins Bett gekommen und hatte dann nicht einschlafen können. Sie hatte sich von ihrer Seite des Bettes auf Matthias' leere Seite gewälzt und versucht, alle Gedanken auszublenden. Aber das war ihr erst nach zwei Stunden gelungen. Christiane Mohn schlug sich nachts oft mit der immer selben Problematik herum: Wird mein Sohn sich normal entwickeln, was kann ich noch machen, was habe ich falsch gemacht?, dachte sie in einer Endlosschleife. Aber all diese Fragen blieben nachts regelmäßig unbeantwortet.

Heute Morgen sehnte sie sich besonders nach Matthias. Er war jetzt schon seit vier Wochen auf Forschungsreise und würde noch zwei Monate wegbleiben. Normalerweise störte sie seine lange Abwesenheit im Sommer nicht besonders. Sie war seit Jahren daran gewöhnt, und ihr gefiel es, mit einem Forscher verheiratet zu sein. Es war verwegen, fand sie. Aber dieses Jahr hatte Matthias sie in einer gerade neubezogenen Grunewalder Altbauwohnung zwischen Umzugskisten sitzenlassen und war entspannt in ein Flugzeug gestiegen. Die Kinder fanden es großartig, dass ihr Vater so einen besonderen Job hatte: Er war Meeresbiologe und untersuchte gerade Plankton im Ochotskischen Meer.

»Du schaffst das schon«, hatte Matthias ihr noch versichert. Ja, sie schaffte das auch, aber sie fühlte sich überfordert, denn ihre Kinder wechselten obendrein in eine neue Schule und in einen neuen Kindergarten. Sie vermissten Hamburg, ihr Haus in der Siedlung und ihre Freunde und waren sehr anhänglich.

Am liebsten wäre Christiane zusammengebrochen, aber das war nicht ihr Stil. Also biss sie die Zähne zusammen und packte alle Kisten aus bis auf die, auf denen *Matthias Arbeitszimmer* stand. Die schob sie in sein zehn Quadratmeter großes Zimmer und schloss die Tür.

Ich muss aufstehen und die Kinder wecken, dachte sie. Sie öffnete die Augen. Die Sonne schien ihr ins Gesicht. Diesen Augenblick liebte sie, seit sie in Berlin lebte. Sie konnte meistens mit gutem Wetter rechnen, zumindest um diese Jahreszeit.

Ihr fiel ein, dass heute der letzte Schultag war und ihre Kinder dann Ferien hatten. Ihre Mutter würde morgen kommen und die Kinder für die nächsten drei Wochen mit an die Ostsee nehmen. Ihrer Mutter traute sie den Umgang mit ihrem Sohn Philipp zu. Ab Morgen Nachmittag habe ich frei, dachte Christiane, und dieser Gedanke half ihr, endlich aus dem Bett zu kommen. Sie ging erst in das Kinderzimmer ihrer Tochter, drückte Julia einen Kuss auf die Wange und staunte wieder darüber, dass sie die gleichen Haare hatte wie sie selbst –

hellrot und lauter krisselige Locken. Nur waren Julias Augen blau wie die ihres Vaters und nicht bernsteinfarben wie ihre eigenen.

Mit der neunjährigen Julia war es morgens leicht umzugehen. Sie stand selbständig auf, zog sich die Kleider an, die auf dem Stuhl lagen, oder zerrte sich etwas Neues aus ihrem Schrank, wobei sie das, was sonst noch herausfiel, meistens auf dem Boden liegen ließ.

Bei Philipp gestaltete sich das Aufwachen schwieriger. Christiane setzte sich auf seine Bettkante und strich ihm über den Kopf. Er schlief noch und sah dabei genauso friedlich und hübsch aus wie alle fünfjährigen Kinder. Schlafend konnte man den Unterschied zu den anderen überhaupt nicht feststellen.

Jetzt räkelte er sich, streckte reflexartig die Arme aus und schlug die Augen auf. Als er Christiane erblickte, lächelte er, steckte den Kopf dann wieder unter die Decke und drehte sich zur Wand. »Aufstehen, Philipp«, sagte Christiane. »Heute ist noch einmal Kindergarten. Das letzte Mal vor den Ferien.« Ihr Sohn rührte sich nicht.

Jeden Morgen nahm sie sich vor, nicht ungeduldig zu werden, aber nach der dritten Ermahnung war sie es dann doch meistens, zog ihm die Decke weg und trug sie auf den Flur. Dann ging sie zurück in sein Zimmer und legte ihm die Sachen, die er anziehen sollte, auf sein Bett. Unten die Strümpfe, dann die Unterhose, die Hose mit dem Gummizug, das Unterhemd, dann das T-Shirt oder das Sweatshirt. Auf jeden Fall musste es ein Oberteil sein, das keine Knöpfe hatte, weil ihr Sohn noch keine Knöpfe schließen konnte, nur die großen. Wie oft hatte sie mit ihm geübt, Knöpfe zu schließen, und wie oft war sie dabei vor Verzweiflung ungeduldig geworden, weil sie nicht verstand, warum er diese einfache Bewegung der Finger nicht nachvollziehen konnte. Sie verkrampften sich, wenn er es versuchte. Sie sah, dass er sich anstrengte, aber es half nichts. Irgendwann hatte sie aufgegeben, es ihm zeigen zu wollen.

Christiane hörte ihre Tochter im Nebenzimmer rumoren und wusste, dass sie jetzt schnell in die Küche hetzen musste, um das Frühstück zuzubereiten. Aber sie wusste auch, dass Philipp sich seine Decke aus dem Flur holen würde, sobald sie das Zimmer verlassen hätte. Also zog sie ihn sanft an beiden Schultern hoch, bis er auf ihrem Schoß saß. Er schmiegte sich an sie. Christiane sog seinen Duft ein. Er roch immer ein wenig nach Honig.

»Du musst heute noch mal in den Kindergarten«, murmelte Christiane in sein Haar hinein. Beim ersten Mal hatte er es wohl nicht verstanden.

»Will nicht. Das ist doof. Niemand hat mit mir gespielt.«

Christiane war erstaunt, denn normalerweise konnte Philipp morgens keinen Satz ohne Fehler herausbringen. Sie wusste, warum sie ihn im Kindergarten nicht akzeptierten. Er konnte noch nicht so sprechen wie die anderen. Sein Wortschatz war viel kleiner als der der meisten Fünfjährigen. Manchmal fing er an zu lallen und verfiel dann in eine Phantasiesprache, die nur seine Schwester verstand. Am schlimmsten wurde es, wenn er sein Gegenüber anpackte und ihn nicht loslassen wollte, weil er merkte, dass niemand ihm zuhörte. Christiane war in

Hamburg bei HNO-Ärzten, bei Logopäden, bei Krankengymnasten, bei Heilpraktikern gewesen. Alle hatten irgendetwas empfohlen. Philipp begann eine Logopädie und Ergotherapie, aber nach einiger Zeit musste Christiane feststellen, dass diese Therapien wenig halfen.

Jetzt hatte sie sich und ihrem Sohn eine Therapiepause verordnet, weil Sommer war und sie in Berlin einen Neuanfang wagen wollte. Vielleicht muss man ihm nur die Zeit geben, die er braucht, versuchte sie sich einzureden. Aber im Stillen hatte sie Angst, dass sie eine Chance verpasste, ihm zu helfen.

Heute war Philipp so anhänglich, dass Christiane ihn anziehen musste. Wenn er es allein getan hätte, wäre er wieder mit dem T-Shirt und der Hose verkehrt herum in die Küche gekommen, und sie hätte ihm dort alles noch mal ausziehen müssen.

Sie hörte Julia aus der Küche rufen. »Mami, beeil dich, ich muss bald los.«

»Hol dir schon mal Cornflakes«, rief sie zurück und wusste, dass ihre Tochter die Cornflakes sofort finden würde, weil sie hervorragend lesen konnte. Sie ging heute den letzten Tag in die dritte Klasse und hatte vor kurzem begonnen, sich in der Bücherhalle Bücher auszuleihen und stundenlang mit glänzenden Augen und geröteten Wangen zu lesen. So wie ich damals, dachte Christiane manchmal. Warum ist Philipp nicht auch so? Sie wusste, dass sie nicht so denken durfte, und meistens hatte sie sich auch im Griff. Sie liebte ihren Sohn, wie er war, auch wenn sich das Zusammenleben mit ihm schwieriger gestaltete als mit ihrer Tochter.

Endlich saßen die beiden Kinder in der Küche am

Holztisch und löffelten ihre Cornflakes. Christiane trank eine Tasse Kaffee und aß ein Brötchen mit Marmelade. Sie hätte eigentlich lieber Wurst essen wollen, aber sie hatte nichts mehr im Kühlschrank gefunden. Die Kinder hatten gestern Abend den Rest des Aufschnittes verspeist. »Mach schnell«, sagte sie zu Julia. Diese ging zu Fuß zur Schule und hatte schon eine Klassenkameradin aufgetan, die sie jeden Morgen abholte und sich mit ihr gemeinsam auf den Schulweg machte.

Philipp musste sie mit dem Auto in den Kindergarten bringen. Er war zu weit weg, als dass er zu Fuß hätte gehen können. Außerdem fühlte er sich im Straßenverkehr noch nicht so sicher, dass er überhaupt allein hätte gehen können. Aber das war normal und war bei den Kindern ihrer Freundinnen in Hamburg auch so gewesen.

Philipp saß in seinem Kindersitz hinten im Wagen, sah aus dem Fenster und schwieg. Manchmal genoss sie es mehr, wenn er schwieg, weil sie dann nicht auf jeden seiner Fehler achten musste, die er beim Sprechen machte.

Sie dachte über den Brief nach, den sie gestern Nachmittag in ihrem Briefkasten gefunden hatte. Er war von einem Anwalt, dessen Namen sie nicht kannte. Christiane hatte den Umschlag zuerst gewendet und gedacht: O Gott, ist Matthias zu einem Anwalt gegangen? Will er sich von mir trennen? Es bestand eigentlich kein Grund zu dieser Annahme. Sie waren jetzt schon zehn Jahre verheiratet. Meistens war es gut gelaufen. Aber es hatte auch Zeiten gegeben, in denen sie sich überhaupt nicht verstanden, besonders als klar wurde, dass Philipp nicht so einfach war wie Julia und jeder beim anderen die

Schuld dafür gesucht hatte. Aber das war schon lange vorbei. Matthias war ihr Gefährte. Sie gehörten einfach zusammen. Sie wusste, dass es ihm mit ihr genauso ging. Beruhig dich, dachte sie. Matthias will sich bestimmt nicht von dir trennen.

Sie öffnete den Brief. Zuerst verstand sie nicht. Sie las ihren Namen und dann den Namen einer Großtante zweiten Grades, Emma Schweigert. Sie lebte seit einiger Zeit im Altersheim in Berlin-Wannsee. Christiane war noch nicht dazu gekommen, sie zu besuchen, seit sie in Berlin wohnte. Jetzt war Emma gestorben und hatte ihr ein Haus und ein Grundstück in Potsdam am Heiligen See vererbt. Christiane kannte das Haus. Es war grau verputzt und dringend renovierungsbedürftig. Es stammte aus DDR-Zeiten. Aber der Garten reichte bis zum Heiligen See. Das wäre genau der richtige Ort für die Kinder, dachte Christiane. Julia würde im Sommer vom Steg aus ins Wasser springen und danach ausgestreckt auf einem Handtuch liegen und lesen, und Philipp könnte Frösche und kleine Fische fangen. Können wir uns die Renovierung des Hauses überhaupt leisten?, dachte Christiane.

Wenn die Kinder jetzt draußen spielen wollten, musste sie mit ihnen in den nahegelegenen Park gehen. Solange Christiane ihren Fotoapparat dabei hatte, war es erträglich, dann vertrieb sie sich die Zeit damit, mit einem Teleobjektiv ihre Kinder beim Spielen zu fotografieren. In Hamburg hatte sie als freie Pressefotografin für verschiedene Zeitungen gearbeitet, aber in Berlin war es schwierig, ohne Beziehungen einen Fuß in die Tür zu bekommen. Eigentlich bereute sie es nicht, einmal nicht arbeiten zu müssen. Schon lange hasste sie diese Terminarbeiten, diese Fotos von Preisverleihungen, wichtigen Bürgern, manchmal Autounfällen, Kindern, Erwachsenen, die etwas Besonderes geleistet hatten, Tieren. Sie hatte niemals Zeit gehabt, länger als einige Minuten über den Aufbau des Bildes nachzudenken, weil ihr die Termine im Nacken saßen. Es ging nur darum, auf den Auslöser zu drücken, sich zu merken, wen sie aufgenommen hatte, und es nicht durcheinanderzubringen.

Seit langem hegte sie den Wunsch, aus dem Tagesgeschäft auszusteigen und nur für sich zu fotografieren. Matthias hatte in Hamburg nichts davon wissen wollen. Als Pressefotografin verdiente sie zwar nicht viel, aber für ihre Extraausgaben reichte es. Wir brauchen das Geld, sagte Matthias immer, wenn sie davon anfing. Wenn ich das Haus am Heiligen See erst einmal vermiete, verdiene ich genug Geld, dachte sie. Ich könnte mir sicher auch neues Equipment kaufen und mir eine Dunkelkammer einrichten oder ein kleines Atelier mieten.

Aber als Christiane den Brief weiterlas, verschwand das Lächeln von ihrem Gesicht. Emma Schweigert vererbte ihr das Grundstück nämlich nur, damit sie es verkaufte. Und nicht nur das: Sie war verpflichtet, die Hälfte des Geldes an Johanna und Karl Reisbach oder deren Nachkommen weiterzugeben. Die Reisbachs hatten das Grundstück 1938 für einen viel zu niedrigen Preis an Emmas Eltern verkauft. Über die Reisbachs war nur noch bekannt, dass sie damals in der Matterhornstraße in Berlin-Schlachtensee wohnten. Christianes Aufgabe war es, die Reisbachs oder ihre Nachfahren ausfindig zu machen. Sie sollten die Hälfte des Verkaufserlöses bekommen, die andere Hälfte würde bei erfolgreicher Suche an Christiane gehen. Sie wusste, dass sie Emmas Letzten Willen erfüllen und suchen musste, um das Erbe antreten zu können. Warum hat sie gerade mich für die Aufgabe ausgesucht?, fragte sich Christiane wieder, als sie zu ihrer Wohnung zurückfuhr. Und was sollte diese posthume noble Geste? Bis sie Geld sähe, würden Monate vergehen, wenn sie es überhaupt schaffen sollte, diese Leute ausfindig zu machen. Recherchieren Sie in Richtung jüdisch, hatte der Anwalt noch gesagt.

Zu Hause rief sie ihre Freundin Kerstin an, die beim Hamburger Abendblatt arbeitete. Glücklicherweise erwischte sie Kerstin gleich an ihrem Platz. Es war schön, ihre Stimme zu hören. In Berlin hatte Christiane noch keine Frau kennengelernt, die vielleicht ihre Freundin werden könnte.

»Na, wie ist bei euch das Wetter, hier regnet es schon den ganzen Morgen«, sagte Kerstin.

»Sonnig, wie fast immer«, sagte Christiane und freute sich ein wenig über den Stoßseufzer am anderen Ende der Leitung. Sie telefonierte oft mit Kerstin, deshalb konnte sie gleich zur Sache kommen.

»Ich muss jemanden finden. Ein jüdisches Ehepaar, von dem ich nur weiß, dass sie 1938 in Berlin-Schlachtensee wohnten und ein Grundstück unter Wert verkaufen mussten.

»Sie können ausgewandert sein«, sagte Kerstin schnell. Dann zögerte sie. »Oder sie wurden umgebracht. Wenn sie in einem der großen KZs ermordet worden sind, könntest du es vielleicht mühelos heraus-finden. Es gibt Listen. Zum Beispiel im Jüdischen Museum in Berlin von den Auschwitz-Opfern und dann noch ein Gedenkbuch für die Berliner Juden. Oder wende dich an die Jüdische Gemeinde«, fügte sie hinzu.

Christiane beschloss, morgen Nachmittag ins Jüdische Museum zu gehen. Dann wären die Kinder schon abgeholt. Wenn sie zu Hause bliebe, würde sie ihre Kinder sowieso vermissen und nicht wissen, was sie mit sich anfangen sollte.

Christiane ging ins Badezimmer und stopfte die erste Ladung Wäsche in die Maschine. Sie würde den ganzen Nachmittag mit Waschen und Bügeln und den Reisevorbereitungen beschäftigt sein und den Kindern eine DVD ausleihen.

2

»No Germans«, hatte Charlotte Rice auf das Formular mit den Voraussetzungen geschrieben, die ein Sprachenschüler erfüllen sollte, um bei ihr wohnen zu dürfen. »No Germans«, direkt unter die Spalte »Non smoking«, die sie auch angekreuzt hatte. Und »Only female students«. Sie konnte sich nicht vorstellen, ihr Schlafzimmer mit rosa Blümchentapete, das sie während der Sommermonate für Sprachenschüler räumte, an einen Mann abzugeben. Männer mochten Rosa nicht. Sie selbst schlief im Sommer in ihrem kleinen Arbeitszimmer im Erdgeschoss, das durch eine Schiebetür vom Wohn-Ess-Zimmer abgetrennt war, auf einer Ausziehcouch und stand morgens früh genug auf, um die Sprachenschülerin nicht durch den Anblick einer alten Frau im Nachthemd zu irritieren.

Sie war jetzt schon das sechste Jahr in der Kartei der Sprachenschule. Bei der geringen Rente, die sie als Krankenschwester bekam, war es ein guter Nebenverdienst.

Die jungen Frauen kamen bisher aus Spanien, Griechenland, Frankreich, Italien. Charlotte hatte nie erwähnt, warum sie unter ihrem Dach keine Deutschen duldete. Die Sekretärin hatte keine Fragen gestellt, und Charlotte hätte ihr auch nicht antworten wollen. Sie war Jüdin, aber keine KZ-Überlebende, und sie hatte

17

1939 Nazideutschland Richtung England verlassen können. Sie lebte schon fast ihr ganzes Leben in England.
Welchen Grund hätte sie also haben können, die Deutschen so vehement nicht zu mögen? Sie wollte es nicht
erklären, es wäre zu kompliziert. Sie wollte in ihrem
kleinen Reihenhaus im Londoner Vorort Hanwell kein
Deutsch hören. Es würde dadurch entweiht werden. Das
Haus war immer ihr Zufluchtsort gewesen. Sie liebte es
und wollte auf keinen Fall noch einmal umziehen. Es
sah genauso aus wie die anderen Häuser in der Straße,
allerdings hatte sie ihre Haustür weiß angemalt und mit
Rosenblüten verziert. Sie liebte Blumen und Pflanzen. In
ihrem winzigen Garten hinter dem Haus blühte ständig
etwas: im Frühling Tulpen, Krokusse und Pfingstrosen,
im Sommer Rosen, Rittersporn, Hortensien, im Herbst
Astern. Die eine Mauer zu den Nachbarn hin war rot,
dort war es sogar warm genug, Tomaten und Bohnen zu
ziehen.

Nach den Nachtdiensten im Krankenhaus hatte ihr
Gartenarbeit immer gutgetan. Sie konnte nicht direkt
schlafen gehen, wenn sie nachts im Krankenhaus gewesen war. Daher brühte sie sich einen Tee auf und setzte
sich im Sommer auf die Terrasse, um dem Sonnenauf-
gang zuzusehen. Dann holte sie ihre Schaufel aus dem
Keller, kniete sich zwischen ihre Blumen, lockerte die
noch feuchte Erde auf und zog Unkraut heraus. Seit sie
manchmal Schmerzen in den Beinen hatte, kniete sie
sich auf ein Teppichstück, wenn sie Unkraut jätete. Ihr
Rücken schmerzte nach einer Stunde so sehr, dass sie
aufhören musste. Dann legte sie eine Pause ein und fing
wieder an zu arbeiten, sobald die Schmerzen nicht mehr

so stark waren. Charlotte ließ selten bis zum nächsten Tag irgendeine Arbeit liegen. Was du heute kannst besorgen, das verschiebe nicht auf morgen. In Gedanken hörte sie ihre Großmutter diesen Spruch auf Deutsch sagen. Oder war es ihre Mutter gewesen? Erinnerungen verschwammen, und das war gut so. Wenn jemand in ihrem Haus Deutsch spräche, würde sie es bestimmt bald wieder verstehen, obwohl sie sich als junges Mädchen nach dem Krieg geschworen hatte, ihre Muttersprache nie mehr in den Mund zu nehmen. Auch mit ihrem Bruder Felix sprach sie bei ihren zu seltenen Telefonaten nach Australien oder seinen noch selteneren Besuchen in England Englisch.

Charlotte lebte schon sehr lange allein. Vor dreißig Jahren war es mal ein paar Jahre nicht so gewesen und damals mit Felix auch nicht, aber das war alles schon lange her.

Ihre gerade verwitwete Freundin Rose hatte sie erst jetzt gefragt, wie sie damit fertig wurde, allein zu leben. Charlotte hatte die Frage gar nicht verstanden. Sie fühlte sich selten einsam. Sie hatte ihren Garten. Sie unternahm jeden Tag lange Spaziergänge. Sie sammelte alte Filme, ihr Liebling war Fred Astaire. Sie betrachtete sich gerne die vielen Fotobände, die sie besaß. Und sie traf sich mit ihren Freunden. Die meisten kannte sie schon seit Jahrzehnten.

Keinem war bisher aufgefallen, dass sie gar nicht in England geboren war, denn sie hatte immer darauf geachtet, sich nicht von ihren englischen Freundinnen zu unterscheiden. Sie kleidete sich wie sie, trank morgens Tee, sagte *dear* und hielt alle bis auf ihre engsten Freunde auf Distanz. Sie hatte sich sogar ein kleines Porträt der Queen neben die Tür ihres Arbeitszimmers gehängt. Aber sie war keine Royalistin, obwohl ihr der Pomp gefiel. Dass die Royals mit ihren kleinen Skandalen so viel Aufregung verbreiteten, konnte sie nicht nachvollziehen. Jeder war doch fehlbar, warum also nicht auch ein Prinz und eine Prinzessin? Sie hatte Lady Diana zu Lebzeiten nicht verehrt und tat es auch jetzt nicht. Charlotte war der Meinung, dass es nicht besonders schwer war, todkranke Kinder während eines Kurzbesuches im Krankenhaus zu umarmen. Sie selbst hatte jahrelang auf einer Kinderkrebsstation gearbeitet und wusste, wie es war, auf ein Wunder zu hoffen, das nicht eintrat. Charlotte hatte vergessen, wie viele Menschen in ihren Armen gestorben waren.

Sie hatte immer ein offenes Ohr für die Jugend. Auch ihre Sprachenschülerinnen landeten nach ein paar Tagen der Scheu bei ihr im Wohnzimmer und erzählten ihr aus ihrem Leben. Aber dieses Jahr hatte sie Pech gehabt. Im Mai wohnte eine junge Spanierin bei ihr, die so still und scheu gewesen war, dass selbst Charlotte keinen Kontakt zu ihr hatte aufbauen können. Im Juni war dann eine Französin eingezogen, die sich ununterbrochen über alles beschwerte: Über den Toast, den Charlotte morgens für sie röstete, die Orangenmarmelade ohne Schnitt, die sonst bei allen anderen Sprachenschülerinnen gut ankam, über den zu dünnen Kaffee und darüber, dass Charlotte nicht bereit war, abends für sie zu kochen. Die Schüler bekamen in der Schule Mittagessen, abends mussten sie sich selbst versorgen. Das war von vornherein klar gewesen, aber die Französin schien es nicht begreifen zu wollen. Nach einer Woche zog sie aus, weil sie ein Zimmer in der Nähe der Sprachenschule gefunden hatte.

Aber jetzt im Juli wohnte niemand bei ihr. Entweder Männer oder Deutsche suchten eine Unterkunft in einem Privathaushalt. Und bei beiden wollte sie keine Kompromisse machen.

Eigentlich hätte sie das Geld gut gebrauchen können. Sie wollte nach Australien fliegen, um ihren Bruder Felix zu besuchen, und sparte für ein Ticket. Ihr Bruder war jetzt vierundsiebzig. Wer wusste schon, wie lange Felix oder sie selbst noch leben würde?

Vor fünf Jahren hatte sie ihren jüngeren Bruder zum letzten Mal gesehen. Er und seine Frau Nancy waren zwei Wochen in London geblieben. Aber sie hatten nicht bei ihr gewohnt. Felix und Nancy liebten Konzerte und Theater. Sie gingen fast jeden Abend aus. Da wäre es zu kompliziert gewesen, nachts noch zu ihr nach Hanwell hinaus zu fahren. Einige Male hatte Charlotte Felix und Nancy begleitet, war sich aber ein wenig wie die sitzengebliebene alte Jungfer vorgekommen, obwohl sie die Heiratsanträge, die sie im Laufe ihres Lebens bekommen hatte, immer abgelehnt hatte. Natürlich verstand sie, dass Felix keine Zeit mit ihr allein verbringen konnte. Und doch war sie eifersüchtig auf Nancy, weil diese ihn immer an ihrer Seite hatte. Wusste sie überhaupt, wie großartig Felix war? Er war witzig, charmant und warmherzig. Und er machte sich genauso wenig aus Konventionen wie sie. Seinen siebzigsten Geburtstag feierte er mit seinen Freunden in Darwin bei einer dreitägigen Angeltour, obwohl Nancy einen Empfang im Yachtclub organisiert hatte.

1947 entschwand ihr zwei Jahre jüngerer Bruder mit siebzehn Hals über Kopf nach Australien, weil er sich etwas Neues aufbauen und mindestens einen Ozean zwischen sich und ihre Fürsorge legen wollte. Damals hatte sie seinen Weggang als Verrat empfunden. Was sollte sie in England ohne ihn anfangen? Dieses Land war so unerwartet ihre Heimat geworden, aber nach fast zehn Jahren fühlte sie sich dort immer noch nicht heimisch. Sie hätte mit ihrem Bruder weggehen können, aber sie traute sich nicht, noch einmal einen Neuanfang zu wagen. Sie hatte lange gebraucht, um in England zurechtzukommen. Sie war kein Mensch, den man oft verpflanzen sollte. Sie brauchte ihren sicheren Hafen vielleicht gerade, weil sie zu früh hatte begreifen müssen, dass man darauf verzichten kann, wenn es nicht anders geht.

3

Wann hatte er angefangen sich zu fragen, wo er zu Hause war, ob er überhaupt ein Zuhause hatte? Wann hatte sich diese Frage, die für ihn bisher niemals wichtig gewesen war, in seinem Gehirn festgesetzt?

Olaf Haas wusste es nicht, aber ihm war klar, dass die Drei-Zimmer-Wohnung, die er seit fünf Jahren am Prenzlauer Berg bewohnte, nicht sein Zuhause war. Sie war Abstellraum für seine Bücher, CDs, meistens unordentlich. Aber wen störte das schon? In der Woche war er fast immer arbeiten und abends unterwegs. Wann hatte er zum letzten Mal in der Küchenzeile etwas gekocht? Wenn Martina in Berlin war, kochte sie meistens nicht, weil sie die Küche zu klein fand. Einige Male hatte er ein Candlelight-Dinner gezaubert, aber das war nur am Anfang gewesen, und der Anfang war schon so lange her, dass Olaf gar nicht mehr wusste, wie er sich angefühlt hatte.

Jetzt war alles Routine. Am Freitagnachmittag stieg er ins Auto und fuhr auf die Autobahn Richtung Ludwigslust. Wenn er dort ankam, begrüßte ihn Martina zwar freudig, war aber immer erschöpft, denn sie hatte eine harte Arbeitswoche hinter sich. Und ihr Sohn Max ließ sie keine Minute in Ruhe. Martina fand, mit Recht, weil er nach einer Woche in der Kindertagesstätte Anspruch auf seine Mutter hatte. Martina kam nicht aus dem Osten. Sie hatte vor Jahren in Ludwigslust eine Referendariatsstelle bekommen und war dann dort als Lehrerin hängengeblieben. Olaf fand, dass auch er Anspruch auf seine Freundin hatte. Schließlich war er zwei Stunden gefahren, um sie zu sehen. »Du kannst doch warten«, sagte sie, wenn sie überhaupt bemerkte, dass er schmollte. Und dann nahm er sich eine Zeitung, setzte sich in ihr modern eingerichtetes Wohnzimmer und ließ kostbare Zeit verstreichen. Montagmorgens musste er nach Berlin zurückfahren. Er wollte am Wochenende etwas Besonderes erleben, aber seit kurzem verbrachte er die meiste Zeit in ihrer Wohnung oder auf dem Fußballplatz. Er war nicht Max' Vater, er sah ihm noch nicht einmal zufällig ähnlich. Er war Max' Kumpel, mehr wollte er nicht sein, auf keinen Fall ein Ersatzvater. Bei der Organisation der Wochenenden hatte Olaf nicht zu bestimmen. Wenn er nach Ludwigslust kam, war schon immer alles geplant. Martina fühlte sich im Recht, weil sie für zwei planen musste. Also traf er sich mit ihren uninteressanten Freunden, unternahm Spaziergänge durch ihre langweilige Wohngegend und dachte währenddessen sehnsüchtig an seine Altbauwohnung am Prenzlauer Berg.

Olaf hatte sich Hörbücher gekauft, um die Autofahrt kurzweiliger zu gestalten. Er hätte auch mit dem Zug fahren können, aber er mochte zufällige, unfreiwillige Menschenansammlungen nicht. In der letzten Zeit fragte er sich, ob er ein Misanthrop war, weil er sich nicht vorstellen konnte, mit anderen zusammenzuwohnen, und es nicht ausstehen konnte, wenn die

Putzfrau seine Bücher, die überall in Stapeln lagen, beim Abstauben verrückte. Wurde er alt? Er wollte nicht heiraten und Kinder zeugen. Er war jetzt zweiundvierzig und hatte keine Lust auf eine jüngere Frau. Aber wollte er für immer eine Fernbeziehung ohne jegliche Hoffnung auf Veränderung führen? Er wollte nicht nach Ludwigslust ziehen – für einen Architekten war Berlin spannender. Martina konnte wegen Max und ihrer Arbeit nicht nach Berlin. Er verstand nicht, warum sie nicht wenigstens versuchte, in Berlin eine Stelle zu finden.

Am Anfang ihrer Beziehung hatte ihm dieser Zustand gefallen. Er hatte keine Verpflichtungen und nur dann eine Familie, wenn er sie verkraften konnte. Aber am Montagabend fragte er sich seit einiger Zeit öfter, wie es wäre, wenn er beim Öffnen seiner Wohnungstür zu jemandem Hallo sagen könnte. Seit einigen Wochen kümmerte sich Olaf um den Umbau eines Einfamilienhauses in Zehlendorf. Es war wie in dem Film »Schlaflos in Seattle«, in der Szene, in der die Kundin dem Architekten Sam sagt, sie habe festgestellt, der Kühlschrank sei für die Servierplatten vom Partyservice zu klein, und deshalb sollte er ausgebaut und ein größerer eingesetzt werden, was bedeutete, dass eine Wand komplett versetzt werden musste.

Seine Kundin wollte das Wohnzimmer auf zwei Ebenen und einen Wintergarten mit Kamin. Im Haus gab es drei Badezimmer, eins für die Eltern, eins für die Kinder und eins für die ab und zu aus München anreisende Mutter seiner Kundin. Selbstverständlich brauchte die Großmutter der Kinder auch eine Küchenzeile, wenn sie sich mal einen Kaffee kochen wollte. Die Küchenzeile in der Einliegerwohnung war aufwendiger als seine eigene. Er hatte noch nie in einem Haus mit einer Einlieger-wohnung gewohnt, geschweige denn in einem eigenen Haus. Außer natürlich das in Michelstadt, aber das zähl-te nicht, das war das Haus seiner Eltern gewesen, und sobald er es hatte verkaufen können, hatte er es getan, obwohl er nicht viel Geld dafür bekam. Aber wer wollte auch in den tiefsten Odenwald ziehen? Seit einiger Zeit dachte Olaf darüber nach, welches Haus er sich bauen und einrichten würde, wenn er das Geld hätte. Konstru-ierten sich nicht viele Architekten als Krönung ihrer Karriere ein eigenes Haus? Wobei Olaf nicht wusste, was dieses Haus hätte krönen sollen. Er konnte sich als selbständiger Architekt ganz gut allein versorgen. Er hat-te genug Geld für die vielen Tankfüllungen, die bei den Fahrten nach Ludwigslust draufgingen, und er fuhr mit Martina und Max manchmal in den Urlaub. Aber als Karriere würde er das, was er bisher erreicht hatte, nicht bezeichnen.

Wenn Olaf tagelang schlecht gelaunt war und nicht reden wollte, was hin und wieder vorkam, war die Woh-nung am Prenzlauer Berg seine Zuflucht. An solchen Tagen schleppte er sich mürrisch zur Arbeit, erledigte nur Routinekram und übergab die anderen Dinge sei-nem Partner. Er holte sich auf dem Rückweg bei McDo-nald's Big Mac und Pommes und einen Schoko-Shake, aß direkt aus der Pappschachtel und trank Cola aus der Flasche. Er saß dumpf vor dem Fernseher und ging im Laufe des Abends zu Bier über, stellte die leeren Flaschen neben seinem Bett ab, in das er sich irgendwann zurückzog, ohne die Essensreste wegzuräumen. Er rauchte ununterbrochen und wartete darauf, vor Ödnis so müde zu werden, dass er einschlafen konnte. Auch vor Martina hielt er diese Zustände geheim. Wenn sie ihn freitags überfielen, sagte er ihr kurzfristig mit der Begründung ab, er habe Grippe oder er müsse noch an einem Entwurf arbeiten.

Seit einiger Zeit fragte er sich, ob er etwas verpasst hatte. All seine Studienfreunde hatten geheiratet, einige davon waren es allerdings nicht lange geblieben, aber von denen ließen sich die meisten schnell auf eine zweite Ehe ein, machten der zweiten Frau wieder Kinder, die eigenen kamen jedes zweite Wochenende, und alle waren eine fröhliche, zufriedene Patchwork-Familie mit haufenweise Großeltern, Halbgeschwistern und jede Menge Spaß. Martina hatte nie über die Möglichkeit gemeinsamer Kinder gesprochen. Olaf vermutete, dass sie mit ihm keine gemeinsamen Kinder haben wollte, weil sie ihm nicht zutraute, ein verantwortungsvoller Vater zu sein. Das kränkte ihn, obwohl er sich ziemlich sicher war, dass er keine eigenen Kinder haben wollte. Max genügte.

Eigentlich lief Olafs Leben in guten Bahnen, aber manchmal fühlte er sich zerrissen. Er hatte Kleidungsstücke bei Martina und in Berlin, manchmal wusste er schon gar nicht mehr, wo er welche Dinge untergebracht hatte. Martina hatte ihm einige Regale in ihrem Schrank und eine Schublade ausgeräumt, und er hatte es irgendwie beschämend gefunden, seine Sachen dort hineinzulegen. In seinen früheren Beziehungen war er immer derjenige gewesen, der für eine Freundin ein oder zwei

Schubladen leerte, aber immer erst, nachdem sie gedroht hatte, ihn sonst zu verlassen.

Es war Dienstagabend, Martina hatte ihn schon um 22 Uhr angerufen und ihm erklärt, dass sie jetzt ins Bett gehen würde. Während sie das sagte, hatte ihre Stimme so verführerisch geklungen wie schon lange nicht mehr. Augenblicklich hatte sich Olaf vorgestellt, was er anstellen würde, wenn er jetzt neben ihr liegen könnte. Eigentlich hatte er diese Vorstellungen während der Woche sonst gut im Griff, weil sie nur unnötige Aufregungen mit sich brachten. Seine verheirateten Freunde schliefen innerhalb der Woche nur selten mit ihren Frauen. Niemand in seinem Alter und mit einem anspruchsvollen Beruf setzte sich noch so intensiv mit dem Thema Sex auseinander wie mit Anfang zwanzig. Aber heute Abend fühlte er sich zugleich gierig und einsam, so dass es nur zwei Möglichkeiten gab: entweder die Sache selbst in die Hand zu nehmen, wozu er keine Lust hatte, oder sich abzulenken, indem er noch einmal ausging.

Glücklicherweise musste er nicht mit dem Auto fahren, um in ein Restaurant zu kommen, das ihm gefiel und in dem er wohl auch jemanden treffen würde, den er kannte, oder das so voll war, dass es gar nicht auffiel, wenn er niemanden kannte. Er suchte seine braune Lederjacke und fand sie unter Hemden, die schon seit Tagen zusammengeknüllt im Wohnzimmer auf einem Haufen lagen und die er vorgehabt hatte zu bügeln, weil er fand, dass die Putzfrau das nicht penibel genug erledigte. Er fischte nach seinen Zigaretten und kontrollierte sein Aussehen im Flurspiegel. Seine noch dunkelblonden Haare hatten genau die Länge, um nicht mehr bieder, aber noch nicht zu nachlässig auszusehen. Sein Körper war zwar nicht hundertprozentig durchtrainiert, aber immer noch ansehnlich und muskulös. Er schwamm zweimal die Woche tausend Meter, um sich fit zu halten.

Er war eher der lässige Typ, der nur zwei Anzüge besaß. Wenn es möglich war, trug er schwarze oder blaue Jeans, im Winter auch mal Lederhosen. Eine helle Bundfaltenhose hing für besondere Anlässe in seinem Schrank. Er liebte legere einfarbige Hemden oder Pullover. Im Sommer trug er ab und zu wild gemusterte T-Shirts.

Er ging nicht besonders mit der Mode, aber er hatte einen Schuhtick, der ihn mehr kostete, als er zugab. Er liebte gut gearbeitete Halbschuhe. Er besaß über zwanzig Paar Slipper und Schnürschuhe, dann noch Cowboystiefel, Boots und mehrere Paar Turnschuhe.

Olaf holte seine Slipper aus blau gefärbtem Ziegenleder vom Regal im Flur. Er wusste, dass die bei Frauen besonders gut ankamen. Vielleicht konnte er eine damit heute beeindrucken. Er beschloss, zu seinem Stammitaliener zu gehen, denn dort setzte sich Gino, der Wirt, manchmal an seinen Tisch, und heute war Olaf nicht in der Stimmung, so zu tun, als ob er es genoss, allein essen zu gehen. Wieder ärgerte er sich darüber, dass Martina nicht in Berlin, sondern in dem unglaublich langweiligen Ludwigslust wohnte und sich an diesem Zustand auch nichts ändern ließ. Vielleicht sollte er dem Elend endlich ein Ende setzen und sich eine andere Freundin suchen?

Nach dem ersten Glas Rotwein nahm er die Tür des

Restaurants in Augenschein und wartete darauf, dass eine Frau seines Alters allein oder mit einer Freundin hereinkommen würde. Aber heute Abend schien der ganze Prenzlauer Berg nur paarweise unterwegs zu sein. Also widmete er sich seiner Pizza mit extra viel Peperoni, trank noch zwei Gläser Rotwein, überlegte sich, wen er jetzt noch anrufen könnte, kam aber nach einem Blick auf die Uhr zu dem Schluss, dass er außer Martina niemanden mehr kannte, der an einem Dienstag um 22.30 Uhr noch von ihm gestört werden wollte.

Vor ein paar Jahren war das anders gewesen. Da waren seine Freunde noch nicht verheiratet, sondern hatten allein oder mit Freundin gelebt, und die war meistens kein Hindernis gewesen, sich nachts spontan auf ein Bier zu treffen. Während des Studiums und auch in den ersten Jahren danach waren es oft lustige Abende gewesen, die erst am frühen Morgen endeten. Manchmal war Olaf direkt aus der Kneipe ins Büro gegangen und hatte dann am kreativsten und konzentriertesten arbeiten können. Jetzt fanden seine Freunde nur noch selten Gelegenheit, in der Woche auszugehen. Es war zwar generell möglich, aber nicht mehr spontan, denn die Termine mussten vorher genau mit der Ehefrau abgesprochen werden. Ehe bestand in Olafs Augen überwiegend aus Arbeitsteilung und auf keinen Fall aus spontanem Spaß. Er war glücklich, nicht in diese Falle getappt zu sein, obwohl er ein- oder zweimal kurz davorgestanden hatte. Er konnte innerhalb der Woche tun, was er wollte. Aber leider brachten die meisten Dinge nach einiger Zeit allein weniger Spaß. Er hatte sich in den letzten Wochen mehr als einmal dabei ertappt, dass

30

er vor dem Fernseher hängengeblieben war, anstatt etwas zu unternehmen.

Irgendetwas musste sich wirklich ändern, beschloss er, als er nach dem vierten Glas Wein allein, aber mit unbändiger Sehnsucht nach einer Frau in Richtung Wohnung wankte, fünf Zigaretten hintereinander rauchte, sich dann ins Bett legte und es mal wieder viel zu heiß zum Einschlafen war.

4

Würde sie im Jüdischen Museum wirklich die Namen von Johanna und Karl Reisbach finden?, fragte sich Christiane. Und wie würde sie weiter recherchieren? Es ging nicht nur darum, Informationen zu beschaffen, sondern auch in die Lebensläufe zweier Menschen einzutauchen, von denen sie nur wusste, dass sie 1938 ein Grundstück besessen und dann verkauft hatten und dass sie sehr wahrscheinlich Juden waren.

Christiane kannte nicht viele Juden – wenn sie es sich richtig überlegte, kannte sie eigentlich keine näher, oder aber es war kein Thema gewesen, ob jemand, den sie kannte, jüdisch war oder nicht. Und jetzt war sie auf dem Weg ins Jüdische Museum, um in einem Gedenkbuch Namen nachzuschlagen und dort die Informationen zu bekommen, ob und wenn ja, wann das Ehepaar Reisbach deportiert und in welchem Konzentrationslager umgebracht worden war.

Könnte sie das, was sie vorhatte, ihren Kindern erklären? Als die Kinder noch ganz klein waren, hatte Christiane ihnen vorgemacht, dass es nur gute Menschen gäbe. Das war ihr so sehr geglückt, dass ihr Sohn zusammenbrach, als sie ihm mit vier erklärte, dass nicht alle Menschen lieb wären. Tagelang nahm er einen Stock mit, wenn er nach draußen zum Spielen auf den Hof ging, um sich gegen böse Menschen zu wehren. In den Buchläden stapelten sich wieder die Bücher, die Christiane selbst als Jugendliche gelesen hatte: »Das Tagebuch der Anne Frank«, »Die toten Engel«, »Der gelbe Stern« und »Damals war es Friedrich«. Es würde nicht mehr lange dauern, bis Julia sich mit diesen Dingen beschäftigen würde. Aber noch wollte sie ihre Tochter nicht verunsichern. Noch sollte sie auf der Insel der Glückseligen wohnen bleiben dürfen, auf der die schlimmste Ungerechtigkeit darin bestand, dass ihr jemand in der Schule ein Bein stellte.

Christiane fuhr mit der U-Bahn bis zum Halleschen Tor. In diesem Teil von Berlin war sie noch nicht gewesen. Sie durchquerte ein tristes Wohnzentrum und kam dann an einem Sportplatz mit einem Basketballfeld vorbei, auf dem sich halbwüchsige Jungs geschickt die Bälle zuwarfen. Sofort musste sie daran denken, wie mühsam es gewesen war, ihrem Sohn Fangen und Werfen beizubringen. Sie rief sich zur Ordnung und nahm sich vor, in den nächsten drei Wochen die Gedanken an die Kinder zu ignorieren und sie nur dann zuzulassen, wenn sie positiv waren.

Überall im Museum warteten junge Guides mit roten Halstüchern darauf, sehr freundlich und höflich Auskunft zu geben, aber Christiane traute sich nicht, nach dem Gedenkbuch zu fragen. Sie beschloss, auf eigene Faust durch das Museum zu gehen. Sie stieg die schwarzen steilen Treppen hinab. Unten am tiefsten Punkt des Gebäudes wurde der Holocaust dokumentiert. Eigentlich wollte sie nur in den Raum gehen, wo das Gedenkbuch liegen sollte, nachsehen und dann so schnell wie möglich nach draußen in die Sonne verschwinden. Aber dieses Museum mit seiner einzigartigen Architektur zog sie sofort in seinen Bann. Dämmerlicht umgab sie. Sie hatte den Eindruck, dass es kälter wurde, je tiefer sie kam. Die Wände waren schwarz, der Bodenbelag aus grauem Schiefer. Sie blieb vor einem Architektenmodell des Museums stehen.

»Der architektonische Stil von Libeskind nennt sich Dekonstruktivismus«, erklärte ein Guide einer Gruppe Jugendlicher, die aufmerksam zuhörte. »Libeskind hat auf Fassaden verzichtet. Es gibt keine rechten Winkel. Die Besucher sollen desorientiert werden. Der Boden steigt hier unten um sechs Prozent an, die Wände sind leicht nach links gekippt«, sagte der Guide. Christiane hörte weiter zu. »Hier am Modell erkennt man eine Zickzacklinie. Libeskind verband die Adressen großer Gestalten der berlinisch-jüdischen Kulturgeschichte – Heinrich von Kleist, Mies van der Rohe, Heinrich Heine, Rahel Varnhagen, Walter Benjamin und Arnold Schönberg – mit Linien und bekam dadurch die Idee für die Zickzacklinie des Gebäudes. Lange Parallelen und sich schneidende Linien ohne Anfang und Ende, die zwischen sich scharf zugespitzte dramatische Körper und Räume erzeugen, kehren in dem Entwurf immer wieder. Er heißt ›Zwischen den Zeilen‹, denn zwischen den Zeilen ereignet sich nach Libeskind das Wesentliche«, sagte der Guide. »Und es gibt Leerstellen, die sogenannten Voids, dazwischen, so wie die jüdische Geschichte in Berlin auch Leerstellen beinhaltet. Durch die Vertreibung und den Holocaust ist in der jüdischen Geschichte keine Kontinuität möglich. Auf der Innenseite des Modells sind alle Namen der Berliner Juden verzeichnet, die dem Nationalsozialismus zum Opfer fielen.«

Christiane geriet ins Wanken, als sie den Weg durch das tiefste Geschoss des Museums weiter fortsetzte. Die anderen Besucher sprachen halblaut miteinander.

Der Hauptgang wurde von der Achse des Exils durchkreuzt. An den Wänden entlang las Christiane Namen von Orten aus der ganzen Welt, in die Juden rechtzeitig hatten emigrieren können. Von 1933 bis 1942 waren es 27 600 gewesen. Sie gingen in die USA, nach Palästina, nach Großbritannien und in andere Teile der Welt, nach Südamerika, Afrika, Shanghai.

In den Schaukästen sah sie Fotos von der Emigration und Gegenstände, die in die Fremde mitgenommen wurden. Auf der Reproduktion einer Kinderzeichnung mit dem Titel *Berlin-Brasilien* war jede Station auf dem Weg ins Exil einmal um die halbe Welt aufgemalt.

Am Ende der Achse des Exils trat Christiane durch eine Glastür in einen kleinen Hof, der »Garten des Exils« genannt wurde. Sie kam erneut ins Wanken und hatte den Eindruck, dass alles in ihrer Wahrnehmung nach links kippte. Vor ihr erhoben sich leicht nach rechts geneigte rechteckige Säulen. Christiane zählte sieben mal sieben, also neunundvierzig Säulen. Aus der Spitze der Säulen wuchsen Ölweiden. So entstand über der Installation ein Blätterdach. Der Boden war mit grauem Kopfsteinpflaster belegt.

Man empfindet eine gewisse Übelkeit, beim Hindurchgehen, doch das ist recht so, denn so aus den Fugen geraten, fühlt sich die vollkommene Ordnung an, wenn man als Exi-

lant die Geschichte Berlins hinter sich lässt. Daniel Libeskind, stand auf einer Tafel. Christiane durchquerte den Garten langsam in alle Richtungen. Und tatsächlich überkam sie sehr schnell ein Gefühl der Orientierungslosigkeit. Sie verlor die innere Balance. Auch den anderen Besuchern des Gartens schien es so zu gehen. Keiner lief durch die Installation. Selbst Kinder verlangsamten ihre Schritte, und Jugendliche hörten für einen Moment auf, sich zu unterhalten.

Der Guide von vorhin betrat mit seiner Gruppe den Garten, und Christiane beschloss, weiter zuzuhören.

»Der Weg steigt in einem Winkel von zwanzig Prozent an«, erklärte er. »Das ist gerade noch für einen Menschen zu schaffen, ohne dass es zu mühsam wird. Libeskind scheint die Vorstellung des Exils wirklich getroffen zu haben. Mir ist es schon einige Male passiert, dass mir alte Menschen, die selbst ins Exil gehen mussten, sagten, genauso sei es gewesen. Man ist in der chaotischen Wirklichkeit des Exils gefangen, aber um einen herum geht das Leben geordnete Bahnen«, erläuterte der Guide. »Wenn man in den Garten des Exils hineingeht, fragt man sich nach einer Zeit, wo oben und unten ist. Und dann kommt die Frage, was wirklich ist und was Einbildung. So hat sich das Leben vieler abgespielt, die damals ins Exil mussten.«

Christiane konnte sich vorstellen, dass das alltägliche Leben wahrgenommen wird, man sich aber davon ausgeschlossen fühlt, wenn man im Exil lebt. Sie nahm jetzt das Rauschen des Windes, das Vogelgezwitscher, den Autolärm wahr und sah das irisierende Sonnenspiel auf den grauen Steinen. Sie lehnte sich an einen kühlen Betonpfeiler, um sich zu beruhigen. Sie wollte sich jetzt ihrer Aufgabe zuwenden und sich nicht weiter in diesem Museum verlieren. In einer Gesprächspause fragte sie den Guide nach dem Gedenkbuch, und er wies ihr den Weg.

Christiane verließ den Garten des Exils, ging zielstrebig an der Achse des Holocaust vorbei, stieg die Stufen hinauf und fand den Raum mit dem schlichten braunen Holztisch auf Anhieb. Sie setzte sich und versuchte sich auf das hellgraue Buch zu konzentrieren, wurde aber durch eine überdimensionale Fotostellwand abgelenkt, die ein KZ darstellte. Auf das Foto fiel ihr Blick, wenn sie vom Buch aufsah. Und von der Decke herab hing ein Stofftransparent mit einer Projektion über die Zahlen der deportierten Juden, mit Ort, Datum, wie viele es waren und wohin sie deportiert wurden.

Christiane zögerte, dann schlug sie das *Gedenkbuch Berlins der jüdischen Opfer des Nationalsozialismus* auf. *Ihre Namen mögen niemals vergessen werden*, las sie auf der ersten Seite. Und dann folgten auf allen anderen Seiten des Buches Kolonnen von Namen, Geburtsdaten, Berliner Adressen. Die Tage der Deportation, das Ziel der Deportation und der Todestag und die Todesart – wenn bekannt – waren am Ende jeder Zeile verzeichnet. Sie musste sachlich an die Aufgabe herangehen, sonst würde sie den Druck nicht aushalten können.

Christiane blätterte bis R und musste darüber lächeln, dass ihr augenblicklich einfiel, wie schwer es für Legastheniker war, etwas im Wörterbuch zu suchen, weil sie sich die Reihenfolge des Alphabets nicht merken konnten. Sie gelangte zu Rei und hoffte inständig, dass sie niemanden unter Reisbach finden würde. Aber da standen beide Namen: Johanna und Karl Reisbach. Und dann die Adresse: *Matterhornstraße 1, Berlin-Schlachtensee, deport. 26.2.1943, Auschwitz, verschollen.* Zuerst freute sie sich über den Zusatz *verschollen*, aber dann bemerkte sie, dass dies hinter den meisten Namen stand.

Sehr wahrscheinlich bedeutet es, dass sie ermordet wurden, dachte Christiane. Gab es noch mehr Informationen über die Reisbachs außer dieser deprimierenden Eintragung? Hatten sie Kinder gehabt? Wenn ja, waren sie auch in Auschwitz umgebracht worden? Aber dann wären sie ja auch hier verzeichnet worden, dachte sie.

Christianes Blick fiel durch ein schräges Fenster in den Park. Draußen schien die Sonne. Es war ihr erster freier Nachmittag ohne Kinder, und sie musste ihn ausgerechnet an einem solchen Ort verbringen. Aber es gab kein Zurück mehr. Sie hatte sich schon zu weit vorgewagt.

Sie notierte die Eintragung und stand auf, um noch einmal nach unten zu gehen. Sie wollte sich der Achse des Holocaust stellen. An den Wänden las sie die Namen der Vernichtungslager. Die Scheiben der Schaukästen waren teilweise geschwärzt. Durch Gucklöcher erblickte Christiane Abschiedsbriefe, die Geige eines Jungen, Fotos von Ermordeten. Und am Ende des Ganges stieß sie auf eine schwarze Tür. Eigentlich wollte sie umkehren, um sich nicht erneut einer psychischen Belastung auszusetzen, aber in dem Moment öffnete ein Guide die Tür für sie und schloss sie hinter ihr wieder.

Sie befand sich allein in einem Turm. Hier drin war es kalt und dunkel. Es gab keine Fenster, nur ganz oben einen schmalen Lichtschacht. Der Raum hatte die Form eines Rechteckes mit einem daraufgesetzten Dreieck, dessen Spitze in eine Ecke des Raumes auslief. Die Wände waren schwarz. Gegenüber der Spitze stieg eine Feuerleiter nach oben, und es wirkte so, als ob sie von unten nicht zu erreichen war. Daneben waren Löcher in die Betonwand gestanzt. Austrittslöcher für Zyklon B, dachte Christiane. Dies war der Holocaustturm. Christiane empfand Kälte, Hilflosigkeit, Entsetzen, Ausweglosigkeit, Angst. Aber als ein Lichtstrahl durch den Schacht fiel, spürte sie auch eine verzweifelte Hoffnung auf Zukunft. Sie stellte sich in die Spitze des Dreiecks. Dort wurde dem Körper nur wenig Platz gelassen. Sie schloss die Augen und hörte von draußen Kinderlachen und Autolärm, von drinnen das Klappen der Stahltür, leises Raunen und den Widerhall von Schritten. Sie spürte Hoffnungslosigkeit, ausgeschlossen sein und die Endgültigkeit des Leids.

Als sie den Holocaustturm nach langer Zeit frierend verließ, glaubte sie, eine vage Vorstellung davon zu haben, wie sich die Juden in den KZs gefühlt hatten, und fand sich gleichzeitig lächerlich, weil sie der Meinung war, niemals in der Lage zu sein, so etwas nachzuempfinden. Sie fragte den Guide an der Tür, wie Überlebende des Holocaust auf den Turm reagierten.

»Manche haben sofort das Gebäude verlassen, nachdem sie in dem Turm waren, weil sich dort drinnen ihre gut bewachten Dämonen der Erinnerung von der Kette losgerissen hatten«, antwortete er.

Auch Christiane hatte jetzt genug. Sie stieg hinauf zum Ausgang und ließ sich in den Lärm der sonnendurchtränkten Straßen Berlins fallen.

5

Charlotte sah auf den Kalender. Sylvia Meyer hatte heute Geburtstag; wenn sie richtig rechnete, wurde sie achtundsiebzig. Sie hatte die Einladung zu ihrem Geburtstag vor zwei Monaten erhalten und gleich abgesagt, weil es zu viel kostete, in die USA zu fliegen. Außerdem hatte sie kein Interesse daran, Gast bei Sylvias sicher glamouröser Geburtstagsparty in Los Angeles zu sein. Sie würde ihr nachher eine Geburtstagsmail schicken. Charlotte war glücklich über das Internet, denn sie konnte so auf die Schnelle lästige Pflichten erfüllen, wie Sylvia zum Geburtstag gratulieren, ohne mit ihr direkt in Kontakt zu treten. Sie mailte Felix, wann immer sie wollte, aber er musste sich nicht gezwungen fühlen, ihr sofort zu antworten. Telefongespräche nach Australien leistete sie sich nur dann, wenn die Sehnsucht nach der Stimme ihres Bruders größer war als ihre Vernunft.

Charlotte wusste nicht, ob sie Sylvia überhaupt mochte. Diese Frage hatte sich ihr nicht gestellt. Sylvia war ihre Schicksalsgenossin. Das verband auch noch nach Jahrzehnten.

Sie beide und viele Tausende jüdische Kinder hatten den Holocaust überlebt, weil sie Deutschland rechtzeitig verlassen hatten. Sie waren nicht in Konzentrationslagern gewesen, sie hatten aber die Ausgrenzung und Unterdrückung in den ersten Jahren des Dritten Reiches miterlebt. Sie waren Kinder gewesen, deren Eltern irgendwann beschlossen, sie in Sicherheit zu bringen und sie allein nach England zu schicken. Ihre Eltern blieben meistens in Deutschland und kamen im Holocaust um. Viele der Kindertransportkinder, wie sie sich nannten, sahen ihre Eltern zum letzten Mal auf einem Bahnhof. Sie wurden Waisen und wussten es jahrelang nicht, weil sie während des Krieges keine oder wenig Informationen über den Verbleib der Eltern bekamen. Und nach dem Krieg konnten sie ihre Eltern auf keinem Friedhof betrauern.

Als Charlotte vom Schicksal der knapp 10 000 jüdischen Kinder, die zwischen Dezember 1938 und September 1939 aus Deutschland, Österreich und der Tschoslowakei nach England gebracht wurden, erfuhr, war es ihr schwergefallen zu glauben, dass sie selbst zu dieser Gruppe gehörte.

Nach dem Judenpogrom am 9. November 1938 wurde ein Hilfsprogramm für jüdische Kinder gestartet. Dessen Urheber waren jüdische Organisationen und britische Abgeordnete. Am 15. November 1938 baten einflussreiche jüdische Briten Premierminister Neville Chamberlain, deutschen, österreichischen und tschechischen jüdischen Kindern vorläufige Aufenthaltsgenehmigungen zu erteilen. Nachdem die Situation sich wieder entspannt hätte, sollten die Kinder und die Jugendlichen in ihre Heimatländer zurückkehren. Nach langwieriger Diskussion im Kabinett wurde dann im Flüchtlingskomitee entschieden, die Einreise von unbegleiteten Kindern und Jugendlichen zwischen zwei und siebzehn Jahren zu akzeptieren. Die Organisation Refugee Children's Movement wurde gegründet. Neben den jüdischen Organisationen wirkten auch die Quäker mit. Der britische Innenminister war damit einverstanden, dass die Reisedokumente aufgrund von Gruppenlisten erstellt werden konnten. Für jedes Kind musste eine Garantiesumme von fünfzig Pfund hinterlegt werden. In England wurden Pflegefamilien gesucht und Heime gegründet, in denen die Kinder bleiben konnten.

Fünfzig Pfund war ich damals wert. Das sind heute 1500 Euro, dachte Charlotte.

Sylvia Meyer hatte sicher auch nicht geahnt, wie viele Kinder ihr Schicksal teilten, als sie sich mit ihren Eltern an einem bitterkalten Januarabend aufmachte, um ihre Reise nach London anzutreten. Charlotte begegnete ihr in einem zugigen Seitengebäude am Bahnhof Zoo. Sylvia trug einen blauen Stoffmantel mit Fuchskragen und eine dazu passende Kappe. Muss die schön warm sein, dachte Charlotte. Aber sie fror in ihrem grünen Lodenmantel auch nicht. Sylvia hatte sich an die Hand ihrer Mutter geklammert und geweint. Heulsuse, dachte Charlotte. Sie war stolz darauf, noch keine Träne vergossen zu haben, obwohl sie Angst hatte und es ihr hundsmiserabel ging.

Auf der Fahrt zum Bahnhof Zoo saßen sich ihre Eltern schweigend gegenüber und sahen sich nicht an. Das war ungewöhnlich, denn sonst suchten sie immer Augenkontakt. Mama saß neben Felix und Papa neben ihr. Mama hatte den Arm um Felix gelegt, und Charlotte hatte gedacht: Warum kann ich nicht bei ihr sitzen? Sie lehnte den Kopf an Papas Schulter, er roch nach seinem Rasierwasser und Pfeifentabak. Ein bisschen war sie stolz darauf, dass sie um diese Zeit noch aufbleiben durfte. Es war schon neun Uhr abends, wie sie auf der Bahnhofsuhr entziffern konnte. Und um acht Uhr musste sie sonst immer im Bett liegen.

Im ganzen Waggon standen Koffer auf dem Gang. Charlotte war sich sicher, dass die vielen anderen Kinder, die neben den Erwachsenen saßen, auch wie sie und ihr Bruder mit einem Zug nach England fahren sollten.

Eine Woche vorher, kurz nach Silvester, hatte sie Mama nach dem Mittagessen ins Wohnzimmer gerufen, sich mit ihr auf das Sofa vor dem niedrigen Mahagonitisch gesetzt, ihr eine Limonade eingeschenkt und ihr eine Schale mit Katzenzungen hingeschoben. Jetzt kommt was Besonderes, dachte Charlotte, denn Katzenzungen durften sie nur zu besonderen Anlässen naschen.

»Lotte«, sagte ihre Mutter, »du und Felix werdet eine Reise machen. Sie wird sehr lange dauern, denn ihr werdet mit der Bahn und dem Schiff unterwegs sein. Ihr werdet nach England fahren.«

»Warum sagst du ›du und Felix‹, du kommst doch mit, oder?«, antwortete Charlotte.

»Nein, dieses Mal nicht. Ihr werdet allein nach England verreisen.«

»Kennen wir jemanden in England?«

»Nein, aber ihr werdet dort eine gewisse Zeit verbringen.«

»Felix und ich? Mit wem denn? Wir werden doch nicht allein wohnen können.«

»Nein, natürlich nicht. In England werden euch Menschen aufnehmen und für euch sorgen.«

»Und was macht ihr?«

»Wenn wir hier alles geregelt haben, werden wir zu euch kommen.«

Felix erklärte Mama es etwas einfacher.

»Du machst mit Charlotte eine Reise. Und es wird nicht lange dauern, dass wir uns wiedersehen. In der Zwischenzeit wirst du bei netten Leuten wohnen, die sich um dich kümmern. Und Charlotte ist ja bei dir.«

»Muss ich in England auch in die Schule?«, fragte Felix.

»Nicht sofort«, sagte Mama. Felix klatschte vor Freude in die Hände, weil ihm Schule keinen Spaß brachte.

In den Tagen danach hatte Mama Namensschilder in ihre Kleider genäht, sie gebügelt und zusammengefaltet. Papa kam eines Abends mit zwei haselnussbraunen Lederkoffern nach Hause, und Charlotte war stolz darauf, dass sie zum ersten Mal einen eigenen Koffer besaß.

Sylvia hatte herzzerreißend geschluchzt, als sie sich von ihren Eltern trennen musste, die wie alle Eltern nicht auf den Bahnsteig mitkommen durften. Charlotte wollte nicht heulen und bekam Angst, sie würde doch noch anfangen, wenn alle anderen weinten. Aber sie blieb stark und vergoss keine Tränen. Papa und Mama weinten auch nicht, Papa versuchte aufmunternd zu lächeln, aber dieses Mal verrutschte sein Lächeln und sah mehr wie eine Fratze aus. Das machte ihr Angst. Mamas Gesicht wirkte versteinert. Sie nestelte stumm am Henkel ihrer Handtasche. Papa sagte: »Seid brav, putzt euch regelmäßig die Zähne, vertragt euch, und du, Lotte, pass ein wenig auf deinen kleinen Bruder auf. Wir kommen bald nach, und dann sind wir wieder alle zusammen.«

Mama nickte mit dem Kopf und strich Felix und ihr noch einmal über das Haar. Dann wurden alle Kinder weggeführt. Charlotte drehte sich ein letztes Mal nach ihren Eltern um. Da sah sie Mama in den Armen von Papa schluchzen, ihr Rücken bebte und zitterte. Aber auch da hielt Charlotte ihre Tränen mit aller Kraft zurück, obwohl sie wie ein Schlosshund heulen wollte.

Felix schien nicht beunruhigt zu sein und alles für ein Abenteuer zu halten. Er saß vergnügt neben ihr im Abteil und freute sich darüber, dass er heute und in den nächsten Tagen nicht in die Schule zu gehen brauchte. Sylvia wurde durch die Tür geschoben und setzte sich neben sie. Sie weinte immer noch. Felix legte seine viel kleinere Hand auf Sylvias und streichelte sie.

»Bald wirst du deine Eltern wiedersehen. Unsere kommen in ein paar Wochen. Und bis dahin musst du vielleicht auch nicht in die Schule gehen«, sagte er. »Das ist doch phantastisch.«

Charlotte würde nie vergessen, was Sylvia daraufhin sagte. »Was weißt du denn schon, Kleiner«, zischte sie. »Vielleicht schaffen sie es gar nicht, Deutschland zu verlassen, und du siehst sie niemals wieder.«

Charlotte wusste, dass dieses fremde Mädchen recht hatte, und sie wusste, dass diese Nachricht eine verheerende Wirkung auf ihren Bruder haben würde.

»Lotte, ist das wahr?«, wandte er sich an seine Schwester. Seine Stimme war ein dünnes Zittern.

»Nein, natürlich ist es nicht wahr«, antwortete Charlotte, aber sie merkte, dass sie nicht sehr überzeugend klang.

Sie konnte nicht verhindern, dass Felix sich augenblicklich in sich selbst zurückzog, sich ganz in sich versteckte und erstarrte. Sein Gesicht verlor jede Lebendigkeit, seine Pupillen weiteten sich, sein Körper spannte sich; er presste die Lippen aufeinander. Auch zu Hause tat er das, wenn er in Panik geriet. Mama hatte ihn dann immer in die Arme genommen, murmelte unzusammenhängende Koseworte, summte eine Melodie und hielt ihn so lange fest, bis er sich wieder entspannte. Ich muss Felix helfen, dachte Charlotte. Aber sie konnte ihn nicht in die Arme nehmen und auf ihren Schoß ziehen, weil er sich dagegen wehrte und so steif machte, dass niemand, der nur einen Kopf größer als er und zehn Jahre alt war, ihn hätte umarmen können.

Er saß neben ihr. Draußen zog die Landschaft schwarz vorbei. Charlotte wusste nicht, wo sie waren. Sie wusste nicht, was mit ihnen geschehen würde. Sie war vollkommen ratlos, was sie mit ihrem Bruder anfangen sollte, der Stunde um Stunde regungslos neben ihr saß. Er sprach nicht, schlief nicht, wollte nichts essen oder trinken und nicht aufs Klo gehen.

Sylvia versuchte, ihn durch witzige Geschichten aus seiner Erstarrung zu lösen, aber es gelang ihr nicht. Sie fuhren durch die Nacht, und Charlotte hatte den Eindruck, als ob niemand anderes sonst auf dieser Welt wäre außer den Kindern in diesem Zug, denen allen gesagt worden war, dass sie ihre Eltern bald wiedersehen würden, und die sich an dieses Versprechen festhielten wie an ein Stück Treibholz in einer tobenden See. Nur sie konnte nicht mehr daran glauben, und sie fühlte eine unbändige Wut in sich aufsteigen, dass ihre Eltern sie im Stich gelassen hatten.

Wenn Felix doch nur geweint hätte, seine Erstarrung und sein Verstummen waren schwerer zu ertragen. Charlotte erzählte ihm abwechselnd mit Sylvia Geschichten und alle Witze, die sie kannte. Sie legte ihren Arm um ihn und zog ihn halb auf ihren Schoß. Er ließ es geschehen, ohne sich zu rühren. Schließlich konnte sie nicht mehr. Sie war so erschöpft. Sie musste einfach schlafen. Sie lehnte sich an ihren Bruder und schloss für einen Moment die Augen. Als sie wieder wach wurde, war es hell, und ihr Bruder schlief mit dem Kopf auf ihrer Schulter. Sie bettete ihn vorsichtig auf ihren Sitz. Sie wollte sehen, was in den anderen Abteilen los war.

Jetzt, in der Helligkeit des angebrochenen Tages, wirkte diese Reise nicht mehr bedrohlich. Charlottes angeborener Optimismus kehrte zurück, und das Vertrauen in ihre Eltern, die gesagt hatten, dass sie auch nach England kommen würden, stellte sich wieder ein. Es wird schon werden, dachte Charlotte, das war eine Redensart ihres Vaters. Ihre Eltern hatten doch noch nie ein Versprechen gebrochen.

Im Abteil nebenan war ein Mädchen in ihrem Alter gerade dabei, zwei Babys im Gepäcknetz schlafen zu legen. Charlotte öffnete die Tür. Das Mädchen sah nett aus. »Kann ich dir helfen?«, fragte sie.

»Nein, jetzt geht es. Aber eben war es anstrengend, da musste ich beide füttern, und sie hatten gleichzeitig Hunger.«

»Sind das deine Geschwister?«

»Nein, ich kenne sie eigentlich gar nicht. Sie wurden mir in Berlin ins Abteil gereicht. Du kümmerst dich um sie, sagte ein Mann und verschwand wieder. In Holland musst du sie am ersten Bahnhof hinausbringen. Jemand wird sie in Empfang nehmen. Weißt du, wann wir in Holland sind?«, fragte das Mädchen.

»Eigentlich müssten wir bald da sein«, sagte Charlotte.

Fast gleichzeitig mit ihren Worten hielt der Zug an. Die Türen klappten auf. Männer in Uniformen stiegen ein.

»Das sind SS-Männer«, flüsterte das Mädchen.

»Ich muss zurück in mein Abteil«, sagte Charlotte. Sie wollte ihren Bruder in dieser Situation nicht mit den SS-Männern allein lassen. Man wusste bei Felix nie, was ihm einfiel. Wenn er sich bedrängt fühlte, wurde er manchmal frech. Charlotte wusste, dass sie gegenüber SS-Leuten niemals frech werden sollten.

Sie setzte sich neben Felix, der vor kurzem aufgewacht war und sich darüber beschwerte, dass sie weggegangen war, und schärfte ihm ein, gerade zu sitzen und nichts zu sagen, egal, was sie ihn fragten, und ihr das Reden zu überlassen.

Die SS-Männer öffneten die Abteiltür, musterten Felix, sie selbst, die drei anderen Mädchen, die im Abteil waren, und blieben an Sylvia hängen, die erst rot und dann blass wurde, als sie die auf sich gerichteten Blicke spürte. »Du da, wie heißt du?«

»Sylvia«, sagte sie.

»Wie?«

»Sylvia Grafen«, sagte Sylvia.

»Deinen dreckigen Judennachnamen wollen wir nicht wissen«, knurrten die SS-Männer.

»Sara«, flüsterte Felix ihr zu. »Du musst Sara sagen, sonst werden sie noch böser.«

»Sylvia Sara«, sagte Sylvia.

»Na, also. Hol deinen Koffer und komm mal mit«, sagte der eine SS-Mann und machte plötzlich ein freundliches Gesicht, das noch grässlicher war als sein strenges Gesicht eine Sekunde zuvor. Charlotte würde nie seine Augen vergessen, sie waren kalt und seelenlos, wie tot.

Sie half Sylvia, ihren Koffer aus dem Gepäcknetz zu hieven.

»Keine Angst«, sagte sie. »Es passiert schon nichts. Sie wollen sicher nur in deinen Koffer sehen.«

Sylvia antwortete nicht, aber zitterte am ganzen Leib. Der SS-Mann nahm ihr den Koffer ab. Sie musste zwischen den beiden Männern den Gang entlanggehen. Nach einer halben Stunde kam Sylvia wieder. Sie hatte geweint, man sah es an ihren geröteten Augen. Ihre Zöpfe hatten sich gelöst.

»Haben sie dich geschlagen?«, fragte Charlotte und war erleichtert, als Sylvia stumm den Kopf schüttelte.

6

Am nächsten Abend blieb Olaf lange im Büro, obwohl es nichts mehr zu tun gab. Er spitzte alle Bleistifte, langweilte sich und war kurz davor, den Computer anzuwerfen und Siedler 4 zu spielen. Aber er wusste, dass er dann bis zum frühen Morgen spielen würde, und das wollte er nicht. Also verließ er missmutig das Büro, ohne zu wissen, was er mit diesem Abend anfangen sollte. Er hätte diesen lauen Sommerabend am liebsten mit einer Frau verbracht, wenn er in Berlin eine Frau gekannt hätte, die mit ihm einen solchen Abend hätte verbringen wollen oder – und das war eher das Problem – er mit ihr.

Natürlich kannte er Singlefrauen ohne Kinder, aber die machten ihm Angst, weil sie meistens schon länger Single und trotz lockerer Art dementsprechend verzweifelt waren. Und sie wollten viel Zeit mit ihm verbringen. Was er aber am meisten fürchtete, war die Frage, die sie sehr bald stellten:

»Magst du Kinder?«

»Weiß nicht, ja, ganz nett«, antwortete er daraufhin immer, denn er wusste es wirklich nicht, außerdem war es die beste Methode, um die Frauen, die nur auf der Suche nach einem Vater ihres, wenn auch erst sehr spät gewollten Kindes waren, auszusortieren.

Was sollte er mit diesem bezaubernden Abend anfangen? Sollte er Martina anrufen und jammern, wie sehr er sich gerade jetzt nach ihr sehnte? Sich ins Auto stürzen und nach Ludwigslust rasen, um mit ihr die Nacht zu verbringen? In der Anfangszeit hatte er das manchmal getan. Aber das war jetzt ja auch schon Jahre her. In der Woche wurde Martina immer schon um 23 Uhr müde. Sie hätte seine Sehnsucht sicher nicht mit Leidenschaft, sondern mit einem müden »Komm ins Bett, ich muss morgen früh raus« quittiert, und dafür lohnte sich eine zweistündige Fahrt nicht.

Er streifte schlecht gelaunt durch die Straßen. Im Fenster eines kleinen Buchladens hing ein Schild: *Heute Lesung, 20 Uhr*, stand dort und dann: *Claudio Mahnke liest aus seinem Gedichtband* Kieselsteine I–III. Olaf sah durchs Fenster. Es waren noch fast keine Zuhörer im Laden. Er sah zwei Reihen weißer Ikea-Plastikstühle, auf einem schlichten Holztisch eine Leselampe und eine kleine Blumenvase mit einer langstieligen roten Rose. Normalerweise wäre Olaf weitergegangen, er fand es grauenhaft, wenn sich jemand lächerlich machte, und bei dem Titel des Buches konnte es eigentlich nur etwas in dieser Richtung sein, aber als er sich gerade zum Gehen wenden wollte, kam eine Frau mit atemberaubendem rotem Lockenkopf aus dem Buchladen und zündete sich genüsslich eine Zigarette an, wobei sie die Augen schloss.

»Das tut gut«, sagte sie, eigentlich mehr zu sich als zu ihm gewandt. Dennoch fasste er es als Einladung zu einem Gespräch auf.

»Haben Sie schon mal was von dem Autor gehört?«, fragte Olaf.

»Nein, aber er sieht ganz interessant aus«, erwiderte die Frau, die einen Ehering und einen türkisfarbenen Ring trug, der an Indianerschmuck erinnerte.

»Und der Titel klingt ja auch spannend«, sagte Olaf und bemühte sich, nicht zu spöttisch zu klingen.

Die Frau lachte. »Das dachte ich auch gleich. Aber ich war so lange nicht bei einer Lesung, und da fand ich, dass ich diesem Dichter eine Chance geben sollte, als ich hier zufällig vorbeikam.«

»Dann werde ich es auch wagen«, sagte Olaf. Er mochte den sanften Spott in ihrer Stimme.

Sie lächelte ihn noch einmal an, rauchte die Zigarette hastig zu Ende, und er ging hinter ihr her in die Buchhandlung. Ihm fiel auf, dass die Frau ziemlich groß war, bestimmt 1,78, schätzte er. Er selbst brachte es auf 1,83. Und sie hatte lange, dünne Beine, eine sportliche Figur und einen knackigen Po. Er mochte eigentlich zierliche, kleinere Frauen, aber diese Frau hatte etwas, was ihn dennoch faszinierte. Sie trug einen blauen transparenten Rock und eine rote Jeansjacke.

Im Buchladen wurden sie von einem grauhaarigen Mann mit hochrotem Kopf begrüßt.

»Schön, dass Sie kommen konnten. Der Eintritt kostet drei Euro?«, fügte er hinzu, als ob er sich dafür entschuldigen wollte.

»Möchten Sie ein Glas Wein? Wir warten noch ein wenig. Meistens kommen die Zuhörer zu einer Lesung etwas zu spät.«

»Willst du?«, fragte er die Frau mit dem zerzausten Haar. Unter ihrer Sommerjacke kam ein türkisfarbenes T-Shirt mit weißer Schrift, die einen »Indian Summer«

verhieß, zum Vorschein. Eigentlich fand er so etwas albern, aber bei ihr wirkte es witzig. Und das gute Handvoll Brüste unter jedem Wort gefiel ihm auch.

»Gerne«, sagte sie.

»Wo wollen wir uns hinsetzen?« Sie stellt die Frage so selbstverständlich, als ob sie mit ihrem Mann unterwegs wäre, dachte er.

»Ganz vorn. Sonst denkt der Dichter, wir hätten vor ihm Angst«, schlug er vor.

Sie setzten sich mit ihrem Wein in die erste Reihe und stießen an. »Olaf«, sagte er, »Christiane«, sagte sie.

Der Buchhändler konnte seine Nervosität nicht länger verbergen. Er sah ununterbrochen auf die Uhr und schwitzte. Außer ihnen war bisher kein weiterer Zuhörer gekommen. Er verschwand im Nebenraum. Kurz danach ging die Ladentür auf, und fünf Gestalten kamen herein.

»Hast du deinen Onkel Claudio schon mal lesen hören?«, fragte eine weißhaarige ältere Dame ein junges Mädchen, offensichtlich ihre Enkelin.

»Nein, bisher nicht, er hat ja auch noch nicht so oft gelesen«, antwortete das junge Mädchen.

Eine Frau Anfang fünfzig mit Henna gefärbten Haaren, randloser Brille und durchgehend schwarzem Outfit hakte sich bei der älteren Dame unter.

»Claudio hat so einfühlsame Sachen geschrieben«, meinte sie. »Er hat sie mir alle schon in der Rohfassung vorgelesen.«

»Man kennt sich anscheinend«, sagte Olaf. Christiane grinste. Langsam fing der Abend an, ihr Spaß zu bringen. Der Dichter erschien mit dem Buchhändler im La-

den. Claudio Mahnke, Oberstudienrat und Spätacht-
undsechziger, setzte seine Halbbrille auf, bedankte sich
bei dem Buchhändler, der ihm Wasser einschenkte und
nicht mehr ganz so rot im Gesicht war, und schlug seinen Gedichtband auf.

»Nacht

Mein Mund stürzt auf deinen
Während meine Hände
Sich im Dickicht deiner Lust verfangen
Ich trinke
Von deinen Lippen
Den Saft vergangener Tage
Und bette meinen Kopf
In deine sanften Höhlen.«

Claudio Mahnke rezitierte mit leiser Stimme. Olaf
kannte sich zwar mit Gedichten nicht aus, aber das,
was er gerade hörte, war schlecht und kaum zu ertragen. Er warf einen Seitenblick zu Christiane, der es
auch so ähnlich ergehen musste wie ihm, denn sie
machte ein betont interessiertes Gesicht, starrte nach
vorn auf den Autor, der jetzt nach einem bedeutungs-
schwangeren Blick auf die Schwarz tragende Frau erneut ansetzte, um ein weiteres Gedicht vorzutragen.
Dabei beugte er sich so weit über das Buch, dass seine
Nase fast die Seiten berührte. Vielleicht will er damit
deutlich machen, wie intim die Gedichte eigentlich
sind, die er uns zu Füßen legt, dachte Olaf. Er verstand
nur Bruchstücke von dem, was Claudio Mahnke mur-

melte. Den anderen musste es genauso gehen, aber das schien den Autor nicht zu stören. Christiane sah immer noch angespannt nach vorn. Olaf verfluchte den Umstand, in der ersten Reihe zu sitzen, so konnten sie auf keinen Fall unauffällig verschwinden, und nur das hatte er noch im Sinn. Allerdings mit Christiane, die beim dritten Gedicht, das der Autor – plötzlich aufgesprungen – im Gehen, von großen Gesten unterstützt und sogar auswendig, rezitierte, anfing, etwas in ein schwarzes kleines Buch zu kritzeln, das sie aus ihrer Tasche gezogen hatte.

O nein, dachte er, lass sie bitte keine Berufene sein, die auch Gedichte oder Prosa schreibt und schon seit Jahren mit Elan, aber erfolglos auf ihre erste Veröffentlichung hinarbeitet. Er hatte einmal einige Zeit mit so einer Frau verbracht und sich nicht gerade sehr wohl gefühlt, als ihm die Details einer besonders heftigen Liebesnacht mit ihr im Schimmer zweier gelber Duftkerzen und durch den wabernden Geruch von Zitronenmelisse als großartiges Prosastück präsentiert wurde. Diese Frau hatte vor, ebendiese Geschichte über ihre heiße Liebesnacht beim Brigitte-Kurzgeschichtenwettbewerb einzuschicken, was er allerdings fast in letzter Sekunde verhindern konnte. Er bot ihr an, den Umschlag zur Post zu bringen, und ließ ihn auf dem Weg dorthin in einem Mülleimer verschwinden. Als die Siegergeschichten in der Brigitte erschienen, war sie nicht mehr seine Freundin, und es war ihm egal, dass sie litt, weil sie wieder nichts gewonnen hatte.

Als sie eine Seite umschlug, warf Olaf einen Blick in Christianes Notizbuch. Unter einer *To-do*-Überschrift stand *Reinigung, Jüdische Gemeinde* und *Kerstin* geschrieben. Keine Autorin, dachte er, was für ein Glück.

Claudio Mahnke las eine Stunde lang, ohne darauf zu achten, ob sein Publikum noch interessiert war. So bekam er nicht mit, dass selbst seine Bewunderin zweimal gähnte und die alte Dame mehrmals auf die Uhr sah.

Das verhaltene Klatschen der anderen Zuhörer wurde von Christianes lautem Klatschen relativiert.

»Wenn Sie noch Fragen an den Autor haben, würde ich vorschlagen, dass wir diese in lockerer Runde bei einem Glas Wein besprechen«, sagte der Buchhändler.

»Gehen wir?«, fragte Olaf.

Statt einer Antwort stand Christiane auf, nahm ihre Jacke, und es war selbstverständlich, dass er mit ihr zusammen den Buchladen verließ.

Sie landeten im Café Bellini am Kollwitzplatz. Christiane wusste nicht, wie spät es war. Sie hatte ihre Armbanduhr in ihren Schmuckkasten gelegt, kurz nachdem die Kinder von ihrer Mutter abgeholt worden waren. Sie musste die Uhrzeit nicht wissen. Sie hatte keine Termine, niemanden, für den sie Essen kochen oder Wäsche waschen müsste. Sie würde auch nicht die Hausaufgaben kontrollieren oder noch schnell kurz vor Ladenschluss in den Supermarkt fahren müssen. Und was das Schönste war: Sie würde in der nächsten Zeit nur reden, wenn sie Lust dazu hatte. Sie müsste nicht auf die Fragen ihrer Kinder antworten – meistens allerdings fragte ihre Tochter. Sie würde drei Wochen lang nicht herumrätseln müssen, was ihr Sohn eigentlich meinte. Leider verstand sie Philipp nicht immer. Manchmal war Julia die Einzige, die ihn begreifen konnte.

Olaf lotste sie an einen Tisch am Fenster. Es war ein schlichtes Restaurant mit Holztischen und Kerzen darauf. An den anderen Tischen saßen Paare, aber auch Familien mit Kindern. Es war entsprechend laut, aber das schien hier niemanden zu stören. Christiane lehnte sich zurück und genoss es, niemandem sagen zu müssen, dass er nicht durch den Raum laufen oder endlich aufessen sollte. Im Hintergrund dudelte südamerikanische Musik. Es war Donnerstagabend, aber es schien hier niemanden zu interessieren, dass morgen eigentlich noch ein Arbeitstag war.

Olaf las jetzt in der Karte und wirkte nicht mehr so entspannt wie während der Lesung, was sie entzückend fand, weil es augenscheinlich etwas mit ihrer Anwesenheit zu tun hatte. Sie hatte schon seine Hände begutachtet, während er es nicht bemerkte. Er trug keinen Ring, und die Haut an den Fingern war durchgehend gebräunt. Vielleicht ist er geschieden, dachte Christiane. Er musste ungefähr so alt sein wie sie, und da waren die Männer, die so offensichtlich ungebunden wirkten, meistens wieder geschieden und hatten Kinder, denen sie Unterhalt zahlten. Aber das brauchte sie ja glücklicherweise nicht zu interessieren. Sie wollte mit ihm einen kurzweiligen Abend verbringen, Wein trinken, Musik hören und ein wenig reden. Aber nicht über ihre Kinder. Über die wollte sie weiß Gott nicht sprechen, und wenn es sich vermeiden ließ, auch nicht über Matthias.

Bevor sie sich entschieden hatte, noch einmal wegzugehen, hatte sie ihre E-Mails gecheckt. Matthias hatte auch gemailt, aber es war wieder nur um seine Arbeit und das Wetter gegangen. Er hatte ihr tatsächlich auch mitgeteilt, was es zum Essen gegeben hatte. Christiane wusste, dass die Verpflegung während einer Forschungsreise eine ungeheure Wichtigkeit besaß und von der Eintönigkeit der Aufgaben an Bord ablenkte. Besser, Matthias fand so etwas spannend, als sich mit den wenigen Naturwissenschaftlerinnen an Bord zu beschäftigen, dachte Christiane. Sie war sich sicher, dass er ihr auch während seiner Reise treu blieb. Sie hatten zwar nie darüber gesprochen, aber ihr war klar, dass ihr Mann keine Lust auf Komplikationen an Bord hatte. Warum hatte Matthias dann nur mit *Schöne Grüße* unterschrieben und nicht mit *Kuss* wie sonst? War er noch sauer auf sie? Ihre letzte Mail hatte nur aus Vorwürfen bestanden: Dass er nicht da sei, um sich um Philipp zu kümmern, dass sie den Druck nicht mehr aushielte und sich wünschte, auch eine Pause vom alltäglichen Kampf mit den Kindern zu bekommen. Sie hatte ihm geschrieben, dass sie ihn beneidete, mit ihm tauschen wolle, dass es ihr größter Fehler gewesen sei, für die Kinder beruflich zurückzustecken, und dass ihm überhaupt nicht klar sei, was sie jeden Tag leisten musste.

Matthias war nicht auf ihre Vorwürfe eingegangen. Auf diese Weise zeigte er ihr, dass er ihr nichts übelnahm, aber das hatte sie nicht getröstet. Als sie ihre eigene Familie gründete, dachte sie, eine Familie zu gestalten wäre einfach. Mittlerweile wusste sie nicht mehr, warum sie auf diese Idee gekommen war. Die Entscheidung, überhaupt zu heiraten, war ihr doch schon schwer genug gefallen. Und sie hatte auch nicht damit gerechnet, dass sie sich solchen Problemen stellen müsste wie denen mit Philipp.

Über all das würde sie nicht mit Olaf sprechen.

»War das nicht grottig?«, fragte er gerade und spielte gleichzeitig mit einem Bierdeckel.

»Ich hoffe, du schreibst keine Gedichte. Was meinst du, war Claudio beim Schreiben betrunken oder ist der immer so unfähig?«

Eigentlich wollte Christiane den armen Dichter in Schutz nehmen, wie sie es oft bei offensichtlich gescheiterten Existenzen tat, weil sie von ihren 68er-geprägten Lehrern gelernt hatte, in jedem Fall das Bemühen anzuerkennen.

»Nee, ich glaub, der ist immer so gruselig schleimig. Ich stell mir gerade vor, wie er mit seiner Henna gefärbten Flamme auf dem Futon liegt und ihr während des Liebesaktes Gedichtzeilen ins Ohr säuselt ...«

»... die seine Frau nicht mehr hören kann, seit er sie bei ihrem ersten Rendezvous vor zwanzig Jahren damit nervte«, setzte Olaf ihren Gedankengang fort.

Christiane lachte und freute sich darüber, dass sie mit ihm ein wenig gehässig sein konnte. Ihre Kinder verstanden Gehässigkeit nicht. Und Matthias mochte sie nicht.

»Ich will natürlich nichts Abfälliges über die Ehe sagen. Du bist doch verheiratet?«, fragte Olaf.

»Ja.«

»Und, wie isses?«

»Fein«, sagte Christiane.

»Klingt ja unendlich begeistert.«

»Was machst du so, außer offensichtlich nicht verheiratet zu sein?«

»Ich bin Architekt, aber bevor du jetzt denkst, ich baue an irgendetwas Wichtigem in Berlin mit: Ich kümmere mich überwiegend um den Bau und Umbau von Einfamilienhäusern. In der Hauptsache verhandele ich mit den Ehefrauen erfolgreicher, vielbeschäftigter Männer.«

»Dann hast du sicher ziemlich tiefen Einblick ins Familienidyll«, sagte Christiane.

»Was möchtest du essen?«, fragte Olaf und bestellte dann für sie mit, als ob sie nicht selbst den Mund hätte aufmachen können. Früher hätte sie das als Machogehabe abgetan, aber seit einiger Zeit fand sie, dass sie emanzipiert genug war, um sich mit Genuss ein wenig von einem Mann bevormunden zu lassen.

Es gefiel ihr, mit ihm zu essen. Christiane wusste gar nicht mehr, wann sie das letzte Mal mit einem Mann allein essen gegangen war. Seit sie mit Matthias verheiratet war, hatte sie auch kein Date gehabt. Nicht, dass es keine Gelegenheiten gegeben hätte. Aber sie hatte sie nicht wahrgenommen. Die Familie, Matthias, ihre gemeinsamen Freunde und ihre Freundinnen genügten ihr. Sie brauchte nicht zusätzliche Komplikationen oder Ablenkungen. Und sie hatte sich auch bisher nie gewünscht, jemand anderen als Matthias zu umarmen.

Ist das hier ein Date?, fragte sie sich. Nein, sie waren sich zufällig begegnet und ließen nun den Abend miteinander ausklingen.

»Wenn du Architekt bist, kannst du mir vielleicht

helfen«, sagte Christiane. »Ich hab da nämlich ein Haus geerbt, am Heiligen See.«

»1-a-Lage«, sagte Olaf anerkennend. »Da hast du ja großes Glück gehabt. Na ja, ich hoffe, es ist nicht jemand gestorben, der dir sehr nahestand.«

»Nein, ich kenne meine Großtante fast gar nicht. Und so phantastisch ist diese Erbschaft auch nicht. Aber das sind Details. Ich brauche jemanden, der den Preis für das Haus und das Grundstück schätzt. Ich möchte vorbereitet sein, bevor ich ein Gespräch mit Maklern führe.«

»Ich kann dir da helfen, wenn du es möchtest.«

»Das hatte ich gehofft. Ich würde es am liebsten ziemlich schnell wissen. Morgen Nachmittag?«, fragte Christiane.

»Ich habe um dreizehn Uhr einen Termin, danach hätte ich Zeit«, sagte er.

»Bist du teuer?«

»Hängt vom Objekt ab. Darüber reden wir morgen, in Ordnung?«, sagte Olaf.

»Kannst du mich um fünfzehn Uhr treffen? Wo bist du vorher?«

»In Wannsee, ich muss mal wieder mit einer besonders schwierigen Kundin über eventuelle Änderungswünsche beim Umbau diskutieren.«

»Ich wohne in Grunewald, vielleicht kannst du mich abholen?«, fragte Christiane. »Ich bin noch nicht so lange in Berlin und verfahre mich leicht«, fügte sie hinzu.

»Das war bei mir genauso«, sagte Olaf.

»Kommt dein Mann mit?«

»Nein, der ist gar nicht in Berlin, sondern auf Forschungsreise.«

»Und Kinder?«

»Ja, zwei, aber die sind für drei Wochen verreist.«

Will er mich abschleppen?, fragte sich Christiane. Wohl kaum. Er behandelte sie nicht so, aber allein nach langer Zeit mal wieder diese Gedanken zu haben beflügelte sie, obwohl sie nichts von ihm wollte. In den vergangenen zwei Wochen hatte sie ihre Zeit damit verbracht, Umzugskisten zu schleppen und auszupacken, Nägel in die Wand zu schlagen, die Bohrmaschine zu bedienen, zu dübeln, Schränke aufzubauen, sich um ihre Kinder gekümmert und über der Arbeit vollkommen vergessen, dass sie eine Frau war und nicht nur ein Arbeits- und Muttertier. Allerdings war sie sich generell nicht mehr so sicher, ob es überhaupt einen Unterschied zwischen einem Mutter- und einem Arbeitstier gab. Jedenfalls hatten beide ziemlich wenig mit Weiblichkeit zu tun.

Olaf schien das Mutterzeichen nicht zu bemerken, das quer über ihre Stirn geschrieben stand, und Christiane fühlte sich, als ob sie gar keine Kinder hätte. Nur ihre paar Schwangerschaftsstreifen verrieten es vielleicht, aber die würde Olaf nie zu Gesicht bekommen.

7

Als Charlotte 1989 bei der ersten »Reunion« der Kindertransportkinder in London mit anderen sprach und deren Geschichten hörte, wurde ihr klar, dass ihre Erlebnisse während der Zugfahrt nichts Außergewöhnliches gewesen waren. Sie sah ihre eigenen Erfahrungen – in abgewandelter Form zwar, aber hundertfach vervielfältigt.

Alle, mit denen sie sprach, beteuerten, wie glücklich sie waren, als sie die holländische Grenze passiert hatten. Einige trauten sich sogar, wüste Beschimpfungen gegen die Nazis aus dem Abteilfenster zu brüllen. Viele erinnerten sich, dass sie jüdische und israelische Lieder gesungen hatten. Einige tanzten sogar auf den Gängen und in den Abteilen.

Beim ersten Halt in einem holländischen Ort waren Frauen auf dem Bahnsteig erschienen und hatten Kuchen und Kakao verteilt. Die Frauen hatten freundliche Gesichter und mitleidige Augen. Sie drückten die Kinder manchmal kurz an sich und strichen ihnen mit warmen Händen übers Haar.

Eigentlich hatte Charlotte gar nicht an der ersten Reunion der Kindertransportkinder, die von Bertha Leverton organisiert worden war, teilnehmen wollen. Sie hatte gut damit gelebt, fünfzig Jahre lang kaum über ihre damaligen Erfahrungen zu sprechen. Man hätte ihr bestimmt zugehört, aber sie wollte einfach nichts erzählen. All die Jahre hindurch hatte sie immer wiederkehrende Alpträume, einen ganz besonders oft: Ihre Mutter läuft mit tränenüberströmtem Gesicht neben dem Zug her. Sie selbst beugt sich aus dem Abteilfenster, um sie länger zu sehen. Sie steht dabei auf dem Polster der Sitzbank. Ihre Mutter stürzt am Ende des Bahnsteiges auf das Gleis und bleibt dort reglos liegen. Der Zug fährt weiter. Charlotte will aus dem fahrenden Zug springen, schafft es aber nicht. Sie hört sich im Traum mit ihrer Kinderstimme schreien: »Mama, Mama.«

Charlotte hatte sich an diesen und die anderen Träume gewöhnt. Sie ertrug es mit Gelassenheit, dass sie aus ihnen aufschreckte und ihr Nachthemd feucht war vor Schweiß. Ihr Herz raste, und sie brauchte lange, um sich klarzumachen, dass sie noch lebte und im Bett ihres kleinen Schlafzimmers in einem Londoner Vorort lag.

Sie wollte nicht zu der Reunion gehen, weil sie nicht wusste, was von dem, das sie vor langer Zeit in ihrer Seele in Ketten gelegt hatte, durch ein solches Ereignis an die Oberfläche gesprengt werden könnte. Sie wollte die Geister nicht heraufbeschwören. Sie hatte zwar immer sehr viel Kraft darauf verwendet, sie in Schach zu halten, aber sie hatte es schließlich auch geschafft. Nach außen hin war sie so normal wie ihre englischen Bekannten. Sie war eine Engländerin. Ihr ging es gut, sie fühlte sich wohl – warum also sollte sie an diesem Zustand etwas ändern? Felix würde auch nicht hingehen, er meinte, es würde sich nicht lohnen, für ein Treffen mit Leuten, die er sowieso alle nicht wiedererkennen würde, nach England zu kommen.

Sie sah es eigentlich genauso. Wen sollte sie denn auch dort wiedersehen? Und wollte sie es überhaupt?

Charlotte konnte sich jedoch an einige Weggefährten von damals erinnern. In den vergangenen Jahren hatte sie manchmal an sie denken müssen: an Sylvia, die sie in Dover wieder verlassen hatte, um mit dem Zug nach London zu fahren, wo ihre Pflegeeltern an der Liverpool Street Station schon auf sie warteten. Sie selbst und Felix hingegen wurden nach Dovercourt in ein Lager für Sommerferiengäste gebracht, weil sich noch niemand gefunden hatte, der für sie sorgen wollte. Und dann fiel ihr Gerhard ein. Sie erinnerte sich daran, wie er sich in Dovercourt um sie und ihren kleinen Bruder gekümmert hatte. Sie musste unvermittelt an diesen dünnen Jungen mit den hellroten Haaren und den grünen Augen denken, den sie kurz nach ihrer Ankunft in Dovercourt kennenlernte, weil er mit Felix in derselben Hütte schlief. Er war in der schwierigen Zeit in Dovercourt immer für sie gewesen, und sie hatten sich beim Abschied versprochen, in Kontakt zu bleiben. Noch eine Weile hatte sie von ihm gehört, dass er auf einer Burg nur mit Jungs zusammenwohne, dass es ihm gutgehe. Und dann noch, dass er mit fünfzehn nach London geschickt worden sei, um dort zu arbeiten.

Vielleicht kommt Gerhard zu der Reunion, dachte Charlotte. Und bei diesem Gedanken wuchs ihr Wunsch, ihn wiederzusehen und ihm zu erzählen, was aus Felix und ihr geworden war. Ohne seine Hilfe hätte sie damals in Dovercourt einen ganz anderen Weg eingeschlagen.

Am Tag der Reunion war es heiß. Charlotte hatte kurz überlegt, ob sie ein leichtes Sommerkleid anziehen sollte, entschied sich aber für eine weiße Leinenhose und ein blau-weiß gestreiftes Hemd, weil sie auch sonst fast nie Röcke oder Kleider trug. Aber sie hatte etwas Make-up und blassblauen Lidschatten aufgelegt und sogar einen Lippenstift in der Farbe ihrer Lippen benutzt.

Sie hatte sich in der Klinik vier Tage freigenommen und war zum Friseur gegangen, hatte sich aber wie immer standhaft dagegen gewehrt, ihre Haare färben zu lassen. Sie trug sie seit Jahren Weiß und kinnlang mit einem Pony. Das war praktisch. So brauchte sie sie nur kurz zu waschen und zu föhnen, und die Frisur störte sie nicht bei der Arbeit.

Sie machte sich auf den Weg zum Harrow Leisure Centre in den Westen von London. Sie hatte für Gerhard ein Geschenk dabei. Es war eine englische Ausgabe von Wilhelm Buschs gesammelten Geschichten. Sie erinnerte sich daran, dass er Felix und sie damals in Dovercourt stundenlang mit dem Vorlesen und Rezitieren von Wilhelm Buschs Geschichten unterhalten hatte. Es war das einzige Buch, das er aus Deutschland mitgenommen hatte. Es war merkwürdig: Charlotte begann sich an diese Details wieder zu erinnern, seit sie beschlossen hatte, an dem Treffen teilzunehmen.

Als sie am Harrow Leisure Centre ankam, standen schon viele Menschen an den Eingangstüren Schlange. Eigentlich wollte sie sich auch einreihen, aber plötzlich wurden ihre Knie weich, und sie musste sich auf eine

Bank in die Nähe der Eingänge setzen. Es war drückend heiß. Sie beobachtete die vielen Menschen, die in die Halle strömten, die meisten waren ungefähr in ihrem Alter, vielleicht ein wenig jünger oder älter. Fast alle hätte sie nicht nur an ihrer Kleidung, sondern vor allem wegen ihrer perfekten Art anzustehen für Engländer halten können.

Charlotte schloss die Augen und atmete betont langsam, um sich zu entspannen, denn ihr Puls raste. Als sie ihre Augen wieder öffnete, hatte sich das Bild verändert. Sie sah die ehemaligen Kindertransportkinder wieder so, wie sie gewesen waren, als sie als Kinder nach England kamen.

Sie sah sie das Schiff in Dover verlassen, jedes seinen Koffer in der Hand oder hinter sich herziehend, jedes ein Schild mit einer Nummer mit einer Kordel um den Hals gebunden, an der es von den Ordnern erkannt und zugeordnet wurde. Sie spürte wieder, wie der Griff ihres Koffers, den sie halb trug, halb zerrte, in die Hand schnitt. Sie hatte ihre Handschuhe im Zug liegen lassen. Sie spürte wieder ihre unendliche Erschöpfung und Angst, als sie in Dover das Schiff verließ. Sie sah den Reporter wieder vor sich, der von ihr und ihrem wimmernden Bruder, der sich an ihrem Mantel festhielt, ein Foto schoss. Sie fühlte sich wieder genauso verloren und ängstlich wie damals, weil sie nicht wusste, was jetzt mit ihnen geschehen würde. Und sie erkannte, dass sie dieses Gefühl in den vergangenen fünfzig Jahren nie ganz verlassen hatte. Auch in glücklichen Zeiten war dieses Gefühl in ihrem Herzen gewesen. Sie hatte diese Bürde immer und überall getragen und sie dennoch versucht zu ignorieren.

Sie beobachtete die Menschen vor dem Eingang zum Harrow Leisure Centre und erkannte, dass auch sie Lasten mit sich herumtrugen: das Gefühl der Verlorenheit, weil sie zu früh von ihren Eltern getrennt worden waren, und das Gefühl der Schuld, weil ihre Eltern und oft auch noch ihre weitere Familie nicht überlebt hatten, sie selbst jedoch schon. Auch sie war manchmal davon überzeugt, dass sie es nicht verdient hatte zu leben, weil ihre Eltern in Auschwitz umgebracht worden waren.

Als sich die Schlange aufgelöst hatte, erhob sich Charlotte langsam von der Bank und betrat den Versammlungsraum als eine der Letzten. Auf langen Tischen mit blauen Tischdecken standen an jedem Platz Namensschilder. Vor einer Tafel drängten sich die Leute und suchten ihre Namen auf Listen. Die Tische waren den Daten der einzelnen Kindertransporte zugeordnet. Bei ihr war es der 5.1.1939 gewesen. Dieses Datum hatte sie nie vergessen.

Vielleicht werde ich Sylvia gleich treffen, dachte Charlotte und wusste nicht, ob sie sich darüber freute. Sie erinnerte sich wieder an die glücklichen Briefe, die sie nach ihrer gemeinsamen Reise nach England von ihr bekommen hatte. Sie war bei liebevollen Pflegeeltern gelandet, die ihr alles ermöglichten, das sie auch in Berlin gehabt hatte, schrieb sie. Sie durfte sogar wieder Klavierunterricht nehmen. Sie wurde von den Kindern der Pflegeeltern wie eine Schwester behandelt und bekam von ihren Eltern auch noch im Krieg jede Woche Post. Ihre Eltern hatten rechtzeitig nach Bolivien auswandern können. 1947 erhielt Charlotte einen Brief aus den Vereinigten Staaten.

Liebe Charlotte,

ich bin so glücklich, meine Eltern und ich haben
uns wieder. Wir leben jetzt alle zusammen in Los
Angeles. Wir haben ein kleines Haus mit einem
Garten gefunden. Mein Vater hat wieder Arbeit.
Ich bin verlobt. Bis ich heirate, arbeite ich als
Sekretärin in einer großen Firma. Mein zukünf-
tiger Mann ist Amerikaner und auch Jude,
aber seine Eltern sind schon lange vor Hitler
nach Amerika emigriert.
Ich hoffe, auch Dir geht es gut.
Sobald wir geheiratet haben, besuche uns
doch mal.

Deine Sylvia

Charlotte hatte Sylvia damals nicht geantwortet. Felix
war gerade nach Australien ausgewandert, ihre Eltern
immer noch verschollen, und sie arbeitete von früh bis
spät im Londoner Krankenhaus und lebte in einem
möblierten Zimmer in Ealing. Sie hatte keine Freunde,
sie hatte wenig Geld. Abends nach der Arbeit saß sie in
zwei Wolldecken gehüllt auf ihrem Bett und las, nachdem sie eine Scheibe Brot gegessen und dazu einen dünnen Tee getrunken hatte. Sie las, um die Leere nicht zu
spüren, die der Weggang ihres Bruders, mit dem sie bis
vor kurzem zusammengelebt hatte, hinterließ. Sie war
sich sicher, dass Sylvia nicht hätte erfahren wollen, dass
es ihr nicht gutging.

Charlotte suchte ihren Namen auf der Liste und fand ihn direkt unter Sylvias Namen. Als sie sich an den Tisch setzte und in die Runde sah, erkannte sie niemanden wieder. Sie konnte sich nicht vorstellen, dass sie mit diesen ihr wildfremden Leuten in einem Zug gesessen haben sollte. Der Platz neben ihr war noch frei. *Sylvia Meyer,* stand auf der Karte. Vielleicht kommt sie nicht, wagte Charlotte zu hoffen, aber in diesem Moment legten sich von hinten zwei weiche Hände auf ihre Schultern, und sie wurde von dem süffigen Duft eines Parfüms überfallen, das auf jeden Fall sehr teuer gewesen sein musste.

»Charlotte, Liebes, wie bin ich froh, dich wiederzusehen«, sagte Sylvia im breiten Amerikanisch und drückte ihr einen Kuss auf die Wange, bevor sie noch zurückweichen konnte. Sie setzte sich neben sie und seufzte zufrieden:

»Ist es nicht phantastisch, dass wir nebeneinandersitzen? Ich habe diesen Wunsch bei meiner Anmeldung geäußert, und Bertha Leverton hat ihn netterweise berücksichtigt.«

»Ja«, sagte Charlotte und überlegte sich krampfhaft, was sie weiter sagen sollte, bemerkte aber schnell, dass Sylvia gar keine Antwort erwartete.

»Heute Morgen war ich so aufgeregt. Ich konnte es kaum erwarten, hierherzukommen. Ist es nicht herrlich zu sehen, wie viele da sind? Und sie sehen alle so gut aus. Ich war gestern mit meinen Pflegegeschwistern essen. Es sind so reizende Menschen, und wir stehen uns sehr nahe.«

Charlotte hatte nie das Bedürfnis gehabt, ihre Pflegeeltern wiederzusehen.

Sie hörte Sylvia nur mit einem Ohr zu und suchte den Raum nach Gerhard ab. Er musste irgendwo in ihrer Nähe sitzen, weil er mit einem Kindertransport unterwegs gewesen war, der nur zwei Wochen vor ihr in Berlin abfuhr. Sie hatte ihr Geschenk für ihn vor sich auf den Tisch gelegt und nestelte nervös an der Schleife. Auch er musste jetzt schon über sechzig sein, aber sie war sich sicher, dass sie ihn erkennen würde.

Zwischen all diesen Menschen, die laut durcheinandersprachen, aufgeregt waren, lachten und gleichzeitig Tränen in den Augen hatten, fühlte sie sich unwohl. Charlotte hatte immer versucht, sich aus großen Emotionen herauszuhalten, aus Angst, dass sonst innere Schleusen geöffnet würden und sie über ihre eigenen Gefühle die Kontrolle verlieren könnte. Jetzt musste sie all ihre Kraft zusammennehmen, um die in ihr aufsteigenden Gefühle in Schach zu halten.

Wenn sie nicht unbedingt Gerhard hätte wieder treffen wollen, wäre sie in der ersten Pause aufgestanden und gegangen. Nicht weil sie die Idee dieses Treffens nicht unterstützte – sie fand den Einsatz von Bertha Leverton großartig –, sondern weil sie sich auch hier nicht dazugehörig fühlte. Alle anderen schienen so erfolgreich zu sein. Sie wirkten so gesund und sicher. Ihre Verletzungen von früher schienen geheilt. Sie blieb stumm an dem Tisch sitzen und hörte den anderen zu, die ihre Lebensgeschichten erzählten. Alle, die das Wort ergriffen, hatten ihr Leben gemeistert, waren gut ausgebildet, hatten einen lukrativen Beruf ergriffen oder einen erfolgreichen Mann geheiratet. Die Frauen zeigten sich gegenseitig die Fotos ihrer Kinder und Enkelkinder. Sylvia hatte einen ganzen Stapel mitgebracht. Sie hatte zwei bild-hübsche Töchter und sogar schon Enkeltöchter.

»Wir stehen uns so nahe«, beteuerte sie. »Obwohl meine Kinder nicht an der Westküste leben, sondern in Chicago und New York, treffen wir uns jeden Monat. Entweder wir fliegen zu ihnen oder sie kommen uns besuchen. Die Familie bedeutet mir alles«, sagte sie gerade zu Charlotte gewandt, wohl um Zustimmung zu bekommen.

»Und Felix?«, fragte Sylvia. »Was ist aus dem süßen Kerl geworden? Er war ja während der Fahrt sehr verschreckt. Erinnerst du dich, wie ich ihn getröstet habe?«

Charlotte antwortete nicht, sie wollte keinen Unfrieden. Sie erinnerte sich vor allem daran, wie Sylvia ihren Bruder erst zum Weinen gebracht hatte.

»Er ist sehr bald nach dem Krieg nach Australien gegangen. Er ist Ingenieur geworden, hat eine Australierin geheiratet und lebt jetzt in Darwin.«

»Dann siehst du ihn nicht oft, du Arme«, bedauerte Sylvia sie und legte wieder ihre warme Hand auf ihre Schulter.

»Mein Mann wäre so gerne mitgekommen, aber er konnte sich beruflich nicht freimachen«, plauderte sie weiter, als sie keine Antwort bekam. »Wo ist deiner?«

»Ich bin nicht verheiratet und habe auch keine Kinder«, sagte Charlotte. Glücklicherweise begann Timothy Renton, British-Home-Office-Minister, auf dem Podium zu sprechen, so dass Charlotte nichts mehr sagen musste. Es reihte sich Rede an Rede, Grußwort an Grußwort, Prinzessin Diana sandte ihre Grüße, und alle Redner betonten, wie groß der Beitrag sei, den die Kindertransportkinder in der britischen Gesellschaft geleistet hätten. Und dann wurden die berühmten Persönlichkeiten aufgezählt, die aus den ehemaligen Kinderflüchtlingen hervorgegangen waren: ein Nobelpreisträger, Millionäre, erfolgreiche Journalisten und Geschäftsleute.

Charlotte hörte nicht mehr zu. Sie suchte Gerhard, aber sie entdeckte niemanden, der ihm ähnlich sah.

In der Pause ging sie noch einmal alle Listen durch, aber Gerhards Name fehlte unter dem Kindertransport vom 18. Dezember 1938. Charlotte ließ das Päckchen enttäuscht in ihre Tasche gleiten. Sie würde hier nicht länger bleiben, jetzt, wo sie wusste, dass sie Gerhard nicht treffen würde. Aber sie wollte wissen, warum er nicht dabei war. Sie nahm all ihren Mut zusammen und wandte sich an jemanden vom Organisationskomitee, der einige Listen in der Hand hielt. Die Frau aus dem Komitee bat lächelnd um etwas Geduld und suchte die Listen nach Gerhards Namen ab. »Fries, hier haben wir ihn schon«, sagte sie und machte dann ein bestürztes Gesicht.

»Es tut mir leid, Love, aber Gerhard Fries ist vor vier Jahren gestorben«, sagte sie und machte Anstalten, Charlotte als tröstende Geste die Hand auf die Schulter zu legen, aber diese wich zurück. Charlotte kam gerade noch bis zur Damentoilette, schloss sich in einer Kabine ein und weinte.

8

Christiane wollte nicht, dass Olaf ihre Wohnung betrat, und deshalb wartete sie am Gartentor auf ihn. Eigentlich hatte sie sich nicht auf das Treffen vorbereiten wollen, aber mittags hatte sie festgestellt, dass sie ihre Haare waschen, ihre Beine enthaaren und eine Gesichtsmaske auflegen musste. Sie ging in die Badewanne und genoss es, so etwas um diese Zeit an einem Freitag tun zu können. In Hamburg hatte sie um diese Zeit für die Kinder gekocht oder mit Herzrasen in ihrem Auto im Stau gestanden, weil sie vormittags bei zu vielen Terminen hatte fotografieren müssen und dann noch schnell in die Redaktion gefahren war, um die nächsten Aufträge zu besprechen.

Sie hasste den Termindruck, der bei dem Tageszeitungsgeschäft immer gegenwärtig war. Aber ihr war auch klar, dass sie es nicht aushalten würde, die ganze Zeit zu Hause und Mutter zu sein. Schon deshalb nicht, weil sie sich dann nur noch mit ihrem Sohn und seinen Schwierigkeiten beschäftigen würde, und das wollte sie nicht. Sie hatte die Erfahrung gemacht, dass gerade dann die Ideen zur Lösung der Probleme in weite Ferne rückten.

Nach einem späten Frühstück hatte sie mit ihren Kindern telefoniert. Erst erzählte ihr Philipp, dass er am

Strand Muscheln gefunden hatte. Sie verstand nur die Hälfte von dem, was er sagte, und musste sich die andere Hälfte selbst zusammenreimen, aber es störte sie nicht wie sonst immer. Im Gespräch mit Julia erfuhr sie, dass sie gestern in Bansin am Strand gewesen waren und nicht wie sonst in Ahlbeck.

»Wenn du möchtest, kannst du jederzeit kommen«, hatte ihre Mutter noch gesagt, »die Kinder würden sich bestimmt freuen.« Kurzzeitig hatte sie tatsächlich fahren wollen. Sie hatte ein schlechtes Gewissen, weil sie ihre Kinder überhaupt nicht vermisste. Aber dann hatte sie aus dem Wohnzimmerfenster geschaut und sich darüber gefreut, dass die Stämme der Kiefern rötlich in der Sonne leuchteten. Sie versicherte ihrer Mutter, dass es ihr gutgehe und sie die Zeit nutzen wolle, um die restlichen Kisten auszupacken und alles schön zu gestalten, bevor ihr Mann wieder nach Hause käme. Sie wusste, dass ihre Mutter dieses Argument verstand. Sie hatte bis zum Tod ihres Mannes immer alles getan, um es ihm so angenehm wie möglich zu machen.

Eigentlich wollte Christiane ihre Kamera holen und fotografieren. Aber sie tat den restlichen Vormittag nichts, außer mit einer Tasse Tee auf ihrem Sofa zu liegen und die Veränderung des Lichtes im Garten zu beobachten.

Jetzt wartete sie vor dem Gartentor auf dem sandigen Fußweg und sah ab und zu auf die Uhr. Sie hatte sich lange nicht entscheiden können, was sie anziehen sollte. Es war wieder ein sehr warmer Tag, doch sie wollte keinen kurzen Rock tragen, weil der vielleicht aufreizend wirken würde, und es war ja kein Date, sondern eine geschäftliche Besprechung. Also entschied sie sich für verwaschene Jeans, ein grünes T-Shirt, das so weit war, dass ihre Brüste sich nicht abzeichneten, und dunkelblaue Sandalen.

Olaf kam zehn Minuten zu spät, was sie ärgerte, weil sie, seit sie Kinder hatte, daran gewöhnt war, alles nur mit der Uhr im Blick zu erledigen. Aber es versöhnte sie, dass er keinen Mercedes oder BMW fuhr, sondern einen ziemlich alten Citroën DS, der wohl metallicblau gewesen wäre, wenn er denn regelmäßig geputzt worden wäre. Er hielt am Bordstein und öffnete ihr von innen die Beifahrertür, ohne auszusteigen. Sie ließ sich auf den Sitz fallen. Er drehte sich zu ihr um und lächelte verlegen. Seine blauen Augen ähnelten denen ihres Sohnes. Ihre Wut über seine Verspätung verflog augenblicklich. Hinter ihm auf dem Rücksitz lag ein zerknüllter Stadtplan von Berlin.

»War doch gar nicht so leicht, sich hier zurechtzufinden«, sagte Olaf.

Sie bogen in die Königsallee ein und fuhren in Richtung Autobahn. Olaf hatte sich eine Zigarette angesteckt und hielt ihr die Packung hin; sie nahm eine, obwohl sie schon seit Jahren mittags nicht mehr rauchte. Die Sonne schien durch die schmutzigen Fensterscheiben. Im Radio lief »Hip Teens don't Wear Blue Jeans« vom Frank-Popp-Ensemble. Christiane hatte ihr Handy ausgeschaltet.

»Erzähl mir was über dieses Haus«, sagte Olaf.

»Soweit ich weiß, steht es leer und ist etwas baufällig. Meine Großtante wohnte schon Jahren nicht mehr dort. Sie hatte es vermietet. Die letzten Mieter zogen vor zwei

Jahren aus. Seitdem steht es leer. Ich weiß nicht, ob es sich überhaupt lohnt, das Haus zu sanieren, oder ob es besser wäre, es abzureißen.«

»Überlegst du, selbst darin zu wohnen?«, unterbrach Olaf sie.

»Nein, für eine Renovierung fehlt uns das Geld. Ich möchte es so schnell wie möglich loswerden. Wir können das Geld gut gebrauchen.«

Sie bemerkte, dass Olaf sie von der Seite musterte, als sie *wir* sagte.

»Es wird bestimmt nicht schwierig, das Haus zu verkaufen. Bei der Lage.«

»Das Problem ist nur, dass ich die Hälfte des Geldes, das ich für den Verkauf bekomme, jemandem geben muss, den ich noch nicht mal kenne.«

Sie erzählte Olaf von den Bedingungen des Verkaufes.

»Das bedeutet, dass du bisher nur herausgefunden hast, dass das Ehepaar Reisbach nicht mehr lebt, und du jetzt recherchieren musst, ob diese Erben Kinder hinterlassen haben.«

»Ja, aber wenn die beiden Kinder gehabt hätten, wären sie doch auch in Auschwitz umgebracht worden, oder?«

»Vielleicht haben sie überlebt oder sie waren gar nicht im KZ. Ich würde bei der Jüdischen Gemeinde Nachforschungen anstellen. Die können dir sicher weiterhelfen.«

»Das denke ich auch, aber ich traue mich nicht, dort anzurufen.«

»Weshalb nicht?«

»Was soll ich denen sagen? Dass die Eltern meiner Großtante Juden ein Haus zu Konditionen abgekauft haben, die unfair waren?«

»Ich denke, an diese Geschichten von damals sind sie gewöhnt. Außerdem sollst du dieses Unrecht wiedergutmachen. So eine Geschichte hören sie sicher nicht alle Tage. Was sagt denn dein Mann zu dieser Erbsache? Wie heißt er noch?«

»Matthias. Eigentlich nichts. Ich habe es ihm nur kurz gemailt, und er hat zurückgeschrieben, dass ich es schon hinkriegen werde.«

»Netter Zug.«

»Was soll er auch anderes sagen? Er ist so weit weg, dass er sich keine Gedanken über mich machen kann.«

»Was arbeitet er eigentlich?«

»Er ist Meeresbiologe, macht Grundlagenforschung. Willst du Genaueres wissen?« Sie sagte ihm nicht, dass er jetzt einen Lehrstuhl am Institut für Biologie an der Freien Universität innehatte. Nicht seine Traumstelle, aber etwas anderes hatte er nicht bekommen, und sein Vertrag davor war auf fünf Jahre befristet gewesen.

»Eigentlich nicht. Das ist nicht so mein Gebiet«, gab Olaf zurück.

»Mein's auch nicht«, lachte Christiane. »Es ist ziemlich langweilig.« Olaf brauchte sie nichts vorzumachen.

Sie fuhren bei der Ausfahrt Wannsee ab. Olafs Handy klingelte. Er telefonierte, lenkte mit einer Hand weiter und bog gleichzeitig links ab. »Schalte mal für mich«, flüsterte er.

Sie wollte eigentlich nicht zuhören, tat es aber doch.

»Ja, Martina, ich habe noch einen Termin. Ich muss

ein Haus begutachten, ich weiß nicht, wie lange es dauert.«

Längere Pause.

»Nein, ich glaube, heute Abend wird das nichts mehr. Tut mir leid, aber es geht nicht anders. Ich komme morgen gegen Mittag, versprochen.«

Seine Stimme klang so, als ob er mit jemandem spräche, den er sehr genau kannte, und ein schlechtes Gewissen hätte. Ist er doch verheiratet?, fragte sie sich sofort. Nein, er hatte ihr ja gestern gesagt, dass das nicht so sei. Seine Freundin, dachte Christiane. Sie hätte es besser gefunden, wenn er Single gewesen wäre. Hoffentlich verabschiedet er sich jetzt nicht mit »Tschüs, Hase«, oder Ähnlichem, dachte Christiane. Ihr war es zuwider, Zeugin von Vertraulichkeiten zwischen Paaren zu werden, und sie fand, dass Kosenamen unter Liebespaaren Privatsache bleiben sollten. »Tschüs, Martina«, verabschiedete sich Olaf. Gleichzeitig lächelte er Christiane entschuldigend und ein wenig verschwörerisch an.

Um zu kaschieren, dass sein Blick sie nervös machte, sah sie aus dem Fenster. Sie fuhren gerade am Wannsee vorbei. *Wir sind Helden* sangen gerade »Wir sind gekommen, um zu bleiben«.

Die vergangenen zwei Jahre in Hamburg hatte Christiane freitagnachmittags im Warteraum des Werner-Otto-Institutes verbracht, weil Philipp dort logopädischen Unterricht bekam. Unzählige Stunden hatte sie dort gesessen und Gesprächen von gestressten Müttern über ihre verhaltensgestörten Kinder zugehört. Welche Medikamente sie ihnen jeden Tag geben mussten, damit sie ruhig blieben, und wie schwer sie es mit ihnen hatten. Und sie schwor sich jedes Mal, Philipp kein Ritalin zu geben, um ihn umgänglicher zu machen. Und dann hatte sie die Kinder dieser bemitleidenswerten Mütter gesehen. Meistens waren sie laut, unerzogen und verstört. Aber am stärksten war ihr aufgefallen, wie wenig liebevoll die Mütter mit ihren Kindern umgingen. Sie schnauzten sie an, ohne mit ihnen Blickkontakt aufzunehmen, und berührten sie auch nie. Christiane hatte sich nicht entscheiden können, ob sie diese Kinder mochte oder nicht. Wenn sie Julia, die meistens mitkam und gemeinsam mit ihr auf ihren Bruder wartete, schubsten oder von der Matte stießen, die zum Toben im Warteraum lag, verabscheute sie alle bis auf ihre Tochter, aber wenn sie bemerkte, wie sehr sie durch ihr Verhalten um die Aufmerksamkeit ihrer Mütter buhlten, taten sie ihr auch leid. Der Warteraum des Werner-Otto-Institutes deprimierte Christiane. Der einzige Lichtblick an diesen Freitagnachmittagen waren ihre geduldige Tochter gewesen, die sich nie beschwerte, dass sie mitkommen musste, und das Lächeln ihres Sohnes, wenn er nach der logopädischen Stunde freudestrahlend auf sie beide zulief, meistens mit einer Süßigkeit für seine Schwester in der Hand, die er bei seiner Logopädin abgestaubt hatte.

Manchmal hatte Christiane in der Wartezeit versucht zu lesen, aber sie hatte selten Ruhe gefunden, sich in ihr Buch oder eine Zeitschrift zu vertiefen. Außerdem waren die Zeitschriften, die Entspannung versprachen, schon weg. Für sie blieben meistens nur Zeitschriften wie *Ihr Kind* oder *Psychologie heute* übrig, und die wollte sie nicht lesen. Es reichte ihr schon, dass sie, was ihren

Sohn anging, im Trüben fischte, nicht wusste, wie sie ihm wirklich helfen konnte. Es reichte ihr, dass sie zu Hause mit schlechtem Gewissen an einem Regal mit Literatur zum Thema Entwicklungsverzögerungen vorbeiging, weil sie die Bücher bestenfalls quer las, denn sie hatte die Erfahrung gemacht, dass sie, wenn sie sich in die Themen vertiefte, aufhörte, ihren Sohn mit Liebe zu betrachten, sondern ihn kritisch musterte. Und was sie dann entdeckte, machte ihr regelrecht Angst, weil sie plötzlich bemerkte, wie groß seine Entwicklungsverzögerung wirklich war.

Christiane wusste, dass die Logopädin sie für eine hysterische Mutter gehalten hatte, als sie sich dafür einsetzte, dass ihr Sohn schon mit knapp drei Jahren in Therapie gehen sollte. Die Mittfünfzigerin mit betont jugendlichem Outfit zu einem ihrem Alter entsprechenden faltigen Gesicht hatte sie beim ersten Gespräch gemustert und ihr gesagt: »Wissen Sie, jedes Kind entwickelt sich anders und braucht seine Zeit«, und dann Fragen über das Verhältnis zu ihrem Sohn gestellt, weil sie davon überzeugt war, dass dort der Anfang allen Übels lag. Und Christiane hatte begonnen, sich zu rechtfertigen, obwohl sie gar nicht wusste, wofür. Sie hatte in den vergangenen drei Jahren ihre Prioritäten immer nach den Kindern ausgerichtet, ihre Arbeit als freie Pressefotografin weitestgehend auf die beiden abgestimmt. Sie hatte während der Schwangerschaft nicht geraucht, getrunken oder sonstige Drogen genommen. Sie hatte damals nicht übermäßig zugenommen, sie hatte das Richtige gegessen.

Und dann hatten Julia, Matthias, Philipp und sie zu

Diagnosezwecken hinter einer verspiegelten Glasscheibe Familienleben spielen müssen. Die Psychologin hatte es aufgenommen, und Matthias und sie hatten sich gefühlt wie Verbrecher, die des Kindesmissbrauchs überführt werden sollten.

Jetzt, in diesem Auto, war das alles unendlich weit weg. Der Mann neben ihr kannte ihren Sohn nicht. Er kannte ihre Geschichte nicht. Er kannte sie eigentlich auch nicht, aber Christiane wusste, dass er sie mochte, vielleicht auch nur, weil ihm ihre Haare, ihre Figur und ihr Lachen gefielen.

Sie kamen an die Glienicker Brücke und sahen links über das Wasser nach Potsdam. Am deutlichsten wurde der Irrwitz des geteilten Deutschland für Christiane auf dieser Brücke, die man zu DDR-Zeiten nicht hatte überqueren können. Die wieder geöffnete Glienicker Brücke war für sie der Inbegriff von Freiheit, und sie genoss es immer, sie zu passieren. Olaf sah sie an, als sie über die Havel fuhren. Er sagte nichts, aber er lächelte, und sie hatte den Eindruck, dass er Ähnliches empfand. Sie bogen rechts in die Menzelstraße ein, dann links in die Böcklinstraße und kamen auf die Seestraße. Der Straßenbelag wechselte zu Kopfsteinpflaster. Der Fußweg war mit schwarzen Basaltsteinen gepflastert, zwischen denen Moos wuchs. Alte Buchen säumten die Fußwege, gegenüber von renovierten und noch heruntergekommenen Villen entdeckte Christiane Kleingärten und las auf einem Schild *Kleingartenverein »Berliner Vorstadt 1927 e.V.«*.

Es war ruhig bis auf das Geräusch von Autoreifen, die über Kopfsteinpflaster fuhren. Sie erreichten das Haus.

Es war zweistöckig und mit einem hässlichen grauen Putz zugekleistert. Rechts und links neben dem Eingang waren zwei kleine Fenster mit gusseisernen Stäben davor. Die anderen Fenster waren zu klein für die Hausfläche. In einer Ecke des Vorgartens lag Schutt. Das Haus wirkte baufällig.

Olaf blieb stehen und betrachtete es schweigend: »Nicht gerade im besten Zustand«, sagte er. »Aber diese Lage! Weißt du, ob man es abreißen darf?«, fragte er und fügte schnell hinzu: »Hoffentlich klingt das nicht pietätlos. Deine Großtante hat doch hier gewohnt, oder?«

»Ja, schon, aber ich kannte sie nicht besonders gut. Ich habe sie nach der Maueröffnung nur ein paarmal gesehen. Deshalb wundert es mich auch, dass sie mir das Haus vererbt hat. Aber sie hat keine anderen lebenden Verwandten.«

»Wenn du nicht recherchierst, an wen geht das Geld?«

»An die Jüdische Gemeinde, und die bekommt auch die Hälfte, wenn ich herauskriege, dass es keine Nachfahren gibt.«

»Clever gemacht. So wirst du auf jeden Fall recherchieren müssen.«

Olaf öffnete das verrostete Gartentor und ließ Christiane hindurchgehen. Matthias wäre zuerst gegangen und hätte das Tor ins Schloss fallen lassen, ohne auf mich zu achten, fiel ihr auf. Sie genoss Olafs Zuvorkommenheit.

Sie holte den Schlüssel aus ihrer Handtasche und steckte ihn ins verrostete Schloss. Drinnen roch es muffig. Das Haus war nicht möbliert. Die Räume hatten keine hohen Decken, waren nicht besonders hell, es fehlten Fenster. Christiane bekam kaum Luft. An den Wänden konnte sie noch die hellen Flecken erkennen, an denen Bilder gehangen hatten. Auf dem Boden lagen Reste eines grünen Teppichfilzes. Die Wände waren mit mehreren Schichten Tapete bedeckt, die oberste war silbergrau mit rosa Streifen. Rechts hinten zum Garten hin befand sich die Küche. Sie war ehemals gelb gestrichen, neben einer alten Spüle erhob sich ein altersschwacher Kühlschrank, an den Wänden hingen dunkelbraune Holzschränke mit Schiebetüren. Der Boden war mit schadhaften Holzbrettern belegt.

Sie gingen schweigend die knarrende Treppe hinauf. Oben sah es in den Zimmern auch nicht viel besser aus, die Tapeten waren verschlissen und unansehnlich. Seit Jahrzehnten war hier nichts mehr gemacht worden.

»Wird wohl nicht viel wert sein«, sagte Christiane enttäuscht.

»Das Haus nicht, aber guck mal aus dem Fenster«, sagte Olaf und winkte sie zu sich herüber. Unterhalb von ihnen erstreckte sich der Heiligen See. Das Grundstück ging direkt bis ans Wasser. An einem Steg lag ein altes Ruderboot. Auf der anderen Uferseite sah Christiane ein kleines rotes Schloss mit Zinnen und Türmchen. Davor standen weiße, gusseiserne Gartenmöbel im Garten, die in der Sonne strahlten.

»Das ist Joops Haus«, sagte Olaf. »Keine schlechte Hütte, oder? Wenn man das Haus abreißen darf, könnte man hier auch was Nettes bauen. Das Grundstück ist bestimmt sechshunderttausend Euro wert.«

Sie standen dicht nebeneinander am Fenster, und Christiane bemerkte, wie sehr sie darauf achtete, Olaf nicht auch nur zufällig zu berühren. Wie viele Jahre hatte sie mit keinem anderen als ihrem Mann so dicht zusammengestanden? Allein? Und hatte sie überhaupt vorher schon mal gewollt, von jemand anderem als ihrem Mann berührt zu werden?

Olaf machte keine Anstalten, näherzurücken.

»Wird langsam kalt hier, wollen wir gehen?«, fragte er nach einer Weile.

»Ja«, sagte Christiane ein wenig enttäuscht darüber, dass sie sich wohl geirrt hatte, als sie annahm, es sei auch für Olaf aufregend, mit ihr zusammen zu sein.

Auf dem Rückweg fragte er sie nach Matthias' Beruf aus und wollte wissen, wie alt ihre Kinder waren, und Christiane schnellte wieder zurück in die Rolle der verständnisvollen Ehefrau eines Meeresbiologieprofessors und der treusorgenden Mutter und war sauer, weil sie gedacht hatte, ihrem Leben durch Olaf eine Zeitlang aus dem Weg gehen zu können.

9

Die drei Zigaretten, die er auf dem Rückweg hektisch rauchte, halfen nichts und auch nicht, dass er in seiner Phantasie sah, wie Christianes Mann gerade in der Schiffsmesse Steaks aß, und ihn sich dabei als einen ziemlich langweiligen Forschertyp mit altem Sweatshirt, verbeulten Jeans und Gesundheitslatschen, Händen mit Hornhaut in den Handflächen und sicher auch noch einem Bart vorstellte. Zwar hatte Christiane durchblicken lassen, dass Matthias ziemlich gut aussah, aber was hieß das schon bei Frauen.

Normalerweise sah Olaf selten andere Männer als Konkurrenz. Er fand, er hatte so etwas nicht nötig. Es hatte auch etwas mit der Fairness unter Männern zu tun, an die er seit seinen Tagen als erfolgreicher Abwehrspieler im Michelstädter Fußballverein glaubte. Einer für alle, alle für einen, war damals ihr Leitspruch gewesen. Die Freundinnen seiner Kumpels waren tabu, egal wie sehr er selbst auf dem Schlauch gestanden hatte. Einmal verbrachte er sogar die Nacht mit einer ziemlich scharfen Frau, ohne dass etwas geschah. Er schlief in unbequemer Position im Lehnstuhl, obwohl sie aufreizend auf dem Bett ausgestreckt lag und sicher auch nichts dagegen gehabt hätte, wenn er zu ihr gekommen wäre. Vor dem Einschlafen hatte er alle mathematischen Formeln, die ihm einfielen, aufgesagt, um nicht doch die Kontrolle zu verlieren. Die Frau war die Freundin seines besten Freundes gewesen. Es war Ehrensache, dass er sich zurückhielt. Allerdings betrog sie sein Freund zur selben Zeit mit einer anderen, was Olaf maßlos erboste, als er es erfuhr, denn er hatte sich umsonst so keusch verhalten. Er rächte sich, indem er der Frau – hieß sie nicht Yvonne –, mit der er nicht geschlafen hatte, von dem Seitensprung ihres Freundes erzählte, sie danach tröstete und mit ihr schlief. Danach war ihm klar, warum seinem Freund gar nichts anderes übrig geblieben war, als diese erotische Schlaftablette zu betrügen.

Christiane hatte sich zwar zu keiner Zeit in irgendeiner Form aufreizend benommen, aber sie hatte in dieser engen Jeans unglaublich aufreizend ausgesehen. Ihre phantastischen roten Haare hatte sie allerdings zu einem Pferdeschwanz zurückgebunden. Mit dieser Frisur wirkte sie ziemlich streng, und ihre Ohren ließen eine leichte Segelform erkennen. Aber selbst das fand er hinreißend, genauso wie ihren Geruch.

Als er im Treppenhaus dieses baufälligen Hauses hinter ihr die Stufen emporstieg, hatte er wegen ihres Duftes kurz die Orientierung verloren. Sie roch nach einem Parfüm, das er genau kannte. Eine Freundin, die er wirklich geliebt hatte, benutzte es immer. *Shalimar* von Guerlain: Es war frisch und gleichzeitig herb, würzig und samtig. Christiane roch aber noch nach etwas – Honig. Sein Körper reagierte sofort. Er war froh, dass er die weite Jeans angezogen hatte. Er dachte wieder an mathematische Formeln und, als das nichts half, an Martina.

Prompt legte sich seine Erregung. Nur seine weichen Knie bekam er nicht in den Griff.

Er lehnte sich lässig neben sie ans Fenster, und wieder betörte ihn Christianes Duft. Er war nicht abartig veranlagt, aber er stand nun mal auf den Duft der Frauen. Diese Frau roch so aufregend, dass er sie ohne weiteres direkt auf dem zersplitterten Dielenboden geliebt hätte, wenn sie auch nur eine Bewegung in seine Richtung getan hätte. Offensichtlich hatte sie aber keine Ahnung, was sie anrichtete. Sie hob ab und zu ihre Arme, um sich ihr Haar glatt zu streichen. Ihre Unbekümmertheit entwaffnete ihn. Vielleicht war sie ein wenig nervös, weil sie selten mit einem Mann außer ihrem eigenen allein gewesen war, seit sie geheiratet hatte? Wie lange war sie verheiratet? An die zehn Jahre? Die meisten Ehepaare, die sich scheiden ließen, erledigten das nach den ersten vier Ehejahren, hatte Olaf irgendwo gelesen. Christiane war anscheinend nicht unglücklich mit ihrem Mann, wenn sie es schon so lange mit ihm aushielt. Würde Christiane ihren Mann mit mir betrügen? Hatte sie ihn überhaupt schon mal betrogen? Und wenn nein, lohnte sich der Aufwand, sie dazu zu bringen, darüber nachzudenken, ihren Mann zum ersten Mal zu betrügen?

Als er kurz davor war, sich einfach an ihren Hals zu werfen und es auszuprobieren, fröstelte sie. In ihm kam augenblicklich der Gentleman zum Vorschein. »Es wird kühl hier, lass uns gehen«, sagte er und beschimpfte sich gleichzeitig innerlich als Feigling. Als er allein in seiner Wohnung war und Martina anrief, um ihr zu sagen, dass er doch jetzt noch fahren würde, dachte er:

Mist, das mit der anderen Frau war doch gar nicht ernst gemeint gewesen.

Christiane wachte am nächsten Morgen um halb sieben auf, obwohl kein Wecker klingelte. Sie ging in die Küche und brühte sich einen Tee auf, bestrich ein Brot mit Leberwurst und nahm beides mit ins Bett. Sie sah aus dem geöffneten Fenster in die Wipfel der Kiefern. Die schon aufgegangene Sonne färbte ihren Stamm rötlich. Sie hörte das Gezwitscher von Blaumeisen und Dohlen; ansonsten war es ruhig, auch aus den Zimmern der Kinder drang kein Laut. Erst nach einiger Zeit wurde ihr klar, dass sie verreist waren. Christiane war gleichzeitig erleichtert und traurig darüber, dass sie ihre Kinder in den nächsten Wochen nicht sehen würde. Sie vermisste die beiden jetzt schon: Philipps helles, glucksendes Lachen, wenn er sich freute, Julias wunderschöne, kluge Augen, die sie manchmal kritisch ansahen, als ob sie sagen würden: Mama, also wirklich, reiß dich doch mal zusammen und benimm dich. Kurz nach ihrer Geburt hatte Julia Matthias und sie für einen kleinen Moment aus weisen, uralten Augen angesehen, so, als wollte sie sagen: Ihr seid es, das habe ich mir schon ausgesucht. Wir werden es schaffen, allerdings muss ich euch noch ein wenig über das Leben beibringen.

Christiane glaubte daran, dass der Mensch nicht nur aus dem Körper, sondern auch aus einer Seele bestand. Sie glaubte auch an Gott, wusste aber nicht mehr, wie sie ihn sich vorstellen sollte. Als junges Mädchen war es leicht gewesen. Da war er ihre Burg, ihr Schutz, ihre Festung. Gerade in den vergangenen Jahren hatte sie manchmal gebetet, wenn sie mit Philipp nicht weiter-wusste. Allerdings hatte sie nicht das Gefühl gehabt, da-nach beschützt zu sein, und auf Hilfe wartete sie immer noch.

Kurz nach ihrer Geburt hatte Julia so ausgesehen wie eine alte weise Frau, die schon viel mehr erlebt hatte als Matthias und sie zusammen. Christiane hatte sich ei-nen Augenblick sicher gefühlt, weil sie von nun an von ihrer kleinen Tochter geführt werden würde. Bei ihren ersten Schreiattacken, die nicht lange auf sich warten ließen, änderte sie ihre Meinung wieder. Sie musste ein-sehen, dass Kinder zu haben in erster Linie bedeutete, ihnen zu dienen. Aber auch wenn sie mit ihrem Sohn durch tiefe Täler gegangen war und wohl noch gehen musste, Verzweiflung gespürt hatte wie sonst niemals in ihrem Leben, ein Gefühl der Ausweglosigkeit und Hilf-losigkeit kennengelernt hatte, das so abgrundtief schwarz war, dass selbst Matthias ihr nicht heraushelfen konnte, hatte sie keine Minute bereut, ihren Sohn und ihre Tochter geboren zu haben.

Sie wollte die beiden aber nicht jetzt schon vermissen. Sie schloss die Augen, nahm Matthias' Decke in die Arme und versuchte sich vorzustellen, wie die Arme ih-res Mannes sie umfingen und hielten, aber das machte sie noch trauriger. Also stand sie auf, zog sich ihre Jog-gingsachen und ihre Laufschuhe an und beschloss, ein paar Runden um die kleinen Seen zu drehen, die in der Nähe ihrer Wohnung lagen.

Sie hatte sich schon zu Anfang ihres Aufenthaltes in Berlin eine Strecke ausgesucht, die sie erst durch we-nig befahrene Nebenstraßen und dann zum Wasser hinunterführte. Der Sand auf den Wegen knirschte unter ihren Füßen. Sie lief in einem gleichmäßigen, nicht zu schnellen Tempo und dachte an Anke. Sie hatte in Hamburg ganz in ihrer Nähe gewohnt, und sie wären einmal die Woche gelaufen – quer durch die Siedlung und dann durch eine Ansammlung von Schrebergärten an einem kleinen Bach entlang. Diese Läufe waren für sie wichtig gewesen, weil sie nicht nur liefen, sondern sich dabei unterhielten. Die ganze Zeit redete die eine oder die andere. Auf diesen Kilometern hatten sie sich gegenseitig so manche Sorgen vor die Füße gespuckt, Kummer plattgetreten oder strategische Gespräche über berufliche Dinge geführt.

Jetzt lief Christiane allein und war sich sicher, dass sie lange brauchen würde, wieder so eine Freundin zu finden. Es war nicht die einzige Freundin in Hamburg, die sie zurückgelassen hatte. Sie hatte ihre Freundinnen zum Kaffeetrinken und Quatschen, zur Beratung in Sachen Erziehung, zum Sport, für kulturelle Veranstaltungen gehabt. Es hatte einige Zeit gedauert, bis sie sich dieses Netzwerk aufgebaut hatte. Sie war nicht kompliziert, was das Knüpfen von Freundschaften anging. Aber sie war wählerisch, wenn es darum ging, wen sie wirklich in ihre Gedanken und ihr Herz hereinließ.

Sie hatte in Hamburg eine Menge zurückgelassen, und es war ihr schwergefallen. Aber dennoch hatte sie keine Sekunde gezögert, einem Umzug zuzustimmen, als Matthias das Angebot aus Berlin bekam.

Damals hatte sie gehofft, dass sie einen Teil ihrer Probleme in Hamburg zurücklassen und es mit Philipp sofort leichter werden würde. Aber momentan sah es nicht danach aus.

Christiane musste ihr Tempo drosseln, weil sie zu schnell geworden war. Ihr fehlte die Korrektur ihrer Freundin. Sie merkte, wie ihre Gedanken wieder um ihren Sohn zu kreisen begannen, und verbot sich, weiter in diese Richtung zu denken, was ihr auch gelang. Das war das Gute an einer dauerhaften Belastung, aus der es keinen Ausweg gab: Man lernte, innerlich Abstand zu nehmen, wenn man es wollte, weil man sonst durchdrehen würde.

Zu Hause nahm sie ein Bad und übersah die Regale, die an der Wand lehnten und die sie eigentlich noch aufhängen musste. Ihre Kosmetiksachen hatte sie provisorisch in weißen, halb durchsichtigen Kisten verstaut. Daran würde sie in den nächsten Tagen bestimmt etwas ändern. Weil Matthias nicht besonders geschickt war, hatte sie gelernt, mit der Bohrmaschine umzugehen, außerdem hatte ihr Vater es ihr gezeigt. Er war der Handwerker im Haus ihrer Eltern gewesen. Sie hatte selten erlebt, dass er irgendwo still in der Ecke saß. Er musste immer in Bewegung sein und arbeitete ständig an irgendeinem Projekt – meistens mit einem freundlichen Gesicht.

Christiane liebte es, ihm bei der Arbeit zu helfen. Ihre Brüder hatten sich fürs Heimwerken nicht interessiert. Sie war sein geschicktes Mädchen gewesen und hatte schon früh gelernt, die Wasserwaage so zu halten, dass er vernünftig ablesen konnte. Er hatte ihr beigebracht, einen Nagel sauber in die Wand zu schlagen, Bretter zu sägen und mit Werkzeugen umzugehen.

Christiane vermisste ihren Vater nicht mehr so sehr wie kurz nach seinem Tod vor drei Jahren. Damals hatte sie den Menschen verloren, dem sie ohne Vorbehalte vertraut hatte und der Philipp immer in Schutz genommen und sie beruhigt hatte, dass er seinen Weg schon gehen würde und sie alles richtig machte.

Beim Anziehen sah Christiane flüchtig in den Spiegel. Sie hatte sich lange nicht mehr richtig betrachtet, wollte es aber auch jetzt nicht, denn sie fühlte sich noch nicht wieder als Frau, sondern als Gebrauchsgegenstand für ihre Kinder. Natürlich war sie über ihre langen, schlanken Beine und ihren flachen Bauch froh. Aber an der Rückseite ihrer Oberschenkel und auf ihrem Po hatte sie einige Dellen, die sie auch durch Training nicht wegbekam.

Was würde sie heute mit dem Tag anfangen? Recherchieren? Sie wollte zügig zu einem Ergebnis in Sachen Reisbach kommen, aber heute hatte sie auch dazu keine Lust. Außerdem wusste sie gar nicht, wie sie weiter recherchieren sollte. In der Jüdischen Gemeinde war an einem Samstag sicher niemand zu erreichen. War da nicht noch Sabbat? Sie würde am Montag anrufen.

Was sollte sie unternehmen? Wann hatte sie zum letzten Mal einen Tag zu ihrer freien Verfügung gehabt? Plötzlich fühlte sie sich einsam und war wütend auf Matthias, der irgendwo auf diesem verdammten Meer unterwegs war, überflüssige Proben nahm, um sie dann stundenlang im Labor im anstrengenden Schichtdienst auszuwerten. Dabei dachte er sicher nur wenig an sie. Er konnte sich in seine Arbeit vertiefen, ohne etwas anderem eine Bedeutung beizumessen. Er war eben ein

Mann. Sie schaute in ihre Mailbox und fand einen kurzen, aber lieben Gruß von Matthias, schrieb ihm zurück, dass die Kinder gut weggekommen waren und nach ihm gefragt hatten. Sie schloss den Brief mit einem »Ich vermisse Dich«, was in dem Moment stimmte, als sie es schrieb.

Dann schickte sie noch Mails an ihre Freundinnen, in denen sie aber Olaf nicht erwähnte, was sie wunderte, weil sie sonst eigentlich über alles schrieb, was von Interesse sein könnte. Ein Mann, den sie kennengelernt hatte, während ihr eigener weit weg war und der auch noch nicht verheiratet und nicht hässlich war und Architekt, hätte bestimmt das Interesse ihrer Freundinnen geweckt. Aber sie wollte diese Geschichte nicht aufbauschen. Es war nur ein netter Abend gewesen, der sich zufällig ergeben hatte, und ein Arbeitstreffen. Am Montag würde sie den Anwalt anrufen und ihn bitten, ihr einen Gutachter zu empfehlen.

Wie gut es sich angefühlt hatte, neben Olaf am Fenster zu stehen.

10

Manchmal fragte sich Charlotte, wozu sie noch lebte. Sie war nicht depressiv und wollte sich nicht umbringen, sie stellte sich diese Frage ganz sachlich. Ich habe keine Familie, keinen Mann, keine Kinder. Felix braucht mich nicht, meine Freundinnen brauchen mich nicht, dachte sie. Solange sie im Kinderkrankenhaus arbeitete, hatte sie sich nie nutzlos gefühlt. Sie war jeden Tag zum Dienst gegangen und hatte auch noch freiwillig Dienste von den Krankenschwestern übernommen. Natürlich hatte sie sich manchmal ausgenutzt gefühlt, in erster Linie aber gebraucht, und das war schön gewesen. Kurz nach ihrer Pensionierung war sie froh darüber gewesen, nicht fast jeden Tag so früh aufstehen oder die ganze Nacht wach bleiben zu müssen, wenn sie Nachtwache gehabt hatte. Sie hatte sogar einige Reisen unternommen. Allerdings war sie nie weit weg gewesen, nur in Cornwall, in Schottland und in Irland. In Dublin mietete sie sich in einem kleinen Hotel im Stadtzentrum ein und lief tagelang durch die Straßen. Sie hatte sich sogar allein in den Pub getraut – immer in denselben –, hatte jedes Mal ein Guinness getrunken und war am dritten Abend schon von dem Wirt mit »Ah, the English lady, who likes our beer more than Lager« begrüßt worden.

Sie war auch ins Theater gegangen: Wie selten war sie

in den Zeiten ihrer Berufstätigkeit zu so etwas gekommen. Sie hatte es nicht vermisst, und auch damals, als sie in Dublin im zweiten Rang auf einem verschlissenen Klappsessel hockte und versuchte, der Handlung auf der Bühne zu folgen, stellte sie fest, dass sie sich fürs Theater nicht begeistern konnte. Sie hatte schon immer Mühe gehabt, mit dem realen Leben fertig zu werden. Wie sollte sie sich dann noch für die Geschichten anderer auf der Bühne interessieren?

Kino war immer etwas anderes gewesen, denn da hatte sie in die Geschichten abtauchen können, und sie hatte sich niemals Filme ausgesucht, die sie zu sehr anstrengten. Seit sie nicht mehr arbeitete und auch davor, im Winter, wenn im Garten nicht viel zu tun war, war dies eine ihrer Lieblingsbeschäftigungen gewesen. Sie kannte Julia Roberts und fand sie ausgesprochen hübsch. Sie ärgerte sich über Richard Gere in *Pretty Woman*, weil er nicht in der Lage war, seine Gefühle zum Ausdruck zu bringen, aber er tat ihr auch leid, weil sie doch selbst am besten wusste, wie es sich anfühlte, wenn man einen Wall um das Innerste gebaut hatte, so hoch, dass man selbst nicht mehr nachsehen konnte, wie die eigenen Gefühle eigentlich aussahen.

Sie liebte auch Meg Ryan, egal, welche Rolle sie spielte. So eine fröhliche Frau, dachte sie, die ihr Leben mit einem Lächeln meistert, und was für ein Leben. Sie hatte immer einen Job, der ihr gefiel, wohnte in gemütlichen Wohnungen, hatte immer eine beste Freundin, die sich all ihre Grillen bereitwillig anhörte, und zum Schluss bekam sie den Mann ihres Lebens, der witzig und einfühlsam, tatkräftig und sensibel war. Charlotte musste darüber im Stillen lachen, weil sie selten einen Mann getroffen hatte, der so war. Vielleicht lag es an ihr. Sie hatte immer die distanzierten, verkorksten Männer angezogen, die sich nicht über ihr Gefühlsleben äußern konnten oder wollten und noch verschlossener waren als sie selbst, die ihr nicht zur Seite standen, wenn sie Hilfe brauchte, die kompliziert waren und von denen Charlotte manchmal dachte, dass sie eher eine Mutter in ihr suchten als eine Gefährtin.

Männer hatte es einige in ihrem Leben gegeben. Sie hatte auch eine Zeitlang mit jemandem zusammengelebt, mit Anthony. Er war irgendwann bei ihr eingezogen, weil es zu kompliziert geworden war, immer hin und her zu fahren. Er wohnte in einem anderen Viertel und war Inhaber eines Buchladens. Anthony verstreute seine Bücher im ganzen Haus. Sie fand sie überall, aufgeschlagen, unter ihrem Bett, auf dem Teppich, hinter der Couch. Er las, wann immer er eine freie Minute hatte, aber er konnte sich nicht auf ein einziges Buch konzentrieren, sondern las immer drei oder vier gleichzeitig.

Als die Leidenschaft in den ersten Jahren noch frisch gewesen war und sie mehr als einmal auf dem Sofa im Wohnzimmer übereinander hergefallen waren, störte Charlotte es überhaupt nicht, dass Anthony unordentlich war, nicht aufräumte, nie staubsaugte, nicht putzte, nicht kochte. Nur seine Wäsche wusch er immer selbst, und er bügelte – auch ihre Kittel aus dem Krankenhaus. Er konnte bügeln wie ein junger Gott. Irgendeine Frau aus seinem früheren Leben hatte es ihm wohl beigebracht, Charlotte hatte nie gefragt, wann und unter welchen Umständen.

Sie hatte neben ihrer Arbeit für Anthony den Haushalt geführt. Sie hatte es genossen, mit jemandem zu essen, wenn sie zu Hause war, und jemanden zu haben, der sich im Bett an sie schmiegte, den sie in die Arme nahm, bevor sie einschlief, oder der sie in seinen Armen wiegte, der ihre Füße wärmte, die außer im Hochsommer immer kalt waren.

Es hatte sie nicht gestört, die Ordentliche zu sein, die hinter Anthony herräumte, letztendlich hatte sie das ja auch für Felix getan. Ihr Bruder war immer ein liebenswerter Chaot gewesen, der nie wusste, wo er seine Sachen hingelegt hatte, der immer irgendetwas suchte, sie dann mit seinen unverschämt blauen Augen anlachte und mit einem leichten Schmunzeln über sich selbst sagte: »Lotte, weißt du, wo ich meine Hefte hingelegt habe?« Meistens wusste sie es auch und war stolz darauf, dass sie in kürzester Zeit alles für ihn fand.

Das tat sie in den ersten Jahren auch für Anthony. Sie mussten beide Mitte vierzig gewesen sein. Er war schlank und groß. Sein Haar wurde zwar langsam schütter, aber das störte sie nicht, denn ihre Haarfarbe wandelte sich auch von Blond zu Grau. Es dauerte zwar Jahre, aber sie verfolgte diese Veränderung doch mit steigendem Interesse.

Sie feierten Anthonys fünfzigsten Geburtstag in einem Landhotel. Auch er hatte nie geheiratet, keine Kinder, keine Geschwister, keine Eltern. Letztere waren früh gestorben, aber an einer normalen Krankheit, an welcher, hatte sie vergessen.

Charlotte erinnerte sich noch genau an das gemütliche Restaurant mit den dunklen Holzbalken an der

Decke und dem Sofa aus rotem Samt, in dem sie beinahe versank. Anthony hatte ihr gerade eine Anekdote erzählt. Er redete sehr gerne, und sie hatten gemeinsam gelacht, als sich die Stimmung plötzlich änderte. Sie sah, wie er nervös an seiner Anzugjackentasche nestelte und dann etwas herausholte.

O nein, dachte sie noch, tu es bitte nicht, aber sie konnte es nicht aussprechen, und dann kamen diese Worte, die sie nicht hören wollte: »Charlotte, willst du meine Frau werden?«, fragte er. »Ich liebe dich, und ich möchte den Rest meines Lebens mit dir verbringen.«

Nein, wollte sie rufen, nein, ich will nicht deine Frau werden. Ich möchte auch weiterhin zu niemandem gehören. Ich möchte keine Familie, keine Verantwortung für dich. In meinem Leben möchte ich nie wieder Verantwortung für jemanden übernehmen. Aber sie sagte nichts, sondern sah ihn nur lange und ernst an, und er verstand.

Anthony blieb noch eine Weile bei ihr wohnen, aber er kam immer später nach Hause. Nach und nach verschwanden seine Bücher, dann er selbst. Sie trennten sich nicht im Streit.

»Ich muss gehen«, sagte er, »ich kann nicht ohne Garantie mit dir weiterleben. Ich möchte endlich wissen, wohin ich gehöre.«

Nach einem halben Jahr heiratete er eine seiner langjährigen Kundinnen, die gerade Witwe geworden war und auch jemanden brauchte, zu dem sie gehören konnte.

Wenn ich jetzt einen Mann hätte, für den ich sorgen müsste, dachte Charlotte, würde ich mir die Frage nicht stellen müssen, warum ich überhaupt noch lebe. Aber sie wusste, dass es für sie niemals eine Möglichkeit gegeben hatte, diese Keimzelle Familie zu gründen.

Charlotte hatte den Begriff Familie vor langer Zeit begraben. Sie hatte nur zehn Jahre ihres Lebens eine Familie gehabt und dann weitere zehn Jahre eine kleine Restfamilie, bestehend aus ihr selbst und ihrem Bruder. Und dann nichts mehr, nie wieder, nicht nur, weil sie nicht wollte, sondern weil sie auch nicht konnte.

In Dovercourt und auch noch in den ersten Wochen in der Pflegefamilie hatte das Wort Familie für sie Farben gehabt: ein Orangegelb, wenn ihre Mutter im Herbst die ersten Kerzen im Wohnzimmer anzündete und Charlotte im Kinderzimmer eine Öllampe entzünden durfte, die jeden Abend brannte, bis sie ins Bett ging. Und Familie bedeutete ein glitzerndes Rot und Silber, das von den Weihnachtskugeln und dem Lametta kam, das ihr Vater jedes Jahr mit großer Vorsicht über die Äste der Tanne hängte, die er am Vortag im Grunewald selbst geschlagen hatte. Und ein anderes Silber, das Silber des Chanukka-Leuchters, der jeden Tag etwas mehr strahlte, bis alle Kerzen entzündet waren. Irgendjemand in ihrer Familie hatte aus den beiden Feiern »Weihnukka« gemacht. Sie feierten es auch noch so, als Hitler schon längst an der Macht war und ihre Eltern wieder regelmäßig in die Synagoge gingen, obwohl der Weg weiter war als bis zur evangelischen Kirche um die Ecke. Und Familie war weiß, so weiß wie die Wolldecke, die Mama ihr gestrickt hatte, als sie ein Baby war, und die Charlotte auch noch mit ins Bett nahm, als sie so groß war, dass sie nur noch ihren Kopf darauf betten konnte.

Im Sommer hatte Familie einen rötlich braunen Schimmer gehabt, wenn die Sonne auf den Stamm der Kiefer fiel, die vor ihrem Fenster stand und auf dem sie den Lauf der Sonne am Nachmittag verfolgte, anstatt Schularbeiten zu machen. Familie war sandfarben wie die Wege an der Havel entlang oder durch den Grunewald und so verschieden grün, wie es nur die Nadel- und die Laubbäume in den Wäldern von Berlin waren.

Und Familie hatte für Charlotte den Geruch von Papas Pfeifentabak bedeutet. Er benutzte immer denselben, wenn er am Sonntag hinter seinem Schreibtisch saß, die Arbeiten seiner Schüler korrigierte und sich dabei die Haare raufte, weil sie wieder so viel falsch gemacht hatten. Und gleichzeitig roch sie Hühnerfrikassee, Steckrübeneintopf oder Königsberger Klopse aus der Küche, oder sie hatte den Duft von Matze, süßem Wein und Himbeersaft in der Nase und den Duft des Haares ihrer Mutter, das nach Orange und Vanille roch und in das Charlotte ihre Nase vergraben durfte, wann immer sie das Bedürfnis danach hatte.

Sie nahm die Erinnerung an Geschmack mit nach England: nach dickem, süßem Kakao, den ihre Mutter ihnen kochte, wenn sie im Winter vom Rodeln im Park am Schlachtensee kamen. Und nach diesen klebrigen Bonbons, die nach Himbeere schmeckten und die sie immer mit Felix kaufte, wenn sie mal wieder irgendwo ein paar Groschen geschenkt bekommen hatten.

Als sie damals kurz nach Silvester 1938 mit Felix im Doppeldeckerbus nach Dovercourt fuhr, schloss sie die Augen und dachte an ihre Familienfarben. Das tröstete sie, weil sie dachte, es würde nur eine Zeitlang dauern, bis sie sie wiedersehen könnte. Felix saß neben ihr und juchzte vor Freude, weil er in einem so schicken Bus fahren konnte.

Als sie dann am ersten Abend Gerhard kennenlernte, der mit Felix in einer Hütte schlief und sich rührend um ihn kümmerte, indem er ihm zeigte, wie man das Bett mit der kratzigen Wolldecke und dem Bettlaken richtig bezog, war eine neue Farbe zum Spektrum ihrer Familienfarben hinzugekommen: Hellrot wie Gerhards Haare. Gerhards Stimme hatte brüchig geklungen, mal ganz tief, und dann kiekste er wieder wie ein kleines Mädchen. Aber hörte sich diese Stimme wunderschön an! Denn sie hatte einen ähnlichen Singsang wie ihre eigene und die von Felix. Gerhard kam auch aus Berlin. Zwar merkte Charlotte schnell, dass er bestimmt nicht in Schlachtensee aufgewachsen war, wo alle ziemlich anständig sprachen und selten fluchten. Gerhard brachte Felix am ersten gemeinsamen Tag so viele Flüche bei, wie Charlotte in ihrem ganzen Leben noch nicht gehört hatte.

Sie ließ Felix nach dieser langen Reise von Berlin nach England bereitwillig in Gerhards Obhut, stellte seinen Koffer neben dem Bett ab, verabschiedete sich von ihrem Bruder mit einem Kuss. Felix wollte weinen, aber Gerhard legte den Arm um ihn und sagte: »Keine Angst. Ich kümmere mich um dich, soll ich dir eine Geschichte von Wilhelm Busch vorlesen?«, fragte er und nickte ihr zu, was bedeuten sollte: Du kannst gehen, wir sehen uns morgen beim Frühstück. Und Charlotte schlief in dieser Nacht tief, obwohl es kalt war, weil der Wind durch die Ritzen der Holzhütte pfiff und draußen Schnee lag und obwohl ein Mädchen leise weinte und die Wolldecke kratzte und immer vom Bett rutschte.

Sie fand ihren Bruder am nächsten Morgen in der Palmenhalle, einer großen Halle mit Glasdach, wieder. Er saß neben Gerhard und hatte einen Platz für sie freigehalten. Es gab Räucherfisch, Toast, Marmelade und Tee. Charlotte war viel zu hungrig, um sich darüber zu wundern. Erst nach einigen Tagen begann sie sich vor dem Fisch zu ekeln und sich nach dem Graubrot zu sehnen, das sie für ihre Mutter immer beim Bäcker um die Ecke gekauft hatte.

Gerhard verriet ihr nicht, welche Farben er für seine Familie in Berlin hatte. Er sprach gar nicht über seine Familie und schrieb auch nur einmal einen Brief an einen Onkel in Berlin. Gerhard hatte zuletzt in einem Waisenhaus gelebt, sich dann aus eigener Initiative auf die Liste der Kindertransportkinder setzen lassen und war allein zum Bahnhof gefahren, um den Zug in eine für ihn völlig unbestimmte Zukunft zu nehmen, vor der er aber keine Angst hatte. Jemand in England hatte die Garantiesumme für ihn übernommen.

Er hatte kein Heimweh, aber er war so feinfühlig, zu merken, dass Charlotte vor Heimweh und Sehnsucht nach ihrer Mutter und ihrem Vater verging. Er tat nichts dagegen, er fragte sie nicht nach ihren Eltern. Er sorgte aber dafür, dass sie immer Papier bekam, um ihnen zu schreiben. Am Ende einer Woche bündelte sie die Seiten, stopfte sie in einen Umschlag, und Gerhard schenkte ihr die Briefmarken, weil er sie selbst nicht brauchte.

Wenn Charlotte sich später an Dovercourt erinnerte, hörte sie zuerst diesen ohrenbetäubenden Lärm, der entsteht, wenn unzählige Kinder an langen Tischen in einem Speisesaal hocken, durcheinanderreden und mit

Geschirr klappern. Sie war es nicht gewöhnt, mit so vielen Kindern in einem Raum zu sein. Sie kannte nur ihre kleine Klasse in der Grundschule in Schlachtensee. Dort war es nie so laut gewesen. Immer hatte in Dovercourt irgendjemand auf dem Klavier herumgeklimpert, das in der Halle stand. Meistens klang es scheußlich. Manchmal spielte Charlotte mit Felix vierhändig. Aber sie konnten wenige Stücke auswendig, und Noten hatten sie nicht mitgenommen. Sie erinnerte sich auch an das Klacken der Tischtennisbälle auf der Platte, die immer von einer Schar Jungs umringt war. Felix und Gerhard verbrachten einen Großteil ihrer Tage dort. Gerhard brachte ihm mit Engelsgeduld Tischtennis bei, obwohl Felix weiß Gott nicht talentiert war. Und sie sah sich selbst in einem Sessel sitzend und lesend. Ab und zu schaute sie zu Gerhard und Felix hinüber. Jedes Mal, wenn sie Gerhards Blick streifte, ergriff sie ein Gefühl, das sie vor Dovercourt noch nicht gekannt hatte. Ihr wurde zur selben Zeit heiß und kalt. Und wenn der Dreizehnjährige sie aus Versehen berührte, stolperte ihr Herz.

11

Olaf ahnte schon auf der Autobahn, dass es falsch gewesen war, doch noch am Freitag zu Martina nach Ludwigslust zu fahren. Er freute sich nicht auf sie und Max wie sonst immer, wenn er sich dem Mecklenburg-Vorpommern-Schild näherte. Er versuchte sich Martinas Körper vorzustellen und dachte daran, wie er heute Nacht, wenn Max endlich im Bett war, ihren süßen, kleinen Po streicheln würde. Er konzentrierte sich sehr darauf, wie sich ihre Haut an dieser Stelle anfühlte. Er hatte sie doch schon so oft gestreichelt. Er kannte ihren Körper auswendig. Ihre Haut hatte nirgendwo Dellen. Sie war klein und zierlich, erstaunlich für ihr Alter, das er sich irgendwie nicht merken konnte. Er wollte sich ihre kleinen Füße vorstellen, auf die er doch sonst besonders abfuhr, aber es gelang ihm nicht, sich ein Bild vor Augen zu rufen. Alles, woran er denken konnte, waren Christianes Füße in den hinten offenen blauen Sandalen mit den hohen Absätzen, die eindeutig der Schuhmode vom letzten Jahr entsprangen und überhaupt nicht nach seinem Geschmack waren. Christianes Füße waren auf keinen Fall klein und zierlich. Sie war insgesamt nicht gerade klein, und auf ihre sportliche Figur traf der Begriff zierlich nicht zu. Sie war eine, die anpacken konnte, der man nicht über einen Zaun helfen musste und die das auch nicht erwartete. Vielleicht konnte sie schneller laufen als er. Getränkekisten trug sie sicher auch selbst.

Eigentlich entsprach Christiane nicht seinem Frauentyp. Er hatte bisher für die kapriziösen, anspruchsvollen, perfekt gestylten Frauen geschwärmt, die jedes Detail ihrer Kleidung aufeinander abstimmten und schon am Nachmittag wussten, was sie anziehen wollten, wenn sie abends ausgingen. Martina hatte zwar nicht die edelsten Klamotten, dafür fehlte ihr das Geld, aber sie wusste genau, was sie tragen musste, um gleichzeitig sexy und unnahbar zu wirken. Ihr wäre es bestimmt nicht passiert, dass sie zum ersten Date in einer Jeans und einem schlabberigen T-Shirt auftauchte. Oder hatte er etwas falsch verstanden und der Besuch beim Haus war gar kein Date gewesen, sondern ein Treffen ausschließlich beruflicher Natur? Hatte Christiane ihre Bitte, dass er diese Bruchbude schätzen sollte, wirklich ernst gemeint?

In einer Viertelstunde würde er bei der Abfahrt Ludwigslust sein, aber Olaf dachte an Christianes Augen, an ihr Lachen, an ihren Po, an ihre Haare, an ihre Stimme, an ihren Duft und wusste, dass er all seine schauspielerischen Fähigkeiten benötigen würde, um dieses Wochenende mit seiner Freundin zu überstehen, ohne ein Beziehungsgespräch darüber führen zu müssen, warum er sie so wenig beachtete und so abwesend wirkte.

Aber er verbrachte die meiste Zeit des Wochenendes genau damit. Sie diskutierten, ob ihre Beziehung eine Zukunft hatte, ob man sie weiterführen sollte, und er war nur noch genervt, als er am Sonntagnachmittag frühzeitig abfuhr. Beinahe hätte er Martina alles vor die Füße geworfen und Schluss gemacht, aber dann war Max ins Zimmer gekommen und hatte ihn gefragt, ob er mit ihm Fußball spielen wolle, und da hatte er einfach mit dem Kopf nicken müssen und war mit Max in den Park spielen gegangen. Martina brachte ihnen nach einer Stunde Getränke und Sandwiches, und für eine Sekunde dachte Olaf: Wie liebe ich diese Frau. Aber dann bemerkte er, dass Martina geweint hatte. Seinetwegen. Und das fand er genauso grauenhaft wie die Tatsache, dass sie bestimmt über ihn mit ihrer besten Freundin oder ihrer Mutter gesprochen hatte. Er war oft Gegenstand dieser Telefonate. Es ging meistens darum, was er nicht tat oder zu wenig tat, nämlich seiner Freundin Aufmerksamkeit zu schenken, sie zu beachten, sie wahrzunehmen und ihr zur Seite zu stehen.

Aber tat er nicht seit Jahren genau das? Er arbeitete in Berlin, dieser göttlichen Stadt, und am Wochenende verbrachte er seine Zeit in der Provinzstadt Ludwigslust. Er lebte in ihrer Umgebung zu ihren Bedingungen. Er traf ihre Freunde, ging in die Restaurants, die sie gut fand, sogar beim Sex nahm er die Stellungen ein, die Martina bevorzugte.

Gut, wenn er ganz ehrlich zu sich war, stand er darauf, so behandelt zu werden. Er tat zwar nach außen hin wie jemand, der sich nichts sagen ließ – alle anderen Frauen hatten ihm das Image des Unnahbaren, Unabhängigen immer abgenommen –, aber bei Martina funktionierte das von Anfang an nicht, als ob sie gleich in seiner Seele seinen tiefsten Wunsch gelesen hätte, von einer Frau geführt zu werden, weil er sich selbst unsicher fühlte und eigentlich fast nie wusste, was er wollte.

Am Sonntagabend hatte er mit Martina von seiner immer noch unaufgeräumten Wohnung am Prenzlauer Berg aus auch noch ein längeres Gespräch über das Zulassen von Nähe führen müssen, und das hatte ihn dann endgültig dazu gebracht, eine Flasche Rotwein in einem selbst für ihn atemberaubenden Tempo auszutrinken, sich dann in Boxershorts ins Bett zu legen, fünf Zigaretten auf ex zu rauchen, bis er Lust auf Whiskey hatte, und diesen dann ohne Eis und pur zu trinken, obwohl er das eigentlich hasste. Aber alles half nichts, er dachte beim Einschlafen immer noch an Christiane, intensiver als je zuvor.

Natürlich hatte Olaf am nächsten Morgen Kopfschmerzen. Er war dieses massive Trinken nicht mehr gewöhnt. Eigentlich ging er sich selbst auf die Nerven, wenn er so handelte, aber wie sich mal wieder zeigte, konnte er es einfach nicht lassen, obwohl er schon vor einiger Zeit festgestellt hatte, dass er nicht mehr so viel vertrug wie früher.

Er schleppte sich in das Loft nicht unweit von seiner Wohnung, in dem sein Büro lag, was sicher etwas übertrieben klang. Sein Partner und er hatten jeder ein Zimmer in einer Bürogemeinschaft, mit einem Landschaftsarchitekten und einem Statiker zusammen. Sie teilten sich eine Sekretärin, weil sie sich nicht mehr als jeweils eine Viertelsekretärin leisten konnten.

Sein Partner Hanno war wie montags immer besonders früh im Büro. Seit er vor zwei Jahren Vater geworden war, litt er an frühmorgendlicher Bett- und Familienflucht, weil er den Stress mit seinen beiden Kindern, die innerhalb von 14 Monaten geboren worden waren, nicht ertragen konnte. Er verkaufte seiner Frau seinen täglichen Rückzug aus der Familienidylle damit, dass ihn seit einiger Zeit ein unbezähmbarer Kreativitätsschub ab acht Uhr morgens überfiel und er dem unbedingt nachgeben müsse, weil er jetzt ja schließlich vier Personen zu ernähren hatte.

Hanno war nach Zeugung des zweiten Kindes aus dem ehelichen Schlafzimmer ausgezogen und genoss jetzt die Ruhe des Gästezimmers, was ihn immer ausgeschlafen im Büro erscheinen ließ, denn er wurde nicht nur nicht von seinen nachts schreienden Kindern, sondern auch nicht von seiner Frau gestört, die eventuell Sex verlangt hätte. Das tat sie seit der Empfängnis des zweiten Kindes höchst selten, wie Hanno Olaf anvertraut hatte, als sie nach der Arbeit noch zusammen Bier tranken. Hanno schien es nicht zu stören. Er ging auch nicht fremd. Olaf tat es leid, dass sich sein Partner in der letzten Zeit so wenig sexuell betätigte, und konnte, wenn er Hanno bemitleidete, verdrängen, dass auch bei Martina und ihm die Libido schon vor langer Zeit nachgelassen hatte.

»Na, anstrengendes Wochenende gehabt?«, fragte Hanno auf dem Flur. Olaf bemerkte den neidischen Unterton, weil sein verheirateter Kollege immer noch annahm, dass er mit Martina die Wochenenden im Bett verbrachte. Hanno schien regelmäßig zu vergessen, dass auch Martina einen Sohn hatte, der die meiste Zeit anwesend war und störte. Olaf klärte ihn auch nicht über seine Fehleinschätzung auf, weil er es genoss, ein wenig beneidet zu werden, besonders, weil er sich gerade selbst alles andere als beneidenswert fand. Er grinste seinen Partner vielsagend an und verzog sich in sein Büro. Eigentlich hätte er seine Kundin in Dahlem anrufen sollen. Sie hatte während des Wochenendes zwei Nachrichten auf seinem Anrufbeantworter hinterlassen. Bestimmt hatte ihr viel beschäftigter Gatte am Wochenende Zeit gefunden, wertvolle Vorschläge zum Umbau zu machen, und sie fühlte sich jetzt verpflichtet, ihm diese mitzuteilen. Er würde sie später anrufen. Jetzt hatte er Wichtigeres zu tun. Er wollte Christiane beeindrucken, und das konnte er am leichtesten, wenn er ihr bei der Recherche unter die Arme griff – sozusagen als Unterstützung eines Gentleman, natürlich ohne andere Hintergedanken als geschäftliche. Er hatte Interessenten für das Grundstück am Heiligen See und sollte für sie ein neues Haus entwerfen und die Bauleitung übernehmen.

Er rief die Auskunft an und ließ sich die Nummer der Bibliothek des Hauses der Wannsee-Konferenz geben, denn eine seiner Exfreundinnen promovierte gerade über ein zeitgeschichtliches Thema. Drittes Reich, so viel hatte er noch im Kopf, und sie hielt sich momentan oft in der Bibliothek auf. Sie war verheiratet, soweit er wusste, sogar glücklich, und hatte ihm beim letzten Treffen versichert, es sei die beste Entscheidung ihres Lebens gewesen, sich damals von ihm zu trennen. Sie hatten beide in Karlsruhe studiert, einer wirklich hässlichen Stadt, Olaf Architektur und sie Geschichte. Die ganz heiße Liebe war es am Anfang gewesen, aber leider war Olaf schon auf dem Absprung nach Frankreich gewesen, wo er ein Jahr in Aix-en-Provence an der Uni verbringen wollte. Das teilte er ihr allerdings erst mit, nachdem er sechs ausgesprochen leidenschaftliche Wochen mit ihr verbracht hatte. Sie habe an etwas Längeres gedacht, sagte sie damals, war natürlich entsprechend sauer und trennte sich sofort von ihm.

»Hallo, Astrid«, sagte er, »wie geht's, hab gerade an dich gedacht. Wollte mal hören, wie weit deine Diss ist.«

»Seit wann interessierst du dich für so was, Olaf?«, fragte Astrid, »und wann lernst du endlich, dich mit Namen zu melden?«

»Du hast mich doch auch so erkannt«, erwiderte er. Wenn er etwas über seine Wirkung auf Frauen wusste, dann dass seine Stimme sexy sein konnte, wenn er wollte, und so einmalig, dass alle Frauen, mit denen er im Bett gewesen war, ihn auch noch nach Jahren an der Stimme wiedererkannten.

»Ich hab da ein Problem«, fing Olaf an.

»Mit Martina?«, fragte Astrid. »Ist sie schwanger? Will sie dich heiraten?«

»Nein, Gott sein Dank beides nicht. Es geht um etwas ganz anderes. Ich brauche Informationen von einer versierten, erfahrenen Historikerin wie dir.«

»Schleimer. Das muss ziemlich kompliziert sein, was du von mir willst, sonst würdest du nicht so dick auftragen und mich sogar loben«, sagte Astrid.

War er wirklich so leicht zu durchschauen?

»Es geht darum, jemanden zu finden. Juden.«

»Jetzt mach es mal nicht so spannend« drängte Astrid. »Auch wenn deine Stimme immer noch bewirkt, dass mir Schauer über den Rücken laufen. Den ganzen Tag habe ich selbst dafür keine Zeit.«

»Es geht um Johanna und Karl Reisbach. Sie sind in Auschwitz umgekommen. Das Einzige, was ich noch weiß, ist, dass sie 1938 in Berlin-Schlachtensee wohnten und ein Grundstück am Heiligen See in Potsdam besaßen. Ich muss herausfinden, ob Reisbachs überlebende Kinder haben oder andere Verwandte.«

Er hatte keine Ahnung, wie jemand so etwas herausfinden könnte.

»Ich weiß zwar noch nicht, wie ich da recherchiere, aber ich werde es versuchen«, versprach ihm Astrid.

»Warum willst du das eigentlich wissen?«

»Eine Kundin braucht diese Information.«

»Also doch eine Frau.«

»Sie will ein Gutachten für ein Haus von mir.«

»Ist sie hübsch?«

»Mag sein, weiß nicht.«

»Sehr hübsch, also. Und wohl verheiratet.«

»Wie geht es denn deinem Ehemann, wie heißt er noch, Franz?«

»Nein, Fritz. Ihm geht es gut. Immer noch glücklich mit ihm.«

»Na dann, weiter so. Melde dich, wenn du etwas herausfindest. Und tausend Dank.«

Olaf glaubte zwar nicht, dass Astrid irgendetwas für ihn tun könnte, aber jedenfalls hatte er es versucht. Vielleicht könnte er Christiane anrufen und sie darüber informieren, dass er eine Historikerin auf die Spur von Reisbachs gesetzt hatte. Würde ihr das gefallen? Jedenfalls war es ein Grund, mit ihr zu telefonieren.

12

Zeit zu haben war etwas, das Christiane nicht mehr geübt hatte, seit sie Kinder hatte. Vorher hatte sie neben ihrem Beruf immer gewusst, womit sie ihre freie Zeit ausfüllen wollte. Ihre Spiegelreflexkamera lag ständig auf ihrem Schreibtisch, sicher verpackt in der blauen Fototasche, und immer lagen mehrere Ersatzfilme in der Schublade. Regelmäßig reinigte sie die Objektive, besonders das Teleobjektiv, das sie am meisten benutzte, damit sie jederzeit loslegen konnte.

Sie hatte sich nie gelangweilt. Wenn sie nicht fotografierte, war sie meistens in der Dunkelkammer, die sie in der alten Wohnung in einer Wäschekammer eingerichtet hatte. Es störte sie nicht, auf den Bus zu warten. Sie beobachtete die Menschen, die meist unzufrieden mit ihr an der Haltestelle ausharrten oder vorbeigingen. Sie beobachtete, wie sich das Licht in den Pfützen spiegelte, und bewunderte die fortwährende Veränderung des Himmels.

Wenn sie die Kamera nicht dabeihatte, sammelte sie diese Eindrücke und speicherte sie in ihrem visuellen Gedächtnis ab. Oder sie holte ihre Kamera aus der Tasche und schoss ein paar Bilder, am liebsten von Leuten, die nicht bemerkten, dass sie fotografiert wurden.

Bei Matthias – vor wie vielen Jahren eigentlich? – hatte das damals in Bergen nicht funktioniert. Er saß auf einem Poller im Hafen, beobachtete die hereinkommenden Fischerboote, ihn schienen der Regen und die Kälte nicht zu stören. Allerdings trug er auch einen grünen Anorak, der selbst für eine Antarktisexpedition tauglich gewesen wäre. Wie sonst selten, hatte sie damals einen Farbfilm eingelegt. Der Kontrast zwischen dem satten Grasgrün des Anoraks, seiner roten Hose, dem bleigrauen Himmel über dem schwarzgrauen Wasser begeisterte sie so, dass sie mehrmals auf den Auslöser drückte, ohne sich vorher zu vergewissern, ob der Mann etwas bemerken könnte. Plötzlich war er aufgestanden, hatte seinen Rucksack, der neben ihm auf dem Boden stand, genommen und war direkt auf das Café zugekommen, durch dessen Fensterscheibe sie ihn fotografierte. Christiane hatte gerade noch Zeit, ihren Fotoapparat ins Futteral zu legen und so zu tun, als ob sie die einseitige Speisekarte studierte.

»Ist hier noch frei?«, fragte er auf Englisch.

»Yes«, sagte sie etwas zerknirscht und hob die Fototasche von der Tischplatte.

»You are a photographer?« fragte er, ohne sich vorzustellen. »Must be a hard job?«

»Yes, I am a photographer«, sagte sie, »but I am on holiday.«

»Okay, ich denke, du kommst auch aus Deutschland, also ich bin Matthias, und ich lasse mich ungern so hinterrücks fotografieren«, sagte er, lächelte sie dabei aber weiter an.

»Entschuldige, dafür gebe ich dir einen Kaffee aus. Ich bin Christiane.« Seine sehr dunklen Wimpern faszinierten sie gleich und dass sie am Ausdruck seiner Augen sofort ablesen konnte, wie gefühlvoll und sensibel er war, sicher auch zärtlich und voll Hingabe, und vor allem, dass er der Meinung war, seine Sensibilität durch forsches Auftreten kaschieren zu können. Als er seinen Anorak auszog und die Speisekarte in die Hand nahm, bemerkte sie, wie kräftig und groß seine Hände, Handgelenke und Unterarme waren. Er war viel größer als sie und hatte breite Schultern. Er war sicher sportlich. Sie stellte ihn sich augenblicklich beim Wildwasser-Kajakfahren, Klettern oder Westernreiten vor.

Lächelnd wartete er auf ihre Erwiderung, während er dem Zeitung lesenden Mädchen hinter der Theke etwas auf Norwegisch sagte. Die Sanftheit seiner Stimme passte nicht zu seinem kräftigen Körper, jedoch zu seinen blauen, grün gesprenkelten Augen.

Sie bot ihm damals an, den Film herauszunehmen und zu belichten, um seine Porträtaufnahmen zu zerstören, aber er lachte nur darüber.

»Wenn du mir Abzüge schickst, bin ich schon zufrieden«, sagte er. »Dass ich es nicht mag, fotografiert zu werden, war nicht ernst gemeint. Ich war die letzten zwei Monate auf Forschungsreise und habe nur die Besatzung des Bootes und meine männlichen Kollegen gesehen. Ich bin den Menschen etwas entwöhnt und hatte gerade darüber nachgedacht, ob ich nicht lieber nach Spitzbergen fahren soll, als mir zwei Wochen lang die norwegische Fjordlandschaft anzusehen, wie ich es geplant hatte.«

»Ich reise auch durch Norwegen«, sagte Christiane, ohne dass sie es wollte.

»Allein?«, fragte Matthias.

»Ja, allerdings nicht ganz, ich habe meine Kamera dabei«, sagte sie. »Ich bin nach Norwegen gekommen, um zu fotografieren. Ich bin erst gestern mit dem Schiff angekommen und muss mich noch ein wenig an das Wetter gewöhnen. Ist nicht heute der achte August?«

»Ja, aber wart's ab, nach Tagen Dauerregen wirst du den Regen vermissen, wenn die Sonne mal für Stunden rauskommt.«

»Glaub ich nicht. Ich wollte nämlich eigentlich zelten.«

Wenn es ihr in den vergangenen Jahren mit Matthias schlechtging, er nur an seine Arbeit dachte, nächtelang im Institut blieb und an seiner Doktorarbeit feilte und sie mit den Kindern allein zu Hause ließ, er auch nicht anrief und sich überhaupt nicht um sie kümmerte, ihr die Kinder nicht abnahm, sie darauf angewiesen war, dass ihre Mutter sie umsorgte, während sie stundenweise als Pressefotografin arbeitete, hatte sie bis zum Umzug nach Berlin immer nach kurzer Zeit nur an die zwei Wochen denken müssen, die diesem »Ich wollte eigentlich zelten« gefolgt waren. Dann konnte sie ihm nicht mehr böse sein, weil sie wieder wusste, dass sie ihn liebte, genau ihn, mit seiner Begeisterung für die Natur, für seinen Beruf als Meeresbiologe, für seine Fähigkeit, sich in etwas zu versenken und alles andere dabei aus den Augen zu verlieren.

In dieser magischen, großartigen, unbegreiflichen, mystischen Fjordlandschaft, in der die Begrenzungen menschlichen Seins nicht mehr galten, fing selbst der analytische Matthias an zu glauben, dass der Mensch nicht nur aus Körper, sondern auch aus Seele besteht und es Dinge gibt, die nicht mit wissenschaftlichen Methoden zu messen sind. Christiane wusste gar nicht, wie es dazu kam, aber am selben Nachmittag fuhr sie mit Matthias in ihrem Kasten-R 4 in Richtung Hadangerfjord. Sie zelteten in der Nähe eines Gehöftes, kochten sich auf einem Petroleumkocher Nudeln und badeten nachts um elf Uhr im Fjord, als es langsam dämmerig wurde. Und sie schliefen auch in dieser ersten gemeinsamen Nacht miteinander. Er war sehr langsam und behutsam und ließ ihr Zeit.

Christiane hatte Schwierigkeiten, ihren Freundinnen nach ihrer Rückkehr zu erklären, warum sie nach diesen zwei Wochen so genau wusste, dass sie ihr Leben mit Matthias verbringen wollte.

»Also, was ist es?«, fragte Kerstin, die sie schon seit Jahren kannte und mit der sie alles besprach. »Ist er besonders sexy, besonders männlich? Besonders eloquent ist er ja nicht gerade«, bemerkte sie und hatte damit recht. Matthias sprach sehr wenig, zumindest nicht in Kerstins Gegenwart, die ihn einschüchterte. Damals in Norwegen hatte er viel mit ihr geredet, über die Sterne und die Natur. Warum sie ihm so viel bedeutete und er sie manchmal besser verstand als die Menschen. Damals war ihr noch nicht klar gewesen, dass er auch sie manchmal nicht verstand. Sie hatte ihn geöffnet, und er wandte sich den Menschen zu, aber das blieb nicht lange so. Allerdings verstand er sich mit seinen Kindern immer, wenn er mal zu Hause war. Er konnte sich stundenlang mit ihnen beschäftigen und wurde auch selten ungeduldig. Für sie selbst aber gab es oft keine Zeit und keinen Platz mehr in seinem System. Und wenn er dann doch eine Weile mit ihr gesprochen hatte, verschwand er wieder in seinem Arbeitszimmer und beschäftigte sich mit den Dingen, die er wirklich faszinierend fand.

Sie hatte diese Tatsache irgendwann akzeptiert, wie auch den Umstand, dass sie nicht mehr so viel wie früher fotografierte und ihre Dunkelkammer noch in Kisten verpackt in Matthias' Arbeitszimmer lagerte. Oder sie dachte, dass sie sich damit abgefunden hatte, genauso wie mit der Tatsache, dass Matthias sie nicht mehr sehr begehrte und sie ihn auch nicht, doch dann war Olaf erschienen, war am ersten Abend unverhohlen an ihrem Körper interessiert gewesen, hatte sie gesehen, wie sie sich selbst auch sah, wenn sie sich nackt allein bei gedimmtem Licht im Badezimmerspiegel betrachtete, dabei einen Prosecco trank und Michael Bublé hörte.

Es war Samstagabend, und Olaf hatte immer noch nicht angerufen, was eigentlich kein Problem war, weil sie wusste, dass er am Wochenende Martina besuchen wollte. Dennoch schlich sie um das Telefon herum, schrieb eine besonders liebevolle Mail an Matthias, rief ihre Mutter dreimal an, um mit ihren Kindern zu sprechen, bis ihre Mutter den Vorschlag machte, sie solle sich doch sofort ins Auto setzen und kommen, wenn sie es vor Sehnsucht nicht mehr aushielte. Ihre Mutter war nicht der Mensch, dem sie hätte sagen können, dass sie über die Stille und den Luxus froh war, nicht für drei denken zu müssen, und auch über das Gefühl, die Kinder ein wenig zu vermissen. Sie hätte diesen Zustand genossen, wenn da nicht diese diffuse Sehnsucht nach jemandem wäre, den sie kaum kannte.

Sonntagmorgen war sie nach zu vielen Zigaretten, drei Amarettos auf Eis, zwei Martinis und einem halben Hähnchen aus der Packung mit Pommes und Mayonnaise schon fast so weit, Olaf anzurufen, weil sie nicht hatte schlafen können und seinetwegen jetzt einen Kater aushalten musste. Sie wählte seine Nummer, allerdings nicht seine Handynummer, die auch auf seiner Visitenkarte stand, sondern seine Nummer am Prenzlauer Berg, und – wie erwartet – meldete sich der Anrufbeantworter:

Das »Hallo, hier ist Olaf Haas, hinterlassen Sie eine Nachricht, ich rufe dann zurück« löste Herzrasen bei ihr aus. Sie vergaß, einen Text auf den Anrufbeantworter zu sprechen, rief deshalb noch mal an, war dann zu feige, etwas zu sagen, und hoffte, dass ihre Telefonnummer nicht bei ihm unter »Entgangene Anrufe« gespeichert wurde.

Um sich abzulenken, begann sie, die Kisten, die in Matthias' Zimmer standen, zu öffnen und nach ihren Fotosachen zu suchen. Sie hatte damals ihre besten Bilder rahmen lassen, sie auch noch in der ersten Zeit mit den Kindern im Flur hängen gehabt, sie aber dann abgenommen, nachdem Julia beim Fußballspielen ein Bild von der Wand geschossen hatte.

Sie nahm jedes Bild in die Hand, hielt es ein wenig von sich weg und betrachtete es. Sie waren wirklich gut. Sie hatte schon fast vergessen, wie gut sie eigentlich fotografieren konnte. Aber es war schon so lange her. Außer ihren Kindern und den langweiligen Leuten auf den Pressterminen hatte sie nicht mehr fotografiert. Selbst in den Ferien hatte ihr die innere Ruhe gefehlt, die sie zum Fotografieren brauchte.

Sie nahm die Fotos in die Hand und stellte sie im langen Flur auf die Erde. Morgen würde sie alle aufhängen. Sie holte ihre Kamera aus der Fototasche und überprüfte ihre Funktionen, sie waren alle in Ordnung. Dann legte Christiane sie auf den Esszimmertisch und fing an, das kleine Zimmer neben dem Bad, das sie als Abstellraum vorgesehen hatten, auszuräumen, um dort ihre Dunkelkammer einzurichten.

13

Olaf war sich sicher, dass Christiane von dem Ergebnis seiner Recherchebemühungen tief beeindruckt sein würde. Was Astrid ihm heute Morgen im Schnellverfahren am Telefon erzählt hatte, war aber auch ungeheuerlich. Reisbachs hatten zwei Kinder, die sie nach dem Novemberpogrom 1938 in der Hoffnung, sie bald wiederzuschen, in einen Zug nach England gesetzt hatten.

Unvorstellbar, die eigenen Kinder weggeben zu müssen, dachte Olaf. Martina würde das nie übers Herz bringen. Eher würde sie sich und ihren Sohn vor einen Zug werfen. Wie ungeheuer die Entscheidung eigentlich war, dachte Olaf, wie vorausschauend Reisbachs waren. Vielleicht ahnten sie, dass sie wenig Chancen hatten, Deutschland rechtzeitig zu verlassen, und daher packten sie die Gelegenheit beim Schopf, als sie von den Kindertransporten hörten, und ließen ihre beiden Kinder, Charlotte und Felix, auf die Liste setzen; das Mädchen war zehn und der Junge acht. Astrid hatte in einem Adressbuch der Jüdischen Gemeinde nachgesehen, und dort waren nicht nur Karl und Johanna Reisbach, sondern auch die Kinder verzeichnet gewesen. Mit dieser Information hatte sie dann die Jüdische Gemeinde angerufen, und man hatte ihr von den Kindertransporten erzählt. Dann hatte sie die Bibliothekarin der Wannsee-Bibliothek eingeschaltet. Sie besorgte ihr die Festschrift eines Treffens der ehemaligen Kindertransportkinder. Dort fand sie die Adresse von Charlotte Rice, die sich nach dem Krieg von Reisbach in Rice umbenannt hatte.

Olaf bestellte einen Strauß lachsfarbener Rosen für Astrid als Dankeschön und freute sich über die Vorstellung, dass ihr Franz-Ehemann sich fragen würde, ob Astrid ein Verhältnis hatte, wenn der Strauß bei ihm zu Hause abgegeben wurde und er heimlich auf der Karte »Danke für alles, Olaf« lesen würde.

Bei den Neuigkeiten würde Christiane ihm bestimmt um den Hals fallen, dachte Olaf. Er war sich zwar nicht sicher, ob die Adresse in London noch stimmte – sie war über zehn Jahre alt –, aber es würde reichen, um als Held dastehen zu können, wenn auch nur so lange, bis sich vielleicht herausstellte, dass diese Charlotte Rice gar nicht mehr dort wohnte.

Den Nachmittag im Büro, den er eigentlich weiter an einem Hausbauprojekt in Kleinmachnow hatte arbeiten wollen – die jungen Eltern hatten einige Sonderwünsche –, verbrachte er damit, aus dem Internet Informationen über die Kindertransporte zu ziehen. Er hatte nicht viel Lust, alles selbst zu lesen, aber das war auch nicht nötig. Wenn er Christiane eine Mappe mit dem Material zusammenstellte, würde er auch so auf sie sehr fürsorglich wirken. Christiane schien zwar ziemlich patent zu sein, aber er wusste nicht, ob sie in der Lage war, effektiv zu recherchieren. Schließlich hatte sie nicht studiert.

Er legte das Material und Astrids Notizen, die sie ihm

per E-Mail geschickt hatte, in eine schicke schwarze Mappe und beschloss um sechs Uhr abends, dass es sich nicht weiter lohnte, im Büro herumzuhängen.

Sollte er Christiane vorher anrufen oder einfach vorbeifahren? Ihr Mann war noch wochenlang weit weg auf irgendeinem Meer, und ihre Kinder kamen auch erst in fast drei Wochen zurück, also sprach nichts dagegen, einfach bei ihr aufzukreuzen. Manchmal konnte durch Überrumpelung ein Vorteil entstehen. Christiane hatte nicht den Eindruck gemacht, dass sie Besuche ablehnte. Aber es durfte nicht zu geplant aussehen, auf keinen Fall so, als ob er mehr wollte als nur die Mappe abgeben und ihr die Informationen überbringen. Sonst würde sie sich wahrscheinlich in die Ecke gedrängt fühlen und ihn sofort an der Tür abservieren. Sie war verheiratet, und wie es aussah, war sie nicht unbedingt auf eine Affäre aus und würde sofort Verdacht schöpfen, wenn er im schicken Outfit und in Aftershave getränkt »zufällig« vor ihrer Tür stünde.

Also behielt er die Lederjacke und die Jeans an, die er heute im Büro getragen hatte, weil kein offizieller Termin anstand. Glücklicherweise hatte er heute Morgen im Schrank nach einem seiner besseren einfarbigen Polohemden gegriffen und sich nicht hinreißen lassen, eines seiner Shirts mit so sinnigen Aufdrucken wie »Mein Herz brennt« oder »Wir sind Helden« zu tragen.

Olaf kaufte sich an der Tankstelle Kaugummi, wusch sich noch einmal auf der Toilette unter den Achseln und fuhr sich mit den Fingern durchs Haar, damit es so gekonnt verwuschelt saß, wie es Frauen in der Regel mochten.

Er konnte bei Christiane ruhig einen etwas abge-kämpften Eindruck machen. Schließlich hatte er sich ja auch unheimlich ins Zeug gelegt, um die Informationen für sie herauszubekommen.

Er klingelte bei Mohn. Was für ein Nachname, dach-te er. Gab es nicht einen Herr Mohn bei den Geschichten über das Sams, die er vor einigen Monaten mit Max im Kino gesehen hatte? Es war mittlerweile 19 Uhr. Wenn sie nicht da war, würde er die Mappe wieder mitnehmen und eine Notiz in den Briefkasten werfen, in der er bei-läufig erwähnen wollte, dass er die Nachkommen der Reisbachs schon gefunden hatte.

Christiane trug ein rotes Trägerkleid. Der Ausschnitt war so tief, dass es selbst bei ihren eher kleinen Brüsten aufregend aussah. Sie war barfuß. Das Kleid endete knapp oberhalb des Knies. Ihre Haare standen zerzaust vom Kopf ab, sie hatte sie nicht mit einer Spange gebän-digt. Sie leuchteten noch röter als am Freitag. Sie hatte gerade geduscht, und zwar mit einem Duschgel aus der-selben Serie wie ihr Parfüm. Ihr ganzer Körper duftete, was ihn auf der Stelle erregte. Sie hatte ein Telefon am Ohr und schien seinen Zustand nicht zu bemerken.

»Komm rein«, sagte Christiane, als ob sie niemand anderen erwartet hätte als ihn. »Einen Moment noch.« Sie ging vor ihm her den langen Flur hinunter, drehte sich kurz um und sagte: »Geh doch ins Wohnzimmer, die zweite Tür rechts«, dann verschwand sie am Ende des Flures in einem anderen Zimmer. Olaf stellte sich vor, es wäre ihr Schlafzimmer, und ihm wurde noch heißer.

Er konnte sie lachen hören, ein kehliges Lachen. Au-genblicklich wurde er eifersüchtig. Sicher lachte sie so aufreizend, weil ihr Mann ihr gerade erzählte, dass er sie sofort im Flur auf dem Kokosläufer nehmen würde, wenn er nach Hause käme.

Als Christiane ins Wohnzimmer kam, waren ihre Wangen tatsächlich ein wenig gerötet und ihre Augen strahlten noch mehr. Olaf hatte sich auf ein Sofa gesetzt und blätterte in einer Zeitschrift, weil er meinte, dadurch lässiger zu wirken und seine Aufregung kaschieren zu können.

Christiane hatte sich rote Sandalen angezogen, die phantastisch zu ihren Haaren passten.

»Willst du was trinken?«, fragte sie entspannt, als ob er schon oft bei ihr in der Wohnung gewesen wäre.

»Wasser«, sagte er. Sie lief in die Küche und kam mit einem Krug Wasser und zwei Gläsern zurück. Sie stellte ihn neben Olaf auf einen kleinen Glastisch und streifte dabei seinen Arm.

Er wusste nicht, wie und warum. Im nächsten Moment saß sie neben ihm auf dem Sofa oder vielmehr: Er lag halb auf ihr und küsste sie leidenschaftlich auf den Mund. Das Blut rauschte so verheerend durch seinen Kopf, dass er überhaupt nicht mehr denken, geschweige denn sich kontrollieren konnte. Natürlich hätte er sofort aufgehört, wenn sie nicht gewollt hätte, aber sie küsste ihn so gierig, dass er diese Möglichkeit ganz klar ausschließen konnte. Sie trug unter ihrem Kleid, das sie sich anstandslos hochschieben ließ, rote, transparente Unterwäsche. Einen Moment wunderte er sich darüber, dass sie solche sexy Unterwäsche anhatte, wo sie doch momentan offensichtlich ohne Mann war. Martina wechselte in der Woche immer zu Schießer-Weiß. Aber mehr als nur einen kurzen Gedanken in diese Richtung brachte er nicht zustande. Seine Lippen saugten an ihren schon harten Brustwarzen, sie leckte seinen Hals und knabberte an seinem Ohr, dass er vor Lust keuchte. Er ging vor ihr in die Knie und bemerkte, dass sie schon feucht war und genauso heftig mit ihm schlafen wollte wie er mit ihr.

Wenn er über diese Nacht mit einem Freund geredet hätte – was er nicht tat, weil er ja Martina betrog –, hätte er sagen müssen, dass sie perfekt zusammenpassten. Christiane mochte es, dass er sie zuerst hart und wild nahm, weil seine Gier ihn vollkommen die Kontrolle verlieren ließ. Sie stöhnte und gurrte und ließ sich ohne weiteres in die Stellungen bringen, die ihm gefielen. Als er zwischendurch etwas erschöpft neben ihr lag, nahm sie seinen Penis in den Mund und saugte wie selbstverständlich an ihm. Martina zierte sich immer etwas, wenn er ihren Kopf sanft abwärts bugsierte.

In den Erholungspausen sprachen sie miteinander – komplett unzusammenhängend und belanglos. Sie spielte mit ihren Fingern in seinem Haar, dass seine Kopfhaut prickelte. Sie schien überhaupt kein schlechtes Gewissen zu haben, dass sie ihren Ehemann betrog, und das in ihrem und seinem Bett, denn inzwischen waren sie vom Wohnzimmer ins Schlafzimmer gelaufen, nachdem sie vom Sofa auf den Parkettfußboden gerutscht waren.

So aufgewühlt sah sie noch bezaubernder aus. In ihren Augen tanzten kleine Leuchtfeuer, und ihre Stimme hatte einen so erotischen Klang, dass er es selbst sexy gefunden hätte, wenn sie ihm jetzt den Satz des Pythagoras erklärt hätte.

Christiane wusste nicht genau, wann sie die Kontrolle verlor. Sehr wahrscheinlich nicht erst, als sie auf ihm lag und ihn so hingebungsvoll küsste, dass sie sich selbst kaum wiedererkannte. Es war schon sehr lange her, dass sie bei ihrem Mann so die Fassung verloren hatte und nur noch aus Lippen bestand, die küssen wollten, aus Haut, die gestreichelt werden wollte, und aus einem glühenden Schoß. Ja, am Anfang war es mit Matthias auch so gewesen. Sie hatten sich in den ersten Monaten überhaupt nicht beherrschen können, hatten sich überall in seiner und ihrer Wohnung geliebt, sogar einmal auf dem Balkon – allerdings erst nach zwei Drinks und nachts um zwölf, als sie sicher sein konnten, dass alle Nachbarn ihre Grillutensilien zusammengepackt hatten und in ihre Wohnungen verschwunden waren.

Christiane war auch gar nicht frustriert gewesen, als sie nach einigen Jahren bemerkte, dass die Leidenschaft nachließ. All ihre verheirateten Freundinnen teilten dieses Schicksal. Also tat Christiane einiges dafür, wieder Erotik in ihr eheliches Schlafzimmer zu bringen. Sie kaufte Duftkerzen, rote Papierlampen, Seidenkissen im Angebot, bunte Vasen und Glaskugeln und einen dunkelroten Bettüberwurf, dazu sündhaft teure schwarze Satinbettwäsche und einige glänzende und durchsichtige Nachthemden. Sie tat überhaupt nichts Ungewöhnliches, fand sie. Diese Tipps standen in jeder Frauenzeitschrift. Ihre Freundinnen hatten sie, je nach Typ und Ehemann, alle beherzigt und ihr hinter vorgehaltener Hand erzählt, dass der Erfolg immer durchschlagend gewesen sei.

Aber als sie sich das schwarze, durchsichtige kurze

Hemdchen mit den Spaghettiträgern zum ersten Mal anzog und dann eine halbe Stunde fror, weil sie es nicht wagte, unter die Decke zu schlüpfen, sondern sich lasziv auf der Satinbettwäsche rekelte und dabei fast einen Wadenkrampf bekam, fragte sie sich, was der ganze Aufwand eigentlich sollte, denn Matthias war bei seinen Akten hängengeblieben, weil er eben noch einmal etwas nachsehen wollte, und kam und kam nicht zu ihr. Als er dann doch erschien und sie fast schon keine Lust mehr auf ihn hatte, versöhnte sie dieser besondere leidenschaftliche Blick, den er ihr zuwarf, und dass er augenscheinlich hocherfreut über ihr Outfit war.

Allerdings fragte sie sich manchmal, ob es nicht viel einfacher wäre, mit Matthias zusammenzuleben, ihn zu lieben und zu ehren und der ganze Kram, den sie voll Inbrunst vor dem Altar geschworen hatte, und sich ab und an einen Lover zu nehmen, der sie nur dann zu sehen bekäme, nachdem sie zwei Stunden Zeit gehabt hatte, die Spuren ihres alltäglichen Lebens wegzuwischen, und den sie immer dann abservieren würde, wenn er ihr zu nahe rückte und Besitzansprüche stellte. Sie hatte gehört, dass so etwas von Frauen, die sie natürlich nur entfernt kannte, tatsächlich praktiziert wurde. Sie bewunderte sie auch dafür, wusste aber, dass dieser Zustand für sie zu anstrengend sein würde. Obwohl: Wenn jemand die besten Voraussetzungen dafür hatte, dann doch wohl sie. Drei Monate ohne Sex, wenn Matthias auf Forschungsreise war: Bevor sie Matthias kennenlernte, hatte sie es nie so lange ohne Sex aushalten müssen, seitdem sie mit achtzehn in den Ring der sexuell Aktiven gestiegen war. Sie hatte es sich auch nicht vorstellen können, so lange enthaltsam zu sein, aber seitdem Matthias einmal im Jahr auf seine Reisen entschwand, war sie bis vor einigen Stunden enthaltsam gewesen. Nicht immer gern, aber aus Überzeugung, denn sie hatte mit ihren Kindern schon genug Scherereien. Wie hätte sie da auch noch ein Verhältnis ertragen können?

Was also ließ sie die Kontrolle verlieren und ihre Grundsätze in den Wind schießen? Es war bestimmt vor diesem Kuss geschehen, der ja auch irgendwie etwas verunglückt war, weil Olaf gleich halb auf ihr lag und nur mühsam die Balance halten konnte.

Wenn sie ehrlich zu sich war, hatte sie mit Absicht die transparente rote Unterwäsche gewählt. Und sie hatte sich nach dem Joggen in dieses kleine, hinreißende Kleidchen geworfen, obwohl sie eigentlich nicht mehr weggehen wollte, weil sie ahnte, dass Olaf sie besuchen würde. Deshalb war sie auch gar nicht erstaunt gewesen, als er bei ihr vor der Tür erschien, um sie auf den neuesten Stand seiner Recherchebemühungen zu bringen. Sie fand es rührend, dass er sich so für sie ins Zeug legte. Ohne ihn hätte sie auch bestimmt nicht gewusst, wie sie an das Problem Haus am Heiligen See hätte herangehen sollen. Aber sie wusste auch, dass er sich nicht aus altruistischen Gründen so engagierte.

Sie hatte wohl schon die Kontrolle über die Situation verloren, als sie vergaß, Kerstin von Olaf zu berichten. Ihr Gewissen schien seine Zuständigkeit in dem Moment abgegeben zu haben, als sie Olaf nervös in der Zeitschrift blättern sah. Auch nach dem ersten großen

Ansturm der Emotionen und Hormone meldete es sich nicht wieder zurück.

War sie wirklich so skrupellos? Ohne es eigenartig zu finden, lag sie mit einem anderen Mann als dem ihren im Bett ihres Schlafzimmers, wobei Matthias in diesem Raum gerade mal eine Woche geschlafen hatte, es also genau genommen noch gar nicht sein Schlafzimmer war.

Sie spürte Olaf neben sich und fühlte sich großartig, viel jünger, als sie war, ohne irgendwelche verräterischen Falten oder Schwangerschaftsstreifen an den Oberschenkeln. Die fielen ihr allerdings schlagartig ein, als sie aufstehen musste, um ins Badezimmer zu gehen. Aber da war es zum Glück schon dunkel im Zimmer, und sie bemühte sich, möglichst schnell um die Ecke in den Flur zu verschwinden. Beim Rückweg konnte sie sich trotz Nacktheit Zeit lassen, denn von vorne sah sie makellos aus. Und sie wusste sofort, dass sie Matthias nichts beichten wollte, denn es würde ja kein zweites Mal geben. Davon war sie zumindest den Rest der Nacht überzeugt, den sie mit Dösen und Schmusen verbrachten. Aber als Olaf keine Anstalten unternahm, im Morgengrauen zu gehen, sie es auch nicht wollte und er um acht Uhr im Büro anrief, um seinem Partner zu sagen, dass er später kommen würde, als sie um zehn Uhr gemeinsam in der Küche saßen und in unglaublicher Eintracht Kaffee tranken, das Telefon klingelte und sie entspannt mit ihren Kindern und ihrer Mutter über das Wetter sprechen konnte, wusste sie, dass sie ein Problem hatte.

14

Als Christiane vier Tage nach ihrer Liebesnacht mit Olaf auf die Waage stieg und bemerkte, dass sie drei Kilo abgenommen hatte, wusste sie endgültig, dass sie verliebt war. Sie hatte in den vergangenen Tagen fast gar nichts gegessen – tagsüber ein Joghurt und Kaffee oder Obst –, erst abends hatte sie Hunger bekommen und sich Sushi oder etwas vom China-Imbiss bestellt.

Am Abend nach ihrer ersten gemeinsamen Nacht war sie allerdings mit Olaf in der Pizzeria schräg gegenüber vom Chinesen gewesen. Sie trug wieder ihr rotes Kleid, weil sie Olaf inspirieren wollte, direkt nach der Vorspeise in ihre Wohnung zurückzukehren, aber dazu sollte es erst einmal nicht kommen.

»Du weißt doch, dass ich eine Freundin habe?«, fragte er, ohne sie dabei anzusehen.

»Schon vergessen, ich bin verheiratet«, erwiderte sie lächelnd. Seine Freundin interessierte sie überhaupt nicht. Er war offensichtlich nicht unbeschreiblich glücklich mit ihr, sonst hätte er nicht so bereitwillig mit ihr geschlafen. Sie glaubte nicht, dass er der Typ Mann war, der regelmäßig und entspannt betrog.

»Wir wissen es doch beide: Du trennst dich nicht von – wie hieß sie noch? – Martina. Und ich verlasse Matthias nicht«, sagte sie und legte ihm die Hand aufs Knie.

»Heißt das, dass wir das hier nicht wiederholen?«, fragte Olaf zaghaft.

»Was meinst du?«, fragte sie zurück. Als ob wir über die Rahmenbedingungen eines Geschäftes verhandeln, dachte sie.

»Ich weiß nicht, ich glaube, ich muss darüber nachdenken.«

»Gut, ich nämlich auch«, sagte Christiane und küsste Olaf über den Tisch hinweg so leidenschaftlich, dass er sein Glas umwarf und sich der Rotwein über seine Hose ergoss. Sie landeten dann doch in Christianes Wohnung und badeten gemeinsam, was unweigerlich in einem weiteren wüsten Clinch endete. Olaf verließ sie am nächsten Morgen einsilbig und ein wenig zerknirscht. Christiane vermutete, dass der Grund war, dass er seine Freundin in 24 Stunden gleich zweimal betrogen hatte und er nicht wusste, wie er diese Tatsache vor sich selbst rechtfertigen sollte.

Seitdem hatte er sich nicht gemeldet, nicht angerufen, nicht gemailt. Und Christiane hatte auch nicht versucht, ihn zu erreichen, obwohl sie ihn unbedingt wiedersehen wollte. Aber sie wusste, dass er Zeit brauchte, sich wieder zu fangen und sich darüber klarzuwerden, was er wollte. Sie vermutete, dass er den Sachverhalt erst einmal von allen Seiten durchdenken musste, um sich dann doch wieder kopflos auf sie einzulassen.

Sie wollte so viel Zeit wie möglich mit Olaf verbringen und es auskosten, sich auf diese Weise begehrt zu fühlen und wieder verliebt zu sein. Während des Liebesaktes hatte sie gegurrt, gezirpt, geseufzt, sogar gemaunzt. Sie hatte schon fast vergessen, dass so etwas in ihrem

Repertoire überhaupt vorkam. Sie hatte Olaf wohl auch gekratzt, und auf seinem Hals prangte ein – wenn auch nur dezenter – Knutschfleck. Martina würde ihn bestimmt entdecken, aber das war nicht ihr Problem. Es war wie Sex mit achtzehn gewesen, wo man alles ausprobiert, oder nein – es war sogar noch besser gewesen: das Herzrasen, das man nur hat, wenn man noch nicht so lange mit Sex beschäftigt ist, kombiniert mit dem technischen Wissen von Leuten um die vierzig, die nie lange Zeit abstinent gewesen waren und deshalb viel Gelegenheit zum Üben gehabt hatten. Olaf hatte die Stellen, an denen sie bevorzugt gestreichelt werden wollte, auf Anhieb gefunden, auch die hinter ihrem linken Ohrläppchen.

Gegenüber Matthias hatte sie keine Gewissensbisse, denn ihre Untreue würde folgenlos bleiben. Sie war sich sicher, dass sie selbst Matthias auch nicht wegen einer Liaison auf seinen Forschungsreisen vor die Tür setzen würde. Eigentlich ging sie jetzt sogar davon aus, dass er während der Monate ohne sie mit anderen schlief, wenn ihm überhaupt neben seiner aufwendigen Forschungsarbeit die Zeit dafür blieb.

Während Christiane am Heiligen See auf dem Steg lag und sich sonnte – sie wollte das wunderbare Grundstück so lange nutzen, wie es noch nicht verkauft war –, stellte sie sich vor, wie Olaf seine Freundin in Ludwigslust besuchte. Allerdings gingen diese Vorstellungen nie weiter als bis da hin, dass sie gemeinsam irgendwo hinfuhren, um etwas einzukaufen, dass sie mit dem Sohn unterwegs waren oder zu Hause zusammen kochten.

Er war fast ununterbrochen in ihren Gedanken. Nicht

nur das, was er mit ihr gemacht hatte, sondern auch was er gesagt hatte, als sie morgens Kaffee getrunken hatten. Sie hatte sich mit ihm so weiblich und sexy gefühlt wie sonst noch nie.

Aber sie musste sich noch mit einer zweiten Sache beschäftigen. Sie las die Unterlagen über die Kindertransporte und Charlotte Rice, recherchierte im Internet und fand heraus, dass sie immer noch unter der angegebenen Adresse wohnte. Der Anwalt würde Charlotte Rice einen Brief schreiben. Sie wollte das aber auch tun. Christiane verfasste zehn Entwürfe, bis sie meinte, die richtigen Worte gefunden zu haben, nicht zu forsch, nicht zu direkt, verständnisvoll – sie durfte nicht vergessen, dass Charlotte Rice ein Holocaustopfer war.

Wie fühlten sich Charlotte und ihr kleiner Bruder damals, als sie allein in den Zug gesetzt wurden? Was würden Julia und Philipp denken? Was taten Kinder mit der Angst und der Einsamkeit und der Annahme, von den Eltern verraten worden zu sein, weil sie nicht Wort hielten und ihre Kinder nicht nach einigen Wochen besuchten? War Charlotte und Felix damals bewusst geworden, dass ihre Eltern keine andere Möglichkeit gehabt hatten, als sie allein in England zu lassen? Der Krieg überraschte sie. Sicher hatten Karl und Johanna Reisbach in den Monaten vor dem Kriegsbeginn alles nur Erdenkliche versucht, um auch außer Landes zu kommen. Warum hatte es nicht geklappt? Wie viel wusste Charlotte Rice über das weitere Schicksal ihrer Eltern?

In ihrem Brief hatte sie Charlotte so feinfühlig und diskret wie möglich gebeten, nach Berlin zu kommen. Es durfte nicht so wirken, als ob es ihr nur darum ginge, ihren Teil des Erbes ausgezahlt zu bekommen, auch wenn das ja ursprünglich ihre Motivation gewesen war. Christiane schrieb, dass sie Verständnis dafür hätte, wenn es Charlotte schwerfiele, nach Berlin zu kommen, aber wenn sie jetzt darüber nachdachte, wurde ihr klar, dass sie einfach unterstellt hatte, sie würde Schwierigkeiten haben, nach Deutschland zu fahren, ohne irgendetwas über diese Frau zu wissen. Sie bemerkte, dass sie dem Klischee des Juden aus der Generation der Opfer erlegen war. Was wäre, wenn Charlotte Rice den Deutschen längst verziehen hatte und jedes Jahr mehrere Male nach Berlin fuhr?

Sie vermutete jedoch eher, einer durch ihre leidvolle Erfahrung als Kind geprägten Erwachsenen zu begegnen, und nahm sich vor, Charlotte Rice mit Fingerspitzengefühl und Respekt zu behandeln und sich nicht daran zu stören, wenn sie ihr gegenüber ungerecht sein, sie hassen oder verachten sollte, weil sie Deutsche war.

Auf ihrer Joggingstrecke passierte Christiane den jüdischen Kindergarten in der Delbrückstraße. Es war der am besten gesicherte Gebäudekomplex der Gegend, obwohl auch einige Villen durch Mauern und Kameras geschützt wurden. Die Kinder wurden morgens bis zur Pforte gebracht und gelangten durch eine besonders gesicherte Drehtür in den Kindergarten. Ihre Eltern begrüßten den zuständigen Polizisten, der gerade Wache hielt, meist mit Namen. Christiane hörte Kinderlachen und Geschrei wie in jedem anderen Kindergarten, nur dass der hier mit Stacheldraht und Spezialzäunen vor Anschlägen gesichert war. Den ganzen Tag gingen Polizisten auf dem Bürgersteig auf und ab. Die Normalität, die diese nicht alltägliche Situation ausstrahlte, war für Christiane das Abschreckende.

Hatte Charlotte ihren Nachnamen geändert, um einen Strich unter ihre Vergangenheit zu ziehen? Und war es leichter, ein Holocaustopfer zu treffen, das von seinen unvorstellbar schlimmen Erlebnissen gezeichnet war, oder eines, dem man überhaupt nicht anmerkte, durch welche Höllen es gegangen war, und das auch nicht darüber sprechen wollte?

15

Zwei Briefe mit deutschen Marken. Charlottes erster Impuls war, die Umschläge zu zerreißen, ohne sie zu öffnen, doch dann fiel ihr Blick auf die Absender. Sie las *Christiane Mohn, Fontanestraße, Berlin*. Den Namen der Absenderin kannte sie nicht, aber den Namen der Straße. Sie lag in Grunewald, und ihre Eltern waren dort öfter mit ihr gewesen. Um Freunde zu besuchen? Ihre eigene Adresse war von einer runden Frauenhandschrift geschrieben worden. Der andere Umschlag sah geschäftsmäßiger aus. Sie las *Schneider und Reim Anwälte* und eine Adresse in Potsdam. Charlotte drehte die beiden Umschläge mehrmals um, wog sie in der Hand und blieb bei geöffneter Haustür neben ihrem mit Rosenmuster verzierten Briefkasten stehen. Ihre Hände zitterten, und sie spürte, dass sie sich schwach fühlte. Bestimmt war ihr Blutdruck in den Keller gesackt. Sie lehnte sich gegen das kühle, dunkelrote Mauerwerk und schloss die Augen.

Vor langer Zeit hatte sie den letzten Brief aus Berlin bekommen. Sie besaß ihn nicht mehr, aber noch heute erinnerte sie sich an die ungelenke, kaum leserliche Handschrift auf dem Umschlag. Jeder Buchstabe war mit Mühe geschrieben worden, als ob der Absender mit einer beständig zitternden Hand zu kämpfen hatte. Den

Namen des Absenders kannte Charlotte damals nicht, und mittlerweile hatte sie ihn Gott sei Dank vergessen, nachdem er ihr jahrelang in ihre Alpträume gefolgt war.

Es war 1947. Felix hatte sie vor einigen Monaten verlassen und lebte jetzt in Australien, und ihre Eltern waren für tot erklärt worden, weil sie sich nach Ende des Krieges ein Jahr lang nicht in ihrer Heimatstadt Berlin gemeldet hatten. Ihre Namen waren auch nicht auf den Listen erschienen, die im Bloomsbury House aushingen und die Ermordeten nach Lagern geordnet hatten. Manchmal träumte Charlotte von ihren Eltern. Sie waren so lebendig, ihre Mutter nahm sie in den Arm, ihr Vater lachte mit ihr, und sie spürte noch lange nach dem Aufwachen ihre liebevolle Nähe. Charlotte war davon überzeugt, dass ihre Eltern noch lebten. Felix schrieb ihr damals, sie sollte sich damit abfinden, dass sie tot waren, sie sollte sich nicht mehr mit den Schrecken der Vergangenheit beschäftigen, sondern anfangen, ihr eigenes Leben zu führen. Er selbst hätte es geschafft, und ihm würde es jetzt bessergehen.

Aber sie konnte sich nicht von der Vorstellung lösen, dass sie noch eine Familie besaß, dass ihre Eltern und Großeltern noch irgendwo auf dieser Welt lebten. Sie fragte sich nicht, warum ihre Eltern dann nicht versucht hatten, Felix und sie zu finden. Der Glaube daran, dass ihre Eltern überlebt hatten, brachte sie jeden Morgen dazu, aufzustehen und zur Arbeit zu gehen und ihre Schichten im Krankenhaus zu überstehen. Kälte, Hunger und vor allem die Einsamkeit auszuhalten. Sie glaubte daran, ihre Eltern irgendwann wiederzusehen.

Der Brief aus Berlin, den sie im November 1947 bekam, bestätigte ihren Wunsch.

Sie hätten gemeinsam Auschwitz überlebt, schrieb der Absender, sich nach der Befreiung allerdings aus den Augen verloren. Man habe sich während des Transportes nach Auschwitz kennengelernt. Sie seien gemeinsam im selben Viehwaggon gewesen und hätten sich auf der langen Fahrt ohne Wasser und Nahrung gegenseitig geholfen. Und ihre Eltern seien sehr nett zu ihm gewesen und hätten das bisschen Essen, was sie von zu Hause mitgebracht hatten, mit ihm geteilt, er sei damals neunzehn gewesen. Und ihre Mutter habe unablässig von Lotte und Felix gesprochen: wie glücklich sie seien, dass sie in England und in Sicherheit wären, wie schön, klug und lieb ihre Kinder seien.

Der Mann schrieb weiter, dass er mit ihrem Vater in Auschwitz in einer Baracke gelebt habe und sie gelegentlich miteinander Schach gespielt hätten.

Er sei arm, schrieb der Mann, und eine *displaced person*. Er würde in einer Notunterkunft leben und nur wenig zu essen haben.

Er bat sie um Geld, und Charlotte schickte ihm fast alles Geld, das sie gespart hatte. Sie wollte so schnell wie möglich nach Berlin, um ihre Eltern selbst zu suchen. Die Betreuer vom Bloomsbury House würden ihr sicher mit einem Darlehen helfen. Sie war schon so lange nicht mehr so glücklich gewesen. Sie würde ihre Eltern bald wiedersehen und mit ihnen ein neues Leben beginnen.

Der zuständige Berater an jenem Tag im Bloomsbury House begutachtete die Schrift auf dem Umschlag, holte den Briefbogen heraus, las ihn einmal und noch ein zweites Mal schweigend, runzelte die Stirn, räusperte sich, öffnete seine Schreibtischschublade und holte einen Stapel Briefe heraus, die er ihr gab.

»Erkennen Sie die Handschrift?«, fragte er.

Es war dieselbe wie auf ihrem Brief.

»Wir kennen diesen Mann schon länger. Er ist irgendwie an die Listen der Kindertransportkinder gekommen, die aus Berlin stammen, und schreibt nun systematisch jedem eine rührselige Geschichte über seine Eltern, die er mit der Bitte um Geld verbindet.«

Charlotte verstand nicht, was er damit sagen wollte.

»Der Brief ist eine Lüge. Diese Person möchte nur Ihr Geld. Er hat Ihre Eltern niemals gekannt. Das müssen Sie mir glauben«, sagte er.

»Das glaube ich nicht.«

»Doch, das müssen Sie glauben. Es ist meine traurige Pflicht, Sie dazu zu zwingen, es zu glauben. Wann haben Ihre Eltern das letzte Mal geschrieben?«

»1943 im Februar, sie schrieben, sie müssten bald verreisen, nach Osten. Und dass sie uns über alles lieben würden.«

»Wann hat der Mann Ihre Eltern kennengelernt? Bei welchem Transport? Hat er eine Jahreszahl, ein Datum genannt?«

»Nein«, musste sie zugeben. »Es kann doch sein, dass er die Daten vergessen hat?«, sagte sie fragend.

»Entschuldigen Sie, aber so ein Datum vergisst man nicht.«

Er reichte ihr einen Brief vom Stapel.

»Lesen Sie mal«, forderte er sie auf.

Es war der gleiche Brief Wort für Wort, nur war

140

Auschwitz durch Treblinka ersetzt worden, und es waren andere Namen eingesetzt.

»Sehen Sie die Ähnlichkeit?«, fragte er.

»Ja, aber er wusste doch die Namen unserer Eltern. Auch die Vornamen.«

»Die standen in den Listen, die sich der Betrüger aus Berlin besorgt hat. Haben Sie schon Geld geschickt?«

»Ich war heute Morgen auf der Post.«

»Viel?«

»Ja, jedenfalls war es für mich viel.«

»Wir ersetzen es Ihnen. Das ist das Mindeste, was wir tun können. Und ich hoffe, dass Sie uns diesen Brief überlassen.«

Einige Monate später erschienen neue Listen aus den Konzentrationslagern, und auf diesen fand Charlotte ihre Eltern und Großeltern. Aber da war der Teil, der in ihrem Innern noch trauern konnte, schon abgestorben.

Sollte sie diese Briefe aus Deutschland öffnen? Sie hatte vor Jahren eine Karte von Sylvia bekommen, die es gewagt hatte, die Stätten ihrer Kindheit aufzusuchen. Aber was war daran schwer, dachte Charlotte. Sylvia hatte sich in Berlin nicht den toten Geistern ihrer Familie stellen müssen. Sylvias engste Familie hatte überlebt. Sie war noch nicht einmal im Konzentrationslager gewesen. Der entfernteren Verwandten, die umgekommen waren, wurde mehrmals im Jahr mit Kerzen und Gebeten gedacht, ihre Fotos hatten sicher einen Ehrenplatz auf Sylvias Kommode im Wohnzimmer.

Auf Sylvias Postkarte aus Berlin mit der Glienicker Brücke – es war Anfang der 90er Jahre gewesen – hatte nur gestanden: *Wie schön, dass man jetzt wieder drüber fahren kann. Gruß aus der Heimat. Sylvia*

Heimat, hatte Charlotte damals gedacht, wieso Heimat, es gab für sie keine Heimat, vielleicht ein Zuhause, ja, London war ihr Zuhause, aber Heimat? Niemals. Und Berlin? Auf keinen Fall und nie wieder.

Ich werde die Briefe öffnen und dann wegwerfen, dachte sie. Sie würde sowieso nicht in der Lage sein, deutsch zu lesen. Sie hatte 1947 beschlossen, nie wieder Deutsch zu lesen. Sie öffnete den von Hand geschriebenen Umschlag. Der Brief war auf Englisch geschrieben. Sie überflog ihn, hier und da fand sie grammatikalische Fehler, aber er war in einem sehr passablen Englisch geschrieben.

Zuerst verstand sie nichts. Sie lehnte immer noch neben der Haustür an der Hauswand und bemerkte es gar nicht. Es wurde langsam kühl. Sie ging ins Haus und schloss die Tür hinter sich. Sie legte die Briefe auf den kleinen Tisch neben ihrem Sessel, der so gestellt war, dass sie von dort ihren kleinen Garten überblicken konnte. Dann ging Charlotte in die Küche und brühte sich einen Tee auf. In dem Punkt war sie ganz Engländerin. Erst kam der Tee und dann die Lösung eines Problems.

Sie las den handgeschriebenen Brief noch einmal. Sein Ton war höflich, ausgesprochen höflich sogar, ihrer Meinung nach zu höflich. Als ob diese Christiane Mohn aus irgendwelchen Gründen ein schlechtes Gewissen hatte.

Es ging um ein Haus und Grundstück und um die Hälfte des Verkaufswertes, der ihr und ihrem Bruder zustand, erfuhr sie, einen Besitz angeblich ihren Eltern gehört hatte. Am Heiligen See? Charlotte kramte vergeblich in ihren Erinnerungen. Sie konnte fast all ihre Erinnerungen auf Anhieb und zu jeder Zeit abrufen, das hatte sie sich mühsam antrainiert. Es schützte sie gegen das Gefühlschaos, das Erinnerungen manchmal auslösten.

Sie öffnete den zweiten Umschlag, Unterlagen eines Anwaltes, Dokumente, ein Testament, in Deutsch abgefasst, dann ein Verkaufsvertrag, und auf ihm erkannte sie die Unterschrift ihres Vaters und ihrer Mutter unten links in der Ecke: Karl Reisbach, Johanna Reisbach stand dort in der Spalte unter Verkäufer. Charlotte konnte die Tränen nicht mehr zurückhalten. Sie hatte die Schrift ihrer Eltern jahrzehntelang nicht mehr gesehen. Die wenigen handgeschriebenen Briefe, die sie von ihnen besaß, und die mit der Maschine geschriebenen DRK-Postkarten, die nach Kriegsbeginn ankamen, lagen in einer verstaubten Mappe ganz oben in einem Regal in ihrem Arbeitszimmer.

Sie hatten das Grundstück 1938 verkauft – für einen Spottpreis. Und davon sehr wahrscheinlich die zweimal dreihundert englische Pfund Garantiesumme für ihre Kinder gezahlt. Das Geld, das nötig war, um sie nach England zu schicken.

Sie las Christiane Mohns Brief noch einmal, und wieder ärgerte sie sich über diesen übervorsichtigen, extrem höflichen und dann auch so ehrerbietigen Ton, der bewies, dass die Schreiberin überhaupt keine Ahnung hatte, wie man mit einer Jüdin mit ihrem Schicksal am besten umging, dass sie aber dennoch sicher war, dass man mit einer alten Jüdin anders umgehen müsse als mit einer nichtjüdischen alten Frau.

Christiane Mohn bat sie, nach Berlin zu kommen, und auch der Anwalt mit notarieller Qualifikation bestand darauf, dass sie oder Felix kommen müsse. So stehe es nämlich im Letzten Willen der Verstorbenen. Erst dann könne das Haus verkauft werden, ein sehr interessierter Käufer sei auch schon gefunden worden.

Ich hole Sie vom Flughafen ab und stehe Ihnen in Berlin zu Verfügung, bot sich Christiane Mohn an. Und wenn ich gaga wäre? Das weiß diese Frau doch gar nicht. Nur weil ich Jüdin bin, bietet sie mir an, sich in Berlin um mich zu kümmern, dachte sie. Oder geht es ihr nur ums Geld?

Aber der Brief klang nicht danach, dass Christiane Mohn ungehalten darüber war, die Hälfte des Verkaufsgewinnes abgeben zu müssen. Sie würde sicher noch mehr geben, wenn ich darauf bestände, dachte Charlotte. Um etwas wiedergutzumachen, stellvertretend für die Nazis, die meine Eltern umgebracht haben?

Sie musste Felix anrufen und sich mit ihm besprechen. Sie musste wissen, was er zu dieser Sache sagte. Sie würde seinen Rat einholen, und dann würde sie das Erbe ausschlagen. Denn einerlei, was Felix ihr raten würde, eins stand jetzt schon fest: Sie würde nicht nach Berlin zurückkehren. Auch nicht wegen 300 000 Euro.

16

Wenn er das Falsche sagte, womöglich die Wahrheit, und Martina von seinen Nächten mit Christiane erzählte, würde sie ihm todsicher eine Szene machen, Geschirr zertrümmern, ihn beschimpfen, vielleicht sogar ohrfeigen, wie sie das in einer ähnlichen Situation schon einmal getan hatte. Dann würde sie in Tränen ausbrechen und stundenlang in ihrem Zimmer weinen, und er würde sich zwangsläufig um Max kümmern müssen, der alles mitbekommen hätte und natürlich vollkommen neben der Spur wäre, weil er annehmen musste, dass er nun auch Olaf verlieren würde, genauso wie seinen Vater, als er ganz klein war. Max würde zwar nicht weinen und zetern, das überließ er lieber seiner Mutter, aber er hätte am nächsten Tag mit Sicherheit einen Neurodermitisschub.

Olaf wollte keinen Streit, keine Schuldzuweisungen, er wollte dieses Wochenende einfach nur angemessen überstehen. Vielleicht ließ es sich ja vermeiden, mit Martina ins Bett zu gehen. Manchmal war sie zu erschöpft für Erotik. Hoffentlich lässt Max uns auch dieses Mal keine Zeit zum Schmusen, hoffte Olaf. Dieses Wochenende wäre es ihm ausgesprochen recht gewesen.

Er spielte mit Max Fußball, nachdem er Samstagmorgen angekommen war, und begleitete ihn zu seinem

Punktspiel. Freitagabend hatte er umgehen können, weil er behauptete, einen wichtigen Termin mit Kunden zu haben. Nach dem Fußballspiel schlug er Max vor, an dem komplizierten Drachen weiterzubauen, den sie schon vor Wochen begonnen hatten, der aber immer noch nicht fertig war. Danach überraschte er Martina mit der Idee, sich doch spontan mit ihren Freunden zu treffen, und Martina griff sofort zum Telefon, weil es sehr selten geschah, dass Olaf ihr diesen Vorschlag unterbreitete. Er ignorierte ihre Versuche, ihn vor dem Weggehen noch zu verführen, obwohl sie den lindgrünen Hosenanzug trug, den er an ihr so sexy fand. Max schlief bei seinem Freund nebenan, so konnten sie ausnahmsweise lange unterwegs sein, und Olaf schlug nach dem Essen bei einem der wenigen passablen Chinesen in Ludwigslust vor, man sollte doch noch in die Bar um die Ecke gehen und dort ein paar Cocktails trinken.

Martina lächelte ungläubig und begeistert, denn normalerweise gab er nach zwei Stunden mit ihren Freunden vor, müde zu sein. Es war dieses spezielle Martina-Lächeln, erotisch und verheißungsvoll, das in der Regel auch seine Wirkung bei Olaf nicht verfehlte, aber an diesem Abend versuchte er, es nicht zu beachten. Er konnte ihre Freundin Gabi, eine Deutschlehrerin, nicht ausstehen, er fand sie unattraktiv, fad und nur wenig intellektuell.

Olaf hatte nur ein Ziel: Martina innerhalb kurzer Zeit so viel Alkohol einzuflößen, dass sie, ohne den Geschlechtsakt absolvieren zu wollen, ins Bett fallen und einschlafen würde. Da Martina in der Woche nie Alkohol trank, würden zwei Daiquiris ausreichen, denn einen Prosecco hatte sie schon zu Hause getrunken.

Eigentlich war es nicht zu ertragen. Gabi und Martina gackerten und gicksten schon nach dem ersten Drink und erzählten sich schmutzige Witze. Gabis Ehemann Norbert – er hieß wirklich so – versuchte mit ihm ein Fachgespräch über die Vorzüge der A-Klasse zu führen und tat so, als ob er nicht merkte, dass Gabi den Barkeeper anmachte.

Aber Olaf hielt eisern durch und bestellte noch eine Runde, dieses Mal Margaritas für die Damen. Norbert prostete ihm mit seinem alkoholfreien Bier zu, er müsse noch fahren, entschuldigte er sich. Olaf trank Whiskey, das wärmte so schön und ließ ihn die Situation besser ertragen.

Sein Plan ging auf. Martina wollte nichts mehr von ihm, als sie um zwei Uhr nach Hause kamen, sie versank sofort in tiefen Schlaf. Und am nächsten Morgen stand Max so früh auf der Matte, weil Olaf versprochen hatte, mit ihm angeln zu gehen, dass auch die nächste Gelegenheit zum Sex erfolgreich umschifft werden konnte.

Nachdem er Martina ein paar Stunden später mit einem glaubwürdigen »Es tut mir selbst leid, dass ich jetzt schon fahren muss, ich wünsche euch ganz tolle Ferien, traurig, dass ich nicht mitkommen kann« verabschiedet hatte, fuhr er mit letzter Kraft auf die Autobahn und gönnte sich auf der ersten Raststätte einen starken Kaffee. Nun hatte er drei Wochen Ruhe vor Martina. Sie flog mit ihrem Sohn, einer alleinerziehenden Freundin und deren zwei Kindern nach Mallorca. Eine grauenhafte Vorstellung, in dieser Kombination Ferien zu machen, fand Olaf und sagte bedauernd zu Martina, dass er zu viel zu tun habe, um sie zu begleiten. Martina war glücklicherweise schon so lange alleinerziehend, dass sie nicht auf die Idee kam, Ansprüche an ihn zu stellen oder beleidigt zu sein, weil er nicht mitkam. Sie bedauerte ihn sogar wegen seiner vielen Arbeit.

Christiane wäre nicht so einfach abzuspeisen, dachte Olaf. Zwar kannte er sie noch nicht lange und auch nicht besonders gut, aber er war Anhänger der Theorie, dass sich der wahre Charakter einer Frau im Bett offenbarte. Im Gegensatz zu den meisten Frauen war er nämlich der Meinung, dass sich Frauen beim Sex nicht verstellten, jedenfalls nicht, wenn er mit ihnen schlief. Er bildete sich zwar nicht übermäßig viel auf seine virtuosen Fähigkeiten ein, aber er hatte einige Frauen schon zur Raserei gebracht. Mit diesen Frauen hatte er allerdings nur kurze, ausgesprochen stürmische Affären gehabt, die auf den Tatbestand der gegenseitigen Zerfleischung hinausgelaufen wären, wenn nicht einer von ihnen rechtzeitig die Notbremse gezogen hätte – meistens war er es gewesen. Mit Martina war er jetzt schon einige Jahre zusammen, und ihre Beziehung war wie ein ruhig dahinplätschernder Fluss. Martina gehörte definitiv nicht zu den Frauen, die im Bett um mehr bettelten.

Anders Christiane: Er war schon bis an den Rand der Erschöpfung gegangen, hatte sie von oben, von hinten und von der Seite genommen, den Rhythmus variiert, weil ihr das zu gefallen schien. Er war mal sanft und mal hart gewesen, sein Herz hämmerte, sein Schädel brummte. Er gönnte sich gerade eine kleine Ruhepause, bevor er zum großen Finale ansetzen wollte, da legte sich Christiane auf ihn, führte seinen Penis wieder ein und stöhnte: »Mehr.« Gleichzeitig bewegte sie sich aufreizend und streichelte sich selbst. So etwas mochte er nicht. Er fand es degoutant. Deshalb hatte er Christiane etwas unsanfter als beabsichtigt (was sie aber in ihrer Erregung nicht zu bemerken schien) wieder unter sich bugsiert, alle Zurückhaltung und Kontrolle fahrenlassen und sich seinem ganz persönlichen Rausch hingegeben, bei dem auch er ausnahmsweise laut wurde. Und eine halbe Stunde später – er erholte sich noch – hatte sie ihn wieder so leidenschaftlich geküsst, dass das Ganze von vorn losging.

Christiane war gierig, fordernd, hingebungsvoll, impulsiv, alles in allem also zu viel für ihn. Er hatte es schon geahnt, als sie sich stöhnend in seinen Armen wand, aber er wusste es definitiv, als sie morgens mit ihm in der Küche saß und sie ihn durch ihre Art, ihn anzusehen, dazu bewegte, ihr von seinem langweiligen, wenn auch liebevollen Elternhaus und seiner ereignislosen Jugend in Michelstadt zu berichten. Normalerweise sprach er wenig über sich und schon gar nicht mit einer Frau, mit der er gerade die erste Nacht verbracht hatte.

Aber Christiane wollte ihn wirklich kennenlernen, und das irritierte ihn. Martina genügte es, wenn er mit ihr über seine Kunden oder ihre Kollegen lästerte, ihr von seinen Projekten erzählte, die er irgendwann umsetzen wollte, oder ihr zuhörte, wenn sie sich über Max beschwerte. Die Gespräche mit Martina konnte er auch mit der Hälfte seiner Aufmerksamkeit absolvieren. Ge-

nauso war es bei Martinas Eltern und seinen Eltern gewesen. Sie hatten sich selten gestritten. Nervenaufrei-
bende Diskussionen gab es nur bei Problemen, die seine
Mutter nicht allein hatte lösen können, und das war
sehr selten vorgekommen. Er wollte eine angenehme,
wenig fordernde Beziehung. Und Martina hatte ihm bisher alles gegeben, was er wollte, und nichts von ihm
verlangt, was er nicht zu geben bereit war. Er lehnte es
ab, für Max die Vaterrolle zu übernehmen. Er wollte sein
guter Freund sein, aber nicht mehr. Er wollte Abstand,
und den hatte Martina bisher immer gewahrt.

Christiane dagegen forderte Nähe. Eigentlich war sie
ihm schon mit Körper, Herz und Seele auf die Pelle ge-
rückt. Er musste ununterbrochen an sie denken. Er
fühlte sich dadurch unfrei. Und das gefiel ihm gar
nicht.

17

»Du fährst natürlich nach Berlin. Oder willst du von mir verlangen, dass ich einmal um die halbe Welt fliege, wo du doch nur zwei Flugstunden entfernt bist? Du kannst das Geld gut gebrauchen. Ich auch«, hatte Felix am Telefon gesagt, als Charlotte ihm ihre Bedenken mitteilte.

»Ich will aber nicht nach Berlin«, versuchte sie ihrem jüngeren Bruder zu widersprechen. »Ich habe Angst davor.«

»Unsinn, Lotte. Deutschland ist seit Jahrzehnten eine Demokratie, die Nazis sind nicht mehr an der Regierung, du wirst nicht verfolgt werden. Außerdem ist es nur für kurz. Du fährst zum Grundstück, dann zum Anwalt, unterschreibst, fährst ins Hotel. Meinetwegen kannst du dich in deinem Zimmer einschließen. Am nächsten Morgen fliegst du dann wieder zurück.«

»Was ist, wenn ich es nicht überlebe? Wenn ich einen Herzinfarkt bekomme?«

Felix lachte. »Du mit deinem Elefantenherzen wirst keinen Infarkt bekommen. Eher stürzt das Flugzeug ab. Tu es mir zuliebe. Ich würde ja kommen, wenn es nicht Blödsinn wäre. Wie sie gemailt haben, brauchen sie nur einen von uns in Person, und von mir genügt die notarielle Erklärung, dass ich Felix Reisbach bin.«

»Und ich deine Schwester, obwohl ich Rice heiße? Wie soll ich das denn erklären?«

»Das wissen die alles schon. Die sind gut informiert. Die wussten sogar, mit welchem Transport wir nach England gekommen sind. Ich hatte das Datum schon wieder vergessen.«

»Können wir die Angelegenheit nicht anders regeln?«, versuchte es Charlotte noch einmal.

»Du könntest mich in Australien besuchen, wenn du das Geld hast«, sagte Felix. »Ich würd' mich freuen.«

Spiel. Satz. Sieg.

Am nächsten Tag buchte Charlotte den Flug nach Berlin. Ihre Maschine startete in drei Tagen von Gatwick und landete in Berlin-Schönefeld. Sie würde am späten Vormittag hin und am nächsten Tag früh am Morgen zurückfliegen. Sie würde noch nicht einmal 24 Stunden in Berlin sein. Sie würde Beruhigungsmittel mitnehmen. Wenn es nicht anders ginge, würde sie eben drei auf einmal schlucken. Unterschreiben konnte sie auch im benebelten Zustand. Sie wollte nichts fühlen.

Sie erzählte ihren Freundinnen nicht, was sie vorhatte. Es würde niemandem auffallen, wenn sie 24 Stunden nicht zu erreichen wäre. Es kam manchmal vor, dass sie einige Tage nicht ans Telefon ging, weil sie einfach keine Lust dazu hatte, und niemand machte sich deshalb Sorgen.

Sie packte ihre weinrote Ledertasche schon zwei Tage vor der Abreise: Unterwäsche, ein Nachthemd aus dunkelblauer Baumwolle, Bettsocken, weil sie auch im Sommer immer kalte Füße bekam, einmal Kleidung zum

Wechseln. Für einen Tag und eine Nacht benötigte sie nicht mehr. Sie kaufte eine neue Zahnbürste, Zahnpasta, Seife. Sie wollte auch ihre Waschsachen schon zusammengestellt haben, jetzt, wo sie noch die Kraft besaß, um sich darauf zu konzentrieren. Sie befürchtete, dass sie immer schwächer und ängstlicher werden würde, je näher die Abreise rückte.

Sie suchte in ihrem Arzneischrank nach den Beruhigungstabletten. Sie waren gegen die Angst und die Beklemmung, die sie jedes Jahr im November überfiel, wenn es draußen immer früher dunkel wurde und für sie das Licht aus der Welt verschwand. Sie konzentrierte ihren Kummer und ihre Trauer über den Verlust ihrer Eltern und ihre schlimmsten Erinnerungen auf diese Zeit vor Weihnachten. Sie machte das schon seit Jahrzehnten so. Es half ihr, den Rest des Jahres ohne diese abgrundtief schwarzen Gefühle zu überstehen. Die Alpträume kamen das ganze Jahr über; die bekam sie nicht in den Griff. Aber das störte sie nicht mehr. Sie konnte mit ihnen leben.

Wenn während dieses Monats die Jahr für Jahr wiederkehrende absolute innere Dunkelheit zu belastend wurde, nahm sie Beruhigungstabletten. Im vorigen Winter hatte sie nicht sehr viele gebraucht. Im Alter konnte man absolute Verzweiflung und Hoffnungslosigkeit wohl besser ertragen, nahm Charlotte an. Die Beruhigungstabletten wanderten in ihre weinrote Lederhandtasche, die sie zusammen mit der kleinen Reisetasche vor Urzeiten von Anthony bekommen hatte.

Sie würde kein Buch mitnehmen. Vielleicht konnte sie sich auf dem Flughafen Zeitungen kaufen, wenn sie sich langweilen sollte; sich auf ein Buch zu konzentrieren würde bestimmt zu anstrengend sein.

Wo war ihre Lesebrille? Charlotte durchsuchte alle Räume, stieg sogar mühsam die Treppen zur Dachkammer hinauf, obwohl ihre Beine bei jedem Schritt schmerzten. Nach zwei Stunden gab sie auf und legte sich auf das Sofa im Wohnzimmer. Sie weinte vor Erschöpfung und schlief schließlich ein. Als sie abends in die Küche ging, entdeckte sie ihre Lesebrille auf dem Kühlschrank.

Am nächsten Morgen war alles getan. Sie würde mit der Bahn nach Gatwick fahren. Sie hatte sich die Abfahrtszeiten des Zuges notiert und den Zettel in ihre Handtasche gesteckt. Sie war zur Bank gegangen und hatte Geld umgetauscht. Sie hatte vorher noch keine Euros in der Hand gehalten und war froh darüber, auf dem deutschen Geld nicht *Mark* lesen zu müssen. Sie würde Englisch sprechen. Mit jedem dort. Sie würde die perfekte Engländerin geben. Vielleicht würden sie sich jetzt alle täuschen lassen.

Als sie am Schlachtensee in die Schule kam, hatte sie niemanden täuschen können.

Charlotte setzte sich am ersten Schultag ganz vorne in eine Bank. Sie wollte eine brave und fleißige Schülerin werden. Lesen konnte sie bereits ein wenig. Und ihren Namen konnte sie auch schon schreiben. Sie malte *Charlotte* in schönen großen Buchstaben auf die Tischkarte, die vor ihr lag, und stellte sie auf.

»Ah, Charlotte, das hast du aber fein gemacht«, sagte Fräulein Witte, ihre Lehrerin, und lächelte ein wenig. Ihr hageres Gesicht sah dadurch für den Bruchteil einer

Sekunde weniger streng aus. Dann warf sie einen Blick auf die Klassenliste, und ihre Miene verdüsterte sich augenblicklich.

»Wir haben Judenmädchen in der Klasse, leider. Die Judenmädchen sollen aufstehen und nach vorne kommen«, sagte sie. Sie las vier Namen vor, auch Charlottes. Sie sprang auf. Sie schämte sich. Dabei hatte sie sich doch so bemüht, nicht aufzufallen. Sie hatte genau dieselbe Frisur wie die anderen Mädchen in der Klasse: zwei geflochtene Zöpfe, die Mama ihr an den Seiten zu Schnecken festgesteckt hatte. Und sie trug ein ähnliches Kleid wie die anderen. Woher wusste Frau Witte, dass sie jüdisch war?

»Du doch nicht, setz dich wieder hin«, sagte die Lehrerin zu ihr. Charlotte ließ sich erleichtert in die Bank sinken. Sie hatte es doch gewusst. Für Frau Witte war sie kein richtiges Judenmädchen.

»Ich meine die andere Charlotte, Charlotte Reisbach.«

Ihre Stimme klang plötzlich nicht mehr böse.

»Aber ich bin Charlotte Reisbach«, sagte Charlotte kleinlaut.

»Du?«, fragte Fräulein Witte.

Es war ihr anzumerken, dass sie es nicht glauben wollte.

»Ja, Fräulein Witte, tut mir leid«, sagte Charlotte.

»Aber du bist doch nur Halbjüdin?«, fragte ihre Lehrerin hoffnungsvoll. »Deine Mama ist Christin?«

»Nein, Mama und Papa sind jüdisch und meine Großeltern auch alle«, antwortete Charlotte.

»Schade«, sagte Frau Witte. »Wo du doch so hübsch

und blond bist. Setz dich zu den anderen in die letzte Bankreihe.«

Fräulein Witte sprach sie und die drei anderen nicht mehr an, es sei denn, sie hatte schlechte Laune. Dann holte sie Charlotte und die drei anderen nach vorn und fragte Dinge ab, die sie noch nicht gelernt hatten. Für jede falsche Antwort bekamen sie alle vier Hiebe mit dem Lineal auf die Fingerspitzen. Die anderen Mädchen in der Klasse jubelten bei jedem Hieb, obwohl sie sonst immer voll Mitgefühl füreinander waren. Abgesehen von diesen Vormittagen ignorierten die anderen Schülerinnen sie, weil Frau Witte es so befohlen hatte.

Keiner, den sie vor der Einschulung gekannt hatte, beachtete sie mehr, nicht ihre ehemaligen Spielkameraden aus der Straße, nicht die Kinder, die sie im Winter beim Rodeln am Schlachtensee getroffen hatte. Keiner wollte mehr mit ihr spielen außer den anderen Judenmädchen, die sie vorher noch nie gesehen hatte. Charlotte wollte nichts mit ihnen zu tun haben, weil ihnen auch der Makel anhaftete, die von der letzten Bank und jüdisch zu sein.

Jeden Nachmittag sehnte sie sich danach, wieder mit Erika zu spielen, wie sie es in den vergangenen drei Jahren fast jeden Tag getan hatte. Erika wohnte auf der anderen Seite des kleinen Platzes schräg gegenüber von ihrem Haus. Sie hatte auch blonde Haare und trug immer Zöpfe. Ihre Nase war voll Sommersprossen, ihre Augen grün. »Ihr seht aus wie Zwillinge«, hatte Erikas Mutter manchmal im Scherz zu Charlotte gesagt.

Erika war immer lustig gewesen, und gemeinsam hatten sie sich tolle Spiele ausgedacht. Am ersten Schultag trugen sie die gleichen Schultüten in Hellblau mit Katzenoblaten und unterhielten sich auf dem Hinweg über die Schule.

Auf dem Rückweg am ersten Tag gingen sie nicht mehr zusammen.

»Ich darf nicht mehr mit dir sprechen. Frau Witte hat es verboten«, hatte Erika auf dem Schulhof zu ihr gesagt. Und dann war sie mit Gertrud abgezogen, ausgerechnet mit der, die sie beide noch nie gemocht hatten.

Charlotte konnte von ihrem Zimmer aus sehen, wie Erika jetzt fast jeden Nachmittag mit Gertrud aus ihrer Klasse im Garten schaukelte. Die saß jetzt neben ihr in der ersten Reihe, wo kein Platz mehr für sie selbst war.

Wenn Gertrud und die anderen Mädchen schlechte Laune hatten, kreisten sie die Judenmädchen auf dem Schulhof ein, beschimpften sie und zogen sie an den Haaren. Erika stand daneben und tat nichts, um ihr zu helfen, und das schmerzte noch schlimmer als die Knüffe und Quälereien der Mädchen. Wenn sie sich wehrten, holten ihre Klassenkameradinnen eine Lehrerin. Dann gab es wieder Schläge mit dem Lineal auf die Finger.

Es war kindisch. Diese Geschichte war so lange her, Gertrud hatte sie sicher längst vergessen oder sie war schon tot. Charlotte dachte, sie hätte sich von dieser Geschichte vor langer Zeit gelöst, aber in den Tagen vor ihrer Abreise erlebte sie alles wieder und wieder: wie sie immer allein in die Schule ging, Erika und Gertrud jedoch in Sichtweite auf der anderen Straßenseite. Sie ärgerten sie nicht, sie verfolgten sie nicht auf dem Heimweg und warfen auch nicht mit Steinen, wie es Felix oft passierte. Die beiden Mädchen taten eigentlich nichts.

Sie ignorierten Charlotte, als ob sie nicht existierte. Aber jedes Mal, wenn sie auf dem Schulhof zu dicht an ihnen vorbeiging, rümpften sie die Nase, als ob sie stinken würde. Und nach einiger Zeit schrubbte sich Charlotte jeden Morgen von oben bis unten ab, weil sie mittlerweile selbst daran glaubte.

Es waren noch 24 Stunden bis zum Abflug. Die Reisetasche stand im Flur, ihre weinrote Lederhandtasche zum Umhängen mit dem deutschen Geld und dem Pass lag daneben. Sie würde ihr Gepäck mit ins Flugzeug nehmen. Sie wollte die Dokumente über ihre Einbürgerung nach Großbritannien nicht aus den Augen lassen. Sie hatte auch ihre Geburtsurkunde mitgenommen, die ihre Eltern ihr damals in den Koffer steckten und die sie wie durch ein Wunder nie verloren hatte. Felix hatte die Unterlagen, die sie von ihm benötigten, direkt nach Berlin geschickt. Warum reichte es nicht, dass sie das Gleiche tat? Sie hatte gestern noch einmal eine Mail an die Potsdamer Kanzlei geschickt, um zu fragen, ob es auch anders ginge, aber man hatte ihr erklärt, dass sie kommen müsse. Man müsse den Letzten Willen erfüllen.

Sie ging in den Garten, um ihre Blumen zu versorgen, den Klatschmohn, den Rittersporn, die Rosen, die Hortensien. Sie füllte Wasser in ihre dunkelgrüne Plastikgießkanne. Es war nur für einen Tag und eine Nacht. Die Blumen würden es überleben.

»Ich sehe euch bald wieder«, sagte sie. Mit den Fingern strich sie sanft über die blauen und lilafarbenen Blüten der Hortensien, zupfte einige vertrocknete Blätter und Blüten ab. Dann wässerte sie ihren weißen Rittersporn, kniete sich in das Rosenbeet und lockerte die Erde mit ihrer kleinen roten Hackschaufel.

»Ihr braucht keine Angst zu haben«, sagte sie. »Ich komme bald wieder. Und dann kümmere ich mich um euch. Bis dahin seid brav.«

Und wenn ihr nun etwas zustieße und sie nicht zurückkehrte? Sie ihre Blumen im Stich lassen müsste? Sie würden verwildern. Verdorren. Eingehen. Charlotte holte Spaten und Schaufel aus ihrem kleinen Geräteschuppen hinten im Garten. Sie begann zu graben. Nach kurzer Zeit hatte sie Schmerzen im Rücken, und ihr Atem ging schwer, aber sie hörte nicht auf. Sie grub erst den Rittersporn aus, holte eine Kiste und stellte die Pflanze hinein. Dann den Klatschmohn. Bei den Rosen hatte sie Mühe. Aber sie schaffte es. Sie grub alle Rosen aus und stellte sie in eine Kiste. Nur die Hortensien schaffte sie nicht. Aber sie wusste, dass die zur Not auch allein überleben würden.

Sie klingelte bei ihrem Nachbarn George.

»Ich wollte dir meine Blumen schenken«, sagte sie. »Ich kann sie nicht mehr pflegen.« Sie drückte ihm eine Holzkiste in die Hand, die andere schob sie mit dem Fuß in den Flur. Sie verschwand hinter ihrer Haustür, bevor George noch etwas sagen konnte. Den Garten betrat sie bis zu ihrer Abreise nicht mehr. Sie schaufelte die Erdlöcher nicht zu, die wie Krater aussahen.

18

Eigentlich wollte Olaf eine SMS schicken, um das Problem mit Christiane aus der Welt zu schaffen. Er hatte den Text auch schon entworfen:

Vielen Dank für die einmaligen Stunden mit Dir. Unsere Leben lassen sich nicht zusammenführen. Es ist besser, wir machen nicht weiter. Dennoch, Dein Olaf

Aber sollte er nicht besser mit *Liebe Grüße, Dein Olaf* unterschreiben? Oder mit *Kuss, Dein Olaf?* Er hatte bestimmt zehn verschiedene Abschiedsgrüße ausprobiert, aber keiner klang richtiger als *Dennoch, Dein Olaf.*

Und dann schickte er die Nachricht doch nicht ab. Man machte nicht per SMS Schluss, fiel ihm ein. Das war stillos. Er schrieb eine Mail und blieb bei dem *Dennoch, Dein Olaf.* Das klang schön – und es war noch nicht einmal gelogen. Auch wenn er in den vergangenen Tagen zu der bitteren Erkenntnis gekommen war, dass es keinen Sinn hatte, die Sache mit Christiane weiterzuverfolgen, fühlte er sich zu ihr hingezogen.

Aber sie war ja verheiratet. Sie hatte auch beim Sex mit ihm den Ring nicht abgenommen – ihren anderen Ring vorher schon, den nicht. Vielleicht konnte sie ihn auch gar nicht abnehmen, weil ihre Finger in den vergangenen Jahren zu dick geworden waren? Er hatte gehört, dass so etwas im Laufe der Jahre manchmal Ehefrauen passierte. Martina nicht. Aber die war auch nur drei Jahre verheiratet gewesen. Wie lange war Christiane schon verheiratet, zehn Jahre? Unvorstellbar, mit einer Frau so lange zusammenzuleben. Er hatte noch nie mit einer Frau zusammengewohnt und sehnte sich auch nicht danach. Vielleicht stimmte etwas mit ihm nicht, aber er wollte keine Frau, die zu Hause auf ihn wartete, selbst wenn sie etwas Leckeres für ihn gekocht hatte und ihm nach einem anstrengenden Tag den Nacken massierte, bevor sie die Kinder ins Bett brachte, um sich danach in ein Negligé zu werfen, nur damit er es ihr wieder auszog. Er wusste selbst, dass die meisten Ehen schon nach kurzer Zeit nicht mehr diese abendlichen Überraschungen bereithielten, aber deshalb lehnte er die Ehe nicht ab. Auch bei Martina und ihm war es ja schon lange nicht mehr zu leidenschaftlichen Übergriffen außer der Reihe gekommen. Eigentlich wusste er nicht, warum er nicht heiraten oder mit einer Frau zusammenleben wollte. Er wusste nur, dass er den Gedanken, irgendwann mit einer vor den Traualtar oder den Standesbeamten zu treten, verabscheute.

Christiane war Matthias nach Berlin gefolgt, obwohl sie in Hamburg ihren Job dafür hatte aufgeben müssen. Sie versorgte die Kinder, wenn sie nicht, wie jetzt, bei der Großmutter waren. War das nicht eine vorbildliche Ehe?

Wenn sie nicht mehr mit Matthias verheiratet wäre, würde sie sicher wollen, dass der nächste Mann auch so anwesend in ihrem Leben war wie Matthias. Denn trotz seiner forschungsbedingten Abwesenheit war er in Christianes Leben sehr präsent. Sie hatte es sicher nicht bemerkt an dem Morgen mit ihm in der Küche. Aber ihm war es gleich aufgefallen: Sie sagte oft *wir* und meinte ihre Familie – inklusive Matthias –, und das auf eine so selbstverständliche Art, dass wirklich absolut kein Zweifel daran bestand, dass sie ihren Mann seinetwegen nicht verlassen würde.

Er hätte sich diese Affäre gönnen können, die exakt so lange gedauert hätte, wie Martina auf Mallorca war. Ein wenig prickelnder Sex als Ausgleich zur Eintönigkeit, die mit einer längeren Beziehung einhergeht, hätte ihm gutgetan.

Aber was wäre, wenn er sie nach Beendigung der Affäre mit Mann und Kindern irgendwo in Berlin träfe? Oder sie zufällig Martina und ihm begegnete? Würde sie ihn durch ihr Verhalten verraten? Er wollte keine Komplikationen, das Leben als freier Architekt, der sich von Auftrag zu Auftrag hangelte, war schon schwer genug.

Und genau da war der Haken. Er hatte Käufer für Christianes Haus gefunden, die noch diesen Sommer mit der Planung und dem Bau beginnen wollten. Er hatte schon im Bauamt nachgefragt. Es würde nicht schwer werden, eine Genehmigung zu bekommen, um das Haus abzureißen und ein neues zu bauen. Christiane wollte verkaufen, das wusste er. Er durfte Christiane nicht verschrecken oder beleidigen, indem er sich mit einer Mail oder einer SMS aus ihrem Leben verabschiedete – jedenfalls jetzt noch nicht. Aber er wollte die Affäre nicht weiterführen. Also musste er diplomatisch vorgehen und ihr auf neutralem Terrain, weit weg von einem Bett, glaubhaft versichern, dass er ihre Ehe nicht zerstören und sich deshalb als Liebhaber zurückziehen wollte.

Als sich Olaf bis Donnerstagabend immer noch nicht auf eine der denkbaren Arten – Telefon, SMS oder Mail – gemeldet hatte, beschloss Christiane, dass sie handeln musste. Ihr war klar, dass er kalte Füße bekommen hatte und meinte, er könne sich jetzt noch aus der Affäre ziehen, und sie wusste auch, dass sie das nicht wollte. Wann würde sie wieder die Chance bekommen, sich so bequem und gefahrlos außerehelich lieben zu lassen? Sie hatte in den vergangenen Jahren zu selten an sich gedacht. Jetzt wollte sie ihren Egoismus uneingeschränkt ausleben. Sie würde ja niemanden damit verletzen. Weder Matthias noch ihre Kinder würden es jemals erfahren.

Es konnte sein, dass er sich wegen seiner Freundin – wie hieß sie noch mal? – nicht auf sie einlassen konnte. Das kam ihr aber nicht sehr wahrscheinlich vor, denn dazu war Olaf mit ihr zu bereitwillig – ohne unter Alkoholeinfluss zu stehen – ins Bett gegangen. Wenn er das Zusammensein mit ihr als One-Night-Stand verstanden hätte, wäre er gleich im Morgengrauen verschwunden und hätte sich am selben Tag nicht schon wieder mit ihr ins Bett gelegt.

Aber was sollte sie tun? Olaf in seinem Büro unter dem Vorwand aufsuchen, etwas wegen des Hauses mit ihm besprechen zu müssen? So interessiert er daran war, würde er sich bestimmt auf ein Treffen einlassen. Aber sein Büro war sicher nicht das richtige Ambiente für eine Verführungsszene. So etwas funktionierte vielleicht in den erotischen Filmen, die am Wochenende manchmal im Privatfernsehen liefen, aber nicht in der schnöden Wirklichkeit. Jedenfalls hatte Christiane von ihren

Freundinnen keine so gearteten Auskünfte erhalten. Was die Vielfalt an Informationsquellen zu diesem Thema anbelangte, war sie in Hamburg gut versorgt gewesen. Olaf aber in seiner Wohnung heimzusuchen wäre zu gefährlich. Obwohl es eine ganz amüsante Vorstellung war: Sie selbst in offenherzigem Outfit und Olafs Freundin öffnete ihr die Tür. Christiane glaubte nicht, dass sie sich mit einem »Oh, ich habe mich in der Tür geirrt« würde herausreden können. Aber waren in Mecklenburg-Vorpommern jetzt nicht Schulferien? Und hatte Olaf nicht beiläufig erwähnt, seine Freundin sei Lehrerin und würde mit ihrem Sohn allein verreisen?

Freitagmorgen endlich meldete er sich. Ob sie Zeit für ein Mittagessen habe? Um dreizehn Uhr? Beim Griechen neben seinem Büro? Er würde sie gerne sehen.

Christiane stimmte unwirsch zu. Mittagessen beim Griechen um die Ecke des Büros klang nicht vielversprechend. Aber sie würde wie gewünscht erscheinen. Und dann würde man ja sehen, wer seine Interessen durchsetzte. Noch war nichts entschieden, und vielleicht war der Ausgang des Mittagessens nur eine Frage der Kleiderwahl.

Es regnete mittags, die Temperaturen waren innerhalb von zwei Stunden um mindestens zehn Grad gefallen, also blieb das leichte Sommerkleidchen in gebrochenem Weiß im Schrank. Stattdessen zog Christiane ein grünes langärmeliges T-Shirt mit rundem Ausschnitt und Blumenstickereien und eine Jeans an. Die saß zumindest lockerer als vor zwei Wochen. Das würde zwar Olaf nicht auffallen, aber ihr gefiel es. Ganz hinten im

Schrank fand sie eine Jeansjacke, die sie Jahre nicht mehr getragen hatte. Und sie passte ihr wieder. Dazu die grünen Turnschuhe, die sie voriges Jahr in Stockholm in den Ferien gekauft hatte, und ein grünes breites Haargummi, das ihre Locken zu einem Zopf zusammenband. Mit diesem Outfit würde sie einen Mann sicher nicht auf erotische Gedanken bringen, aber bei so einem schlechten Wetter im dünnen Kleid zu erscheinen wäre einfach zu albern.

Bevor sie ging, telefonierte sie noch mit den Kindern. Sie spürte, dass Julia sie vermisste, denn sie redete in einer Tour über banale Dinge, die sie eigentlich auch mit ihrer Großmutter hätte besprechen können. Und Philipp fragte sie, wann sie zu Besuch käme und ob Papa sich gemeldet hätte. Sie erklärte ihm, dass sie momentan nicht kommen könne, weil sie so viel zu tun hätte. Ihre Mutter würde die Geduld aufbringen müssen, ihm diese Tatsache im Laufe des Tages bestimmt noch zwanzigmal auseinanderzusetzen, denn so oft würde er fragen: »Warum kann Mami nicht kommen?«

Christiane wusste nicht, warum die Gedanken ihres Sohnes manchmal in einer Endlosschleife hängenblieben. Wenn er in dieser Stimmung war, musste sie all ihre Kraft zusammennehmen, um es zu ertragen. Manchmal jedoch verlor sie die Nerven und brüllte ihn an, er solle damit aufhören, und ob er denn wirklich zu blöd sei, die einfachsten Dinge zu begreifen. Sofort danach wünschte sie sich, dass er das, was sie gesagt hatte, nicht verstehen konnte. Ihre Mutter war in solchen Situationen ruhiger als sie. Sie konnte die Fragerei ihres Enkels ertragen, es schien so, als ob ihre Mutter alle

Fehler in Sachen Kindererziehung an ihren eigenen Kindern abgearbeitet hatte.

Als Philipp nach Matthias fragte, erzählte Christiane ihm, dass sein Papa gestern Fleisch mit Soße und Gemüse zu Abend gegessen hatte, dass es nachmittags sogar Apfelkuchen gegeben und sein Papa furchtbar wichtige Dinge zu tun hatte. Sie wusste, dass Philipp diese Information reichte, mit der sich Julia mit fünf Jahren niemals zufriedengegeben hätte. Philipp würde an den Strand gehen und dort jedem erzählen, dass sein Vater ein Forscher sei, er würde bei jedem zweiten Wort einen Fehler machen und nicht bemerken, dass diejenigen, die er ansprach, ihn mitleidig ansahen und zu allem nickten, was er sagte, nur um zu kaschieren, dass sie nicht jedes Wort verstanden.

Und ich bin glücklicherweise keine Zeugin dieser Szenen, dachte Christiane. Sie hasste die fragenden Blicke, die von fast jedem kamen, der Philipp das erste Mal traf. Diese Blicke, die bedeuteten: Was fehlt ihm, er sieht doch gar nicht behindert aus? Kann er schlecht hören? Hat sich seine Mutter nicht darum gekümmert? Was hat ihn verstört? Immer, wenn diese Fragen unausgesprochen in der Luft lagen, fühlte sie sich schrumpfen und welken und so klein werden wie Philipp, der von allem nichts bemerkte und fröhlich weiter plapperte.

Olaf hatte die Fotos der beiden Kinder im Flur an der Wand lehnen sehen und nur erwähnt, wie hübsch sie seien, und sie hatte gelächelt und nichts weiter darüber gesagt. Ja, Julia und Philipp waren sehr hübsch, Julia mit ihren rötlichen Locken und blauen und Philipp mit seiner strohblonden Mähne und den grünblauen Augen seines Vaters. Auf dem Foto legte Julia den Arm um ihren kleinen Bruder, als ob sie ihn beschützen wollte, und Philipp grinste glücklich in die Kamera. Wie ein ganz normales Geschwisterpaar sahen sie aus. Olaf hatte die Fotos bewundernd und anerkennend betrachtet, und Christiane hatte beschlossen, ihn unter keinen Umständen darüber aufzuklären, dass das Leben mit ihren Kindern anders als gewöhnlich war.

»Ich will keine Komplikationen«, sagte er noch, bevor das Tarama und die Dolmadakia kamen.

»Was meinst du damit?«, fragte Christiane und wusste im selben Moment, dass er solche Fragen nicht mochte.

»Na ja, du weißt schon, keine Komplikationen. Es ist schon alles schwierig genug.«

Martina, nahm sie an, war wohl das Schwierige. Jedenfalls würde er ihr nicht sagen, was er mit *alles* meinte. Olaf schien, was seinen Gefühlszustand anging, unter einem besonders schweren Fall von Kommunikationsstörung zu leiden: Er war eigentlich sehr gefühlvoll, wollte aber unter keinen Umständen darüber sprechen. Sie wusste es dennoch: Im Bett hatte er sofort geahnt, was ihr guttat, und auch sehr deutlich gemacht, was er von ihr haben wollte. Solche Männer hassten es, wenn die Frauen, mit denen sie schliefen, ihre Gefühle außerhalb des Bettes zur Schau trugen. Das Verrückte daran war, dass diese Männer mit den Frauen, mit denen sie nicht schliefen, durchaus über Gefühle reden konnten. Aber da sie selbst ja nun schon zweimal mit ihm geschlafen hatte und es auch wieder tun wollte, beschloss Christiane, in sein Spiel einzusteigen und ihm nicht zu sagen, dass sie ihn vermisst hatte, auch wenn sie es hasste, die Dinge nicht beim Namen zu nennen.

»Verstanden, dann ist unsere Beziehung in Zukunft nur geschäftlich?«, fragte sie möglichst kühl.

»Wenn du das so siehst«, sagte er. Jetzt hatte sie ihn gekränkt.

»Ich dachte, das meinst du?«

»Nicht so direkt«, sagte er.

Er gehörte wirklich zu den schwierigen Fällen der seelischen Krüppel. Wollte sie sich mit so etwas eigentlich beschäftigen?

»Ich meine, wir können uns doch ab und zu sehen, auf einen Drink oder zum Essen«, sagte Olaf.

Und so tun, als ob wir nicht im Bett wie füreinander geschaffen sind, dachte Christiane.

»Unverfänglich?«, fragte sie und lehnte sich gleichzeitig so vor, dass sich ihre Beine unter dem Tisch berührten.

»Ja, so ungefähr«, stimmte Olaf mit plötzlich belegter Stimme zu.

Er wurde rot und nestelte an seinem Hemd. Sie aßen schweigend und schnell.

Sein Handy klingelte, und er sagte, dass der Termin sich wohl den ganzen Nachmittag hinziehen würde und er erst Montag wieder ins Büro käme.

»Lass uns zu mir gehen«, sagte er, nachdem er bezahlt hatte.

19

Eigentlich wusste Charlotte, dass es wenig Grund zur Aufregung gab. Sie würde in ein Flugzeug steigen wie schon einige Male in ihrem Leben. Sie würde sich auf ihren Platz setzen und den Start abwarten. Sie hatte keine Flugangst, selbst nach dem 11. September nicht. Das war das Positive daran, wenn man so viele Menschen hatte sterben sehen: Die Angst vor dem eigenen Tod wich. So war es jedenfalls bei ihr gewesen. Sie hatte bei allen Kindern, die sie durch das Sterben in den Tod begleitete, unerhörte, weil so aussichtslose Kämpfe erlebt, alle hatten sich gegen das Sterben aufgebäumt, aber nach dem Augenblick des Todes hatten sie so ausgesehen, als ob sie damit einverstanden wären, nun in diese andere Welt hinüberzuwechseln. Manche waren sogar mit einem glücklichen Ausdruck auf ihrem Gesicht gegangen. Aber es war sicher auch einfacher, wenn man in einem Krankenhausbett lag und von seiner Mutter gehalten wurde. Charlotte hoffte zwar, dass auch ihre Eltern jemanden gehabt hatten, der ihnen im Augenblick ihres Todes beistand, aber wie sollte dies in den Gaskammern möglich gewesen sein?

Aber weil ihre Eltern schon lange vor ihr gegangen waren, hatte sie eben keine Angst vor dem Tod. Denn um den Schmerz überhaupt ertragen zu können, hatte sie damit begonnen, an das Jenseits zu glauben und daran, dass sie ihre Eltern dort wieder treffen würde. Sie stellte sich vor, dass im Himmel niemand verfolgt wurde und niemand wegen seiner Religion und Abstammung seine Heimat verlassen musste. Mit ihren Eltern traf sich Charlotte manchmal in Gedanken an diesem Ort. Sie blieben dort immer jung. Sie scherzten miteinander, mit ihr und mit Felix. Sie gingen mit ihnen wieder spazieren wie sonntags immer, und ihr Vater zeigte ihnen, wie man Steine über das Wasser hüpfen ließ. Es spielte keine Rolle, dass Charlotte selbst alterte, in ihrer Vorstellung vom Jenseits blieb sie immer ein Mädchen, das seit kurzem allein mit ihrem Bruder Milch holen gehen durfte.

Sie glaubte nicht daran, dass das Flugzeug aufgrund eines terroristischen Angriffes abstürzen könnte. Der nächste große Anschlag würde sich auf andere Dinge richten, nicht auf Flugzeuge, dachte sie. Und die verschiedenen Sicherheitskontrollen, die Charlotte am Flughafen über sich ergehen lassen musste – sogar die Schuhe musste sie ausziehen, die durchleuchtet wurden –, hätten sie eigentlich gelassener machen sollen.

Ihre Hände zitterten dennoch, als sie der Stewardess kurz vor dem Einsteigen ihr Ticket zeigte. Sie schwitzte stark. Ihr Herz schlug schneller als normal. Ihre Kehle fühlte sich an wie zugeschnürt, und ihr Mund war trocken. Als Krankenschwester hatte sie vor Ewigkeiten gelernt, dass das alles Anzeichen für panische Zustände waren. Sie überlegte, ob sie noch eine Beruhigungstablette nehmen sollte. Das wäre dann die dritte innerhalb einer Stunde. Zu viel, entschied sie und nahm sich vor, die Panik auszuhalten. Vielleicht würde es besser werden, wenn sie erst in der Luft wären. Normalerweise empfand sie ein Gefühl der Euphorie beim Start und buchte immer einen Fensterplatz, damit sie hinaussehen konnte.

Für den Flug London-Gatwick–Berlin-Schönefeld hatte Charlotte aber nur noch einen Platz am Gang bekommen. Sie wollte sowieso nichts sehen. Sie wollte, sobald sie auf ihrem Platz saß und ihre kleine Reisetasche verstaut war, ihre Zeitschriften hervorholen und alles ignorieren, was um sie herum geschah.

Sie hatte sich gesetzt, ihre Zeitschriften auf dem Schoß und wollte sich gerade in eine Geschichte über die neuesten Trennungsgeschichten von Hollywood vertiefen, als sie jemand ansprach. Auf Deutsch.

Es war eine männliche Stimme, dunkel, hart, unfreundlich, jedes Wort klang wie ausgespuckt.

»Entschuldigen Sie, lassen Sie mich mal durch? Mein Platz ist am Fenster«, sagte diese Männerstimme. Charlotte reagierte nicht, obwohl sie sehr wohl verstanden hatte, was der Deutsche von ihr wollte. Sie musste sich zusammenreißen, um die Kraft aufzubringen, den Blick von den Seiten zu heben und den Mann mit der unfreundlichen Stimme anzusehen. Er hatte weiße Haare und einen sehr kurzen Haarschnitt. Eine Narbe spaltete seine Oberlippe, er hatte stahlblaue Augen, die sie kalt ansahen, obwohl er seinen Mund zu einem mühsamen Lächeln verzogen hatte.

»Sorry, I don't understand you«, brachte sie hervor.

»English?«, fragte er. Charlotte nickte. Der Mann, der sicher noch etwas älter war als sie, winkte eine Stewardess heran.

»Können Sie die Dame bitten, dass sie Platz macht?«, fragte er auf Deutsch. »Sie kann kein Deutsch.«

Die Stewardess lächelte und erklärte Charlotte auf Englisch, dass der Herr auf dem Fensterplatz sitze und daher an ihr vorbeimüsse. Das *Herr* betonte sie so, dass Charlotte genau wusste, was die Stewardess von dem barschen Deutschen hielt.

»Thank you«, presste der Deutsche hervor, als sie sich erhob. Mit einem Räuspern ließ er sich in seinen Sitz fallen. Er war nicht dick oder ungepflegt, er trug einen Ehering, seine Hände waren manikürt, sein Anzug zwar nicht modern, aber er saß tadellos.

Dennoch verspürte Charlotte Ekel, weil sie so dicht neben diesem Mann sitzen musste, obwohl der Sessel zwischen ihnen frei war. Der Deutsche flößte ihr Angst ein, sie konnte sich nicht dagegen wehren. Er strahlte Brutalität aus, obwohl er nicht besonders groß oder kräftig war. Es war etwas an seiner Haltung, an seinen Augen, das in Charlotte ein Gefühl blanken Entsetzens auslöste. Der Mann legte seine braune Aktentasche auf den Sitz zwischen ihnen und holte eine Frankfurter Allgemeine Zeitung heraus. Charlotte lehnte sich zum Gang, sie wollte diesen Menschen auf keinen Fall berühren.

Sein Blick streifte sie noch einmal, und da hatte Charlotte dieses altbekannte, aber seit Jahrzehnten nicht mehr empfundene Gefühl, dass ihr Gegenüber sie abschätzte, sich fragte, ob sie nicht Jüdin sei, und es für sich missbilligend bejahte. Er hatte ihre Nase etwas zu lange betrachtet. Charlotte wusste, dass ihre Nase so war, wie die Nazis sich eine jüdische Nase vorgestellt hatten. Eine Jüdin, hörte sie den Deutschen förmlich denken, nicht nur Engländerin, sondern auch noch Jüdin. Ein tödlich missbilligender Blick aus seinen stahlblauen Augen, die genau dem Bild der Augen eines reinrassigen Ariers entsprachen, traf sie. Ein Blick, wie sie ihn zum letzten Mal von den SS-Leuten im Zug an der Grenze bekommen hatte. Ein Blick, der sie wieder unwert machte, klein, zu nichts anderem als einem Schädling degradierte, der es nur verdient hatte, zerdrückt zu werden.

Charlotte wurde übel. Sie war sich sicher, dass sie sich gleich übergeben musste. Aber wie sollte sie zur Toilette gelangen? Sie durfte nicht aufstehen. Das »Bitte anschnallen«-Schild blinkte. Das Flugzeug rollte gerade in Startposition. Wo waren die Stewardessen? Hektisch suchte sie in der Tasche der Rücklehne nach einer Spucktüte. Aber dort war keine. Sie durfte sich jetzt auf keinen Fall übergeben. Das würde die Vorurteile des Mannes neben ihr noch bestärken, an die er augenscheinlich seit seiner Jugend mit fester Überzeugung und bis heute ungebrochen glaubte.

Charlotte bemerkte, wie der Magensaft die Speiseröhre hochstieg. Glücklicherweise hatte sie heute Morgen nicht sehr viel essen können. Sie sammelte all ihre Kräfte und schluckte den Magensaft wieder hinunter.

Die Triebwerke des Flugzeuges heulten auf. Die Maschine setzte sich in Bewegung. Charlotte konzentrierte sich auf ihren Magen, der sich langsam beruhigte. Das Flugzeug wurde schneller und schneller. Trotz ihrer Anspannung spürte sie die altbekannte Euphorie in sich aufsteigen. Gleich würde die Maschine abheben, gleich würde sie höhersteigen. Sie beugte sich vor, um an dem Deutschen vorbei aus dem Fenster zu blicken. Der Mann saß unbeweglich da und hatte die Augen zusammengekniffen. Seine Hände krampften sich um die Armlehnen. Schweißperlen standen auf seiner Stirn. Seine Gesichtsfarbe wechselte zwischen Weiß und Rot. Er hat Angst, triumphierte Charlotte innerlich.

Als sie in der Luft waren, begannen die Beruhigungstabletten endlich zu wirken. Sie fühlte, wie ihr Puls ruhiger ging. Sie atmete nicht mehr so flach, und sie schwitzte nicht mehr. Sie schloss die Augen und versuchte, den Rest des Fluges zu verschlafen.

20

Jetzt in seinem blauen Citroën neben ihm zu sitzen und zum Flughafen Schönefeld zu fahren, um ihr gemeinsames Projekt in Angriff zu nehmen, nämlich Charlotte Rice zu empfangen und den Verkauf des Hauses anständig über die Bühne zu bringen, fühlte sich richtig an. Auch wenn Christiane im Handschuhfach auf ein dezent gemustertes Seidentuch von Martina stieß, das noch schwach nach ihrem Parfüm roch – irgendetwas elegant Kühles, vielleicht Jil Sander –, und Martinas rosafarbener Lippenstift rechts im Seitenfach der Beifahrertür lag, wusste sie, dass Olaf nicht an seine Freundin dachte, dass sie selbst den Innenraum des Wagens mit ihrem Duft erfüllte, dem Olaf offensichtlich nicht widerstehen konnte und es auch nicht mehr länger wollte. Sie hatten sich in den vergangenen Tagen und Nächten wieder und wieder geliebt. Erst in seiner Wohnung, stürmisch und schnell. Schon im Treppenhaus hatte er seine Hand unter ihren Rock geschoben und sie gestreichelt, so dass sie auch bereit gewesen wäre, sich ihm an Ort und Stelle auf den dreckigen Stufen des Mietshauses hinzugeben.

Sie schafften es gerade noch, die Wohnungstür hinter sich zu schließen, dann drückte er sie gegen die Wand, schob ihr Kleid bis zu den Hüften hoch und streichelte ihre Oberschenkel, ihren Po. Sie war so erregt, dass sie selbst nicht viel anderes tun konnte, außer sich an ihn zu klammern und zu stöhnen. Sie wollte ihn so, wie sie noch nie jemanden gewollt hatte, nicht ihren Mann, nicht ihre Liebhaber davor, sie fühlte sich willenlos, und es war herrlich. Sie küssten sich, ihre Lippen saugten sich aneinander fest, es war wie die Vorwegnahme des Orgasmus. Ihr Körper vibrierte, aber sie wollte nicht die Initiative ergreifen. Sie wollte sich ihm nur hingeben und sich führen lassen. Und er schob ihr Kleid weiter hoch, tastete nach ihren Brüsten, holte sie aus den Körbchen, spielte mit den Spitzen, leckte sie, ihr Kleid rutschte von den Schultern und zu Boden. Jetzt stand sie fast nackt vor ihm. Er hatte ihr den BH ausgezogen und fuhr gierig mit der Hand in ihren Slip. Sie spürte, wie sehr er sie wollte, sie genoss seine Heftigkeit, die er nur noch schwer unter Kontrolle halten konnte. Er schob sie rückwärts zum Bett. Ihr war es vollkommen egal, dass vielleicht Martina dort vor einiger Zeit gelegen hatte. Dieses Bett hatte auf sie gewartet und auf niemanden sonst.

Olaf zog sich aus und nahm sie – ohne weiteres Vorspiel, ohne Zögern. Sein Penis glitt in sie hinein, innerlich brannte sie vor Verlangen, sie gab sich vollkommen seinem Rhythmus hin und verlor die Kontrolle über die Geräusche, die sie von sich gab, ihre Bewegungen. Er lenkte sie, wohin er wollte. Sie versuchte nicht, wie beim ersten Zusammensein, selbst kreativ oder virtuos zu sein. Es war himmlisch.

Sie bedankte sich bei ihm, indem sie ihm viel später den Rücken kraulte, wie sie es manchmal bei ihren Kindern tat. Mütterlich, fürsorglich, zärtlich. Olaf seufzte und ließ sie nicht aufhören. Sie wusste, dass diese Nähe, diese Intensität ihrer Leidenschaft nichts damit zu tun hatte, dass sie sich erst so kurz kannten. Sie war sich sicher, dass sie sich in dieser Form auch noch lieben würden, wenn sie lange zusammen wären. Ihre Körper schienen sich schon lange zu kennen, und solange sie sich berührten und streichelten, sich liebten, sich küssten, hatten sie keine Scheu voreinander.

Und auch in den Stunden, die sie nicht im Bett verbrachten – es waren allerdings nicht viele gewesen –, hatte sie sich Olaf nahe gefühlt: im gemeinsamen Lachen über vollkommen belanglose Dinge, im Vermeiden von problematischen Themen, im Versuch, die Welt des anderen zu verstehen, ohne zu viel über sie zu erfahren.

Irgendwann waren sie in Christianes Wohnung gefahren, um ihre Badesachen zu holen. Auch dort hatten sie sich geliebt, dieses Mal auf dem Teppich im Flur.

Dann fuhren sie an den Heiligen See und setzten sich auf den Steg, sie tranken Wein und aßen Käse und getrocknete Tomaten, schwammen einige Runden. Sie waren fast allein, die Bewohner der angrenzenden Häuser schienen in die Ferien gefahren zu sein. Olaf lag neben ihr auf den noch warmen Holzbalken, die Wassertropfen glitzerten auf seiner gebräunten Haut. Sie streckte ihre Hand aus und streichelte seine Brust und seinen Bauch. Dann beugte sie sich über ihn und küsste seinen Nabel, fuhr mit der Zunge unter den Bund der Badehose. Es war ihr egal, dass sie vielleicht jemand vom anderen Ufer des Sees aus beobachtete, sie wollte ihn sofort spüren.

Später fingen sie an, ein neues Haus zu entwerfen, das sie anstelle des alten bauen wollten.

Christiane wollte ein Holzhaus bauen, im norwegischen Rot.

»Vollkommener Stilbruch, geht gar nicht. Das Bauamt würde es hoffentlich auch nicht erlauben. Wir sind in Potsdam, meine Liebe, und nicht an einem blöden nordischen See«, sagte er.

»Weiß ich selbst«, fauchte sie. »Was würdest du denn entwerfen? Neoklassizistisch mit Säulen, weißer geschwungener Treppe in den Garten?«

»Ja, wenn der Kunde es so wünscht. Ich muss von meinem Beruf leben.«

»Ach, stimmt ja, von so etwas habe ich keine Ahnung. Ich kümmere mich ja nur um zwei Kinder und fotografiere ein wenig. Da kennst du ja ganz andere Frauen.«

»Was soll das hier? Ich dachte, wir reden über einen Hausentwurf?«, meinte Olaf irritiert und rückte etwas von ihr ab.

»Ja, nur hasse ich es, so kleingemacht zu werden.«

»Verdammt, das hab ich nicht getan. Ich glaube, du hast mich eben für kurze Zeit mit deinem Ehemann verwechselt«, gab Olaf zurück. Mittlerweile hatte er sich seine Jeans angezogen und stand vor ihr.

Sie war in eine Falle getappt, die er gar nicht aufgestellt hatte.

Sie zog ihn zu sich herunter auf den Steg.

»Blöd von mir. Lass uns noch mal anfangen. Schluck Wein?«, fragte sie und küsste ihn.

»Ich würde versuchen, den Garten und den See in das Haus zu integrieren.«

»Wie soll das denn gehen?«

»Mensch, sei doch nicht immer so ungeduldig.«

»'tschuldige.«

»Erst mal das alte Haus abreißen, klar, dann nach hinten eine Veranda aus Glas und Holz statt diese Terrasse mit den weißen Säulen. Im Sommer kann man das Dach und die Glaswände zurückfahren, so dass man im Freien sitzt.«

»Ein Holzhaus in Weiß würde dazu doch passen. So im Südstaaten-Stil.«

»Okay. Das wäre schon eher möglich.«

»Die Küche muss auch hintenraus liegen. Kochen mit Blick auf den See und bei Musik ist sehr inspirierend«, sagte Christiane.

»Kannst du Risotto mit Safran und Krabben?«

»Das würd' ich für dich als Erstes kochen.«

»Wir brauchen einen Weinkeller. Mein Vater hatte einen. Jede Flasche war in einem Buch verzeichnet«, sagte Olaf.

»Und meine Dunkelkammer müsste in einem kleinen Nebengebäude sein. Nicht direkt am Haus. Wäre es kompliziert, Wasser und Strom durch den Garten zu legen?«

»Man müsste ein wenig graben, aber es ginge schon«, sagte Olaf.

»Sollte ich mein Architekturbüro im Haus haben?«, dachte er laut nach. »Es macht sich immer ganz gut, es direkt in dem Haus zu haben, das man entworfen hat.«

»Keine schlechte Idee, aber es wäre in einem Nebengebäude sicher auch besser untergebracht. Die Kinder sind manchmal so laut.«

»Die müssten Zimmer mit Blick auf den See bekommen?«

»Vielleicht, aber nur wenn es genug Zimmer da oben gäbe.«

»Das kann man ja einrichten. Drei Schlafzimmer mit Blick auf den See. Zwei für die Kinder und eins für uns.«

»Aber mit einer Schalldämmung dazwischen, damit sie uns nicht hören«, lachte Christiane.

»Wir könnten mein Büro und die Dunkelkammer auch in einem vorgelagerten Nebengebäude zur Straße hin unterbringen.«

»Ich weiß doch nicht, ich würde mich sowieso nicht auf die Arbeit konzentrieren und wieder nicht fotografieren.«

»Es gibt hier in der Straße Ateliers für Künstler. Da könntest du dich doch mit deinen Fotosachen einrichten. Und ich komme dich dann besuchen.«

»Und dann lieben wir uns auf einem verlotterten Sofa im Atelier, nachdem ich den ganze Vormittag auf Aufträge gewartet habe?«, schlug Christiane vor.

»Kannst du auch Häuser fotografieren?«, fragte Olaf.

»Ja, klar.«

»Dann wüsste ich schon Auftraggeber. Befreundete Architekten. Die suchen oft jemanden, der ihre Objekte gut in Szene setzt.«

»Es wäre unbeschreiblich schön, wenn es so möglich wäre«, seufzte Christiane. »Wie heißen deine Auftraggeber, und was wollen sie für ein Haus?«

»Meyerberg, und sie wollen Weiß mit Säulen.«

Zusammen brachen sie in Gelächter aus. Sie liebte es,

mit Olaf zu lachen. Bevor sie ihn traf, hatte sie vergessen, wie sich gemeinsames Lachen anfühlte. Mit Matthias hatte es das selten gegeben. In Sachen Humor waren sie eigentlich nie auf einer Wellenlänge geschwommen. Am Anfang ihrer Ehe hatte Christiane noch gedacht, dass sich der Humor an den Partner angleichen würde, aber das war bei ihr nicht der Fall gewesen, eher das Gegenteil. Sie verstand Matthias' Witze oft gar nicht oder fand sie einfach nicht komisch. Ein großer Unterschied war, dass sich ihr Mann nie über andere lustig machte, weil er meinte, dass sei unehrenhaft. Christiane sah das anders. Ein kleiner Scherz hier und da auch auf Kosten anderer erfrischte, und bei einigen Dingen half nur ein wenig Sarkasmus weiter, um sie zu ertragen. Eigentlich hatte sie die Fähigkeit immer gehabt, die Dinge auch von ihrer komischen Seite zu betrachten, selbst ihre Schwierigkeiten mit Philipp. Aber weil Matthias alles immer so furchtbar ernst nahm und gleich ein sorgenvolles Gesicht machte, anstatt einmal zu explodieren und es dann wieder zu vergessen, gewöhnte sie sich auch an, sich mehr Sorgen zu machen, als sie eigentlich für nötig hielt.

Jetzt, in dieser Zeit ohne die Kinder, während der sie wenig an sie dachte, und wenn, dann nur an ihre geliebten Eigenschaften, bemerkte sie, dass sie das Leben viel leichter nehmen konnte als in den vergangenen Jahren an Matthias' Seite. Dass es so war, hatte sie schon geahnt. Immer wenn Matthias längere Zeit nicht bei ihr war, hatte sie sich leichter und weniger eingeengt gefühlt, auch leistungsfähiger, als sei ein Alpdruck von ihr genommen worden.

Olaf machte sich nicht um viele Dinge Gedanken, jedenfalls wirkte er so. Wenn er es doch tat, konnte er es sehr gut verbergen. Christiane hatte auch gar nicht das Bedürfnis, in die Untiefen seiner Seele vorzustoßen. Sie wollte mit ihm lachen, ihn so oft lieben, wie es ihr irgendwie möglich war, denn sie wusste, dass ihre Zeit wohl begrenzt war. Bald würden ihre Kinder wieder zurückkommen, und dann wären die Gelegenheiten sehr selten, da sie sich davonstehlen könnte, um Olaf zu treffen. Sie musste sich in den nächsten Tagen dringend um einen Babysitter kümmern. Oder vielleicht sollte sie bei Julias Freundin in Hamburg anrufen und ihr einreden, dass sie Julia unbedingt einladen müsse? Julia würde sie ohne Probleme unterbringen können. Sie war so umgänglich und verständig. Die nahm jeder mal für ein paar Tage auf. Aber Philipp? Sie kannte wirklich niemanden außer ihrer Mutter, der bereit war, ihren Sohn einige Tage zu nehmen. Ihre Schwiegereltern konnte sie vergessen, die wohnten in Süddeutschland und hatten die Kinder noch nie zu sich eingeladen.

Für Philipp musste sie sich also etwas ausdenken, wenn sie noch einige Zeit ungestört mit Olaf verbringen wollte. Oder sollte sie ihn einfach als netten Freund vorstellen? Philipp würde den Unterschied sowieso nicht bemerken. Aber was würde geschehen, wenn Olaf Philipp in seiner Eigentümlichkeit nicht ertragen könnte?

Jedenfalls wollte Christiane jeden Tag, der ihr noch zur Verfügung stand, bevor die Kinder und dann Matthias kamen, auskosten, denn sie wusste, dass danach nicht mehr diese unbeschwerte Leichtigkeit des Seins möglich sein würde, die sie jetzt erlebte. Dann würden wieder die Menschen, die ihre Familie ausmachten, sie daran hindern, diese Unbeschwertheit, diesen verrückten Lebenshunger, die Gier nach Genuss und Freude auszukosten. Ja, sie hatte Kraft, viel Kraft, und die war in den vergangenen Jahren fast ausschließlich dazu benutzt worden, sich um ihre Kinder und ihren Mann, vor allem aber speziell um Philipp zu kümmern.

Sie hatte ihre Bedürfnisse zuerst zurückgesteckt und dann nicht mehr wahrgenommen. Gut, das taten alle Mütter, es gehörte anscheinend zum Muttersein dazu. Nur, dass es bei ihr nicht mit dem üblichen Zurückstecken getan war, sondern so viel von ihr verlangt wurde, dass sie oft an ihre Grenzen und darüber hinaus gehen musste: Sie hatte ein Übermaß an Geduld, Leidensfähigkeit und Opferbereitschaft aufbringen müssen. Sie hatte diese Dinge zwar mit Kindern in Verbindung gebracht, aber nicht geahnt, wie viel Kraft sie für ihre eigene Familie benötigen würde. Es war nicht das, was sie sich vorgestellt hatte. Bevor sie Kinder bekam, hatte sie bei jeder Merci-Reklame geweint, sie hatte *Dear Doosy* gelesen und sich einen Daddy Langbein für ihre Kinder vorgestellt. Sie hatte sich eine Rama-Familie gewünscht, mit sich als Mittelpunkt, ein strahlender, schöner, freundlicher Mittelpunkt, um den sich alles dreht – immer gütig, immer ausgeglichen, niemals laut, immer freundlich –, so wie ihr Vater. Aber sie hatte manchmal Schwierigkeiten, die Balance zu halten, sie tobte, schrie, sie konnte ihre Wut nicht zurückhalten über die Ungerechtigkeit, dass gerade ihr Sohn so leiden musste. Dass ihr strahlend schöner Sohn, den sie so abgrundtief liebte, dazu bestimmt war, schon während seiner ersten Lebensjahre durch diese Täler der Ablehnung, des Unverständnisses, der Schwierigkeiten, die Erwartungen der anderen zu erfüllen, gehen musste. Und sie mit ihm, denn alles Leid und jede schlechte Behandlung, die Philipp widerfuhr, marterte auch Christiane.

Nichts von alldem hatte sie Olaf gesagt. Weder nach einer ihrer leidenschaftlichen Umarmungen noch während einer ihrer – wenn auch seltenen – Gespräche über Dinge, die sie wirklich betrafen. Für Olaf war sie eine ganz normale Mutter, deren Kinder für einige Wochen verreist waren und die es genoss, mal nicht kochen zu müssen.

Der Duft von Christianes Parfüm erfüllte seinen Wagen. Martina würde es bestimmt bemerken, wenn sie in den nächsten Tagen auf dem Beifahrersitz säße, dachte Olaf. Gott sei Dank ist sie verreist. In den vergangenen Tagen hatte er so gut wie gar nicht an seine Freundin gedacht. Er sehnte sich nicht nach ihr, er würde sie auch nicht wollen, wenn sie jetzt in Berlin wäre. Das war ihm gestern Nacht klar geworden, als er neben Christiane lag, nicht schlafen konnte und sie betrachtete. Er sah ihre roten kleinen Locken, die sich um ihr Gesicht ausbreiteten, sie schnaufte im Schlaf und bewegte sich so unvermittelt wie ein kleines Kind. Bis vor kurzem hatten sie sich geliebt, sich gegenseitig überall gestreichelt, keine Stelle ihrer Körper vernachlässigt, es war rauschhaft und sinnlich gewesen, sein Körper bebte noch vor Erregung. Aber Christiane war eingeschlafen, hatte sich auf die Seite gedreht, die Hände unter den Kopf verschränkt und sich an ihn geschmiegt. Ihr Duft, ihre Präsenz war so stark, dass sie ihn wachhielt.

Liebte er diese Frau, die er gar nicht kannte, aber die dort so selbstverständlich neben ihm lag, als gehöre nur sie in dieses Bett, in diese Wohnung? Woher sollte er wissen, ob dieses andächtige Gefühl, das er jetzt verspürte, das war, was ein Mensch empfand, der wirklich liebte? Sie rührte ihn, er konnte ihre Seele erkennen. Ihr eigentliches Wesen. Bedenklich, fand er, denn bevor er Christiane kennenlernte, hatte er niemals darüber nachgedacht, ob der Mensch überhaupt eine Seele besaß.

Was Olaf wusste, war, dass er diese schöne rothaarige fröhliche Frau maßlos begehrte, nicht nur, weil er sie gerade erst entdeckt hatte. Ihre Körper verstanden sich. Es hatte keine Diskussionen gegeben über die Art und Weise, wie man es denn am liebsten hätte, er brauchte nicht pflichtschuldig hier zu kraulen und dort zu streicheln, er konnte einfach das tun, was ihm gefiel, in dem Wissen, dass es auch Christiane gefiel. Wie unkompliziert es sein konnte, mit einer Frau zu schlafen, wie leicht es eigentlich war, sie zu erregen und sie dazu zu bringen, sich gehenzulassen, hatte Olaf sich bisher nicht vorstellen können. Nicht, dass er vor Christiane nur mittelmäßigen Sex gehabt hatte, an einige Nächte mit Martina und mit den Frauen davor erinnerte er sich sehr detailliert, aber irgendwo war es immer kompliziert gewesen. Mal konnte eine Frau nicht, wenn das Licht aus war, mal nur, wenn das Licht an war. Eine andere wollte es nur sanft und langsam, so sanft und langsam, dass ihm bald die Lust verging. Aber er hatte auch das Gegenteil erlebt: eine, die auf besonders wilden Sex stand und ihn tatsächlich gebeten hatte, sie zu schlagen, während er mit ihr schlief. Er hatte es probiert, halbherzig, und sie dann bald verlassen.

Christiane passte einfach, er liebte ihren Duft, ihre Haut, ihre Beweglichkeit, ihre Leidenschaft, ihre Haare, ihre Augen, deren Pupillen sich kurz vor dem Orgasmus wie vor Erstaunen weiteten.

Aber sie machte ihn auch nervös, wenn er nicht mit ihr im Bett lag. Denn eigentlich wusste er immer noch nicht, wie er mit ihr umgehen sollte. Sie war so wenig berechenbar. Mal sprach sie schnell und erzählte ihm irgendetwas Belangloses, so dass er nur mit einem Ohr zuhören musste und sich eigene Gedanken machen konnte. Dann sprang sie plötzlich zu einem ernsten Thema – sie dachte anscheinend nicht viel nach, bevor sie das Thema wechselte – und wollte, dass er ihr ernsthaft antwortete. Aber komischerweise war an ihrer eigentümlichen Art der Gesprächsführung nichts Rücksichtsloses, sondern nur etwas unglaublich Anstrengendes. Manchmal konnte er ihr überhaupt nicht folgen, aber auch das schien sie nicht zu interessieren. Bei anderen Frauen hätte er dieses Verhalten latent unverschämt gefunden, aber bei ihr fand er es entzückend, aufregend, verstörend.

Von den anderen Frauen, die mit ihm zusammen gewesen waren – war Christiane überhaupt mit ihm zusammen? –, kannte er eine andere Verhaltensweise. Wenn sie in ihn verliebt waren, wollten sie ihm gefallen. Sie sprachen über die Themen, die ihn interessierten, sie saßen neben ihm im Wagen und versuchten ihn ab und zu neckisch und wie zufällig zu berühren, sie schwiegen, wenn er eine schwierige Verkehrssituation zu bewältigen hatte. Sie spielten nicht an seinem Radio herum und suchten einen anderen Sender, sobald ihnen ein Lied nicht gefiel. Nervös den Sender zu wechseln war doch eigentlich sein Privileg.

Christiane schien nicht darüber nachzudenken, ob das, was sie tat, eigentlich bei ihm ankam. Es war nicht unerzogen, das wusste er, sie schien es einfach nicht so zu interessieren wie die anderen Frauen, die er kennengelernt hatte. Wenn sie das Bedürfnis hatte, ein anderes Lied zu hören, verstellte sie eben den Sender. Wenn sie ihn berühren wollte, tat sie es, ohne auf die Verkehrssituation zu achten. Sie legte ihre Hand auf seinen Oberschenkel und schien überhaupt nicht zu bemerken, dass diese Berührung für einen Moment seine Konzentration lahmlegte.

Und sie war so offensichtlich in ihn verliebt, so bedenkenlos, sie lächelte ihn verzückt an, wenn er sie auch nur zufällig berührte, ihre Augen leuchteten. Sie lachte auch über seine lauen Witze, sie kraulte seinen Nacken, während er fuhr. Sie fand ihn sexy, was sie ihm auch sagte und zeigte, einerlei, ob es gerade passte oder nicht.

Waren alle länger verheirateten Frauen so?, fragte er sich. Eigentlich hatte er gedacht, dass die Alleinerziehenden die dankbarsten Geliebten abgaben, aber Christiane widerlegte diese These.

Olaf stellte sich lieber nicht vor, wie es wäre, mit Christiane den Alltag zu verbringen. Ihre Gefühle füreinander waren wohl zu verrückt, als dass sie im Alltag bestehen könnten.

Deshalb störte es ihn auch, dass er jetzt mit ihr zum Schönefelder Flughafen fuhr, um diese englische Frau abzuholen, von der er nur eine Unterschrift brauchte. Seiner Meinung nach hätte es genügt, die Frau mit einem Taxi zum Anwalt fahren zu lassen und sie nach der Unterschrift noch zum Essen einzuladen, bevor man sie dann ins Hotel brachte.

Glücklicherweise hatte er seine Meinung nicht geäußert, denn nachdem ihm Christiane ihre Gedanken zu Charlotte auseinandergesetzt hatte, war ihm klar geworden, dass sie ihn für einen unsensiblen Hohlkopf halten würde, wenn sie seine Gedanken erraten könnte.

Sie sprach davon, dass man sehr vorsichtig mit dieser Frau umgehen müsste, dass sie bestimmt noch unter dem Trauma litt, dass man ihr als Kind zugefügt hatte. Olaf fand diese Vorstellung lächerlich. Er glaubte nicht an diesen Psycho-Zirkus und daran, dass man Dinge, die einem in der Kindheit widerfahren waren, sein ganzes Leben mit sich herumschleppte. Was geschehen war, war geschehen, lange vorbei, es war das Beste, sich mit den Dingen in seinem Leben, die nicht so angenehm gewesen waren, nicht weiter zu beschäftigen, sie zu verdrängen und dann zu vergessen. Olaf war der Meinung, dass er schon genug damit zu tun hatte, die Gegenwart zu bewältigen, dass jeder genug damit zu tun hatte und dass es nur Einbildung war, wenn man meinte, die Vergangenheit, auch wenn sie noch so quälend gewesen war, könnte einen bis in die Gegenwart hinein verfolgen.

Vielleicht war es anders bei Opfern von Gewalttaten, sicher war es anders bei den KZ-Überlebenden, das war ihm schon klar, aber diese Charlotte Rice war doch seines Wissens keine KZ-Überlebende? Sie war 1938 nach England gekommen, ihr war nichts geschehen, warum sollte man sie dann anders behandeln als zum Beispiel seine Eltern, die mit ihren Eltern zusammen in Köln ausgebombt worden waren, beide in unterschiedlichen Stadtteilen am selben Tag? Was für ein eigenartiger Zufall, hatte seine Mutter immer gesagt, wenn sie darüber sprach. Sie und sein Vater wurden dann getrennt voneinander verschickt. Irgendwohin nach Sachsen, wo sie sich schließlich kennenlernten. »Wir wussten wochenlang nicht, was mit unseren Eltern ist. Wir haben uns getröstet«, sagte sein Vater dann mit feuchten Augen, was Olaf immer befremdlich gefunden hatte, weil sein Vater sonst nie Gefühle zeigte.

Er diskutierte seine Gedanken mit Christiane nicht, denn er ahnte schon, dass sie ihm nicht folgen und sofort widersprechen würde. In ihrer Heftigkeit, die er liebte, während er mit ihr schlief, aber von der er sonst nicht genau wusste, wie er mit ihr umgehen sollte, würde sie ihm auseinandersetzen, dass es sehr wohl etwas vollkommen anderes war, dass man die Schicksale seiner Eltern nicht mit dem Schicksal einer Jüdin vergleichen durfte, die als Kind aus Deutschland entfernt werden musste, um nicht verfolgt zu werden. Und sie würde ihm Ignoranz vorwerfen und mangelhaftes Interesse an der deutschen Geschichte, wenn er dennoch auf seinem Standpunkt beharrte, dass sie doch Glück gehabt habe, weil sie mit dem Leben und verhältnismäßig unbeschadet davongekommen sei.

Mit vor Wut funkelnden Augen würde Christiane ihn

anfahren: »Ihre Eltern sind im KZ ermordet worden, hast du das schon vergessen?«, und er würde unter ihren vorwurfsvollen Blicken ein schlechtes Gewissen bekommen wie damals in der Schule. Er hatte nicht betroffen aufgeheult, als sie *Das Tagebuch der Anne Frank* lasen. Er hatte sich darüber geärgert, dass er es lesen musste, dass ihm nicht die Freiheit der Entscheidung gelassen worden war, ob er sich damit beschäftigen wollte oder nicht. Und Christiane würde noch eins draufsetzen:

»Du hast keine Kinder. Du weißt nicht, wie ein Kind sich fühlt, das mit zehn Jahren seine Eltern verlassen muss.« Und diese Aussage würde ihn wirklich treffen, weil er zwar keine eigenen Kinder hatte, aber dennoch meinte, sich durch den Kontakt mit Max ein wenig auszukennen. Aber das würde er Christiane nicht sagen wollen. Denn dann hätte er über Martina sprechen müssen, und das wollte er auf keinen Fall.

Weil er Christiane nicht verstimmen wollte und sie meinte, seine Unterstützung zu brauchen, was ihm wiederum schmeichelte, fuhr er jetzt zum Flughafen, in der Hoffnung, dass sich seine Vermutung, Charlotte Rice sei eine rüstige, energische ältere Dame ohne jegliche Macken bestätigen würde.

21

Charlotte wachte auf, als das Flugzeug an Höhe verlor. Sie war immer noch benommen von den Beruhigungstabletten, aber nicht benommen genug, denn durch den Nebel ihrer gedämpften Empfindungen bemerkte sie eine nicht zu kontrollierende Aufregung. Ihr Herz raste, ihre schweißnassen Finger klammerten sich an die Armlehnen. Sie musste bewusst einatmen, denn ihr stockte der Atem. Der Mann, der neben ihr am Fenster saß, faltete geräuschvoll seine Zeitung zusammen und holte dann einen braunen Hornkamm hervor, mit dem er sich durch das schüttere weiße Haar fuhr. Dabei strich er sich mit der rechten Hand, die nicht kämmte, über den Scheitel. Charlotte wurde übel bei dieser Geste. Sie wusste nicht genau, an was sie diese Handbewegung erinnerte, aber sie konnte sie nicht ertragen. Sie musste wegschauen, um nicht noch mehr die Nerven zu verlieren. Sie wollte sich ein Glas Wasser besorgen, aber sie durfte nicht mehr aufstehen, die »Bitte anschnallen«-Zeichen blinkten schon. Die Stewardess würde auch nicht mehr kommen, das Flugzeug befand sich jetzt im Landeanflug. Also musste Charlotte die Tablette so schlucken. Sie kramte die Schachtel aus ihrer Handtasche und drückte eine weiße Tablette in ihre Hand. Sie schluckte eigentlich gar nicht gerne Tabletten. Aber sie war sich auch sicher, dass sie ohne diese Tablette die nächste Stunde nicht aufrecht überstünde. Ihre Hände würden weiter zittern, sie würde vielleicht noch mehr an Atemnot leiden, vielleicht würde sie auch so wirken, als ob sie unsicher auf den Beinen wäre. Und sie wollte sich im Angesicht der Deutschen, die sie gleich treffen musste, keine Blöße geben. Sie wollte ihnen aufrecht entgegentreten, unbeeindruckt von ihrem Besuch in Berlin, souverän. Und deshalb musste sie diese Pille schlucken, obwohl sie Schwierigkeiten dabei hatte.

»Wir wünschen Ihnen einen angenehmen Aufenthalt in Berlin und würden uns freuen, Sie bald wieder an Bord begrüßen zu dürfen«, kam die Durchsage auf Englisch und auf Deutsch.

Morgen, nur 24 Stunden weiter, dachte Charlotte. Das werde ich schaffen.

Der Mann neben ihr wartete ungeduldig darauf, dass sie ihm Platz machte. Sie stand auf und holte ihre kleine Reisetasche aus der Gepäckklappe und wollte sich in Ruhe ihre blaue Windjacke anziehen, aber das ließ der Deutsche nicht zu, denn die Luken waren schon geöffnet worden, und er schob sie unsanft in Richtung Ausgang.

Charlotte erstarrte innerlich, es war Jahrzehnte her, dass sie von Deutschen so angefasst worden war, das letzte Mal an der Grenze zu Holland. Der eine SS-Mann hatte sie zur Seite geschubst, weil sie seiner Meinung nach im Abteil den Weg versperrte.

Normalerweise sagte sie etwas, wenn jemand sich ihr unhöflich näherte, sie konnte sich wehren, aber jetzt war sie wie gelähmt. Sie ließ es geschehen. Sie war starr vor Schreck wie damals. Und sie wollte eigentlich im Flugzeug bleiben. Einfach zwei Stunden auf ihrem Sitz verharren, bis die Maschine wieder zurück nach England flöge. Aber sie wurde von hinten weiter in Richtung Ausgang geschoben.

Draußen roch es nach Kerosin und nach glücklicheren Tagen. Einen Moment verharrte sie oben auf der Gangway. Sie nahm einen schwachen Kieferduft wahr, den Geruch von sandigem Boden, ihr Körper entspannte sich augenblicklich. Sie war wieder die fünfjährige Lotte. Sie lief mit ihrer Freundin Erika barfuß durch das Gras im Schlachtenseepark. Oben auf der Bank neben der Sandkiste las ihre Mutter in einem Buch. Felix stieß die Backförmchen aneinander, anstatt Sandkuchen zu backen, weil er die Geräusche gerne mochte. Sie hörte sich über die neuesten Witze lachen, die ihre Freundin von ihrem großen Bruder gelernt hatte. Ihr Körper war braungebrannt, die Knie verkratzt, Fingernägel und Füße dreckig, sie trug einen kurzen Hosenrock und ein blaues kurzärmeliges Hemd. Beim Zöpfeflechten morgens hatte es geziept, aber Mama hatte dafür als Entschädigung die roten Zopfspangen genommen.

Zu Hause, dachte Charlotte unvermittelt. Endlich wieder. Unwillkürlich begann sie zu lächeln, aber dann riss sie sich zusammen. Sie durfte sich nicht öffnen. Sie musste ihr Herz verschlossen halten, sie wusste nicht, was sonst geschehen würde.

Sie stieg in den Bus, hielt sich an der Schlaufe über ihr fest und schloss die Augen. Hier hörte sie noch ein Gewirr aus Englisch und Deutsch und war in der Lage, das Deutsche auszublenden. Wenn sie aber das Flughafengebäude verlassen hätte, würde sie nur Deutsch hören, diese so lange verhasste Sprache, die ihr, wie sie jetzt feststellte, gar nicht verhasst war.

22

Christiane fühlte sich angespannt und aufgeregt wie vor einer Prüfung. Das ist unnötig und lächerlich, hatte Olaf gesagt, als sie versuchte, beim Parken am Schönefelder Flughafen mit ihm über ihre Gefühle zu reden. Jetzt lehnte er an einer Betonsäule etwas entfernt von ihr und schmollte. Denn sie war wütend geworden und hatte ihn angefaucht, dass er oberflächlich und unsensibel sei und ob er wirklich so wenig nachdenke? Ihre Stimme war blechern und garstig geworden, eigentlich wusste sie auch, dass Olaf sie bestimmt nicht hatte kränken, sondern beruhigen wollen, weil er bemerkte, dass sie nervös war und sich zu Unrecht schuldig fühlte.

Es war ihr egal, dass er jetzt wütend auf sie war, er war ihr den ganzen Morgen schon auf die Nerven gegangen mit seinem »Es ist ja gar nichts los«-Gehabe. Außerdem hatte er eine abwertende Bemerkung über ihr buntes Frühstücksgeschirr gemacht, das sie in Schweden gekauft hatte. Es war grün und orange, blau, gelb, jeder in ihrer Familie hatte eine eigene Farbe. Es war handbemalt und mit Strichmännchen und Sprüchen verziert wie »Have a nice day« oder »Happy family«. Olaf hatte heute Morgen das Set mit »Happy family« erwischt, was ihm offensichtlich nicht behagte.

»Das benutzt dein Göttergatte wohl immer. Und ihr sitzt um ihn herum und hängt an seinen Lippen, während er euch von der letzten interessanten Planktonuntersuchung berichtet«, hatte er gesagt und dabei noch nicht einmal gelächelt, um die Schärfe aus seiner Bemerkung wieder herauszunehmen.

Zuerst hatte Christiane gedacht, er sei eifersüchtig, und sich darüber gefreut, aber dann war sie doch sauer geworden, weil er nach den beiden Sätzen nicht aufgehört hatte, sondern noch weiter stichelte. »Schmierst du ihm immer Brote, wenn er ins Institut geht?«, fragte er. »Das machen Ehefrauen doch.«

»Nein, das habe ich noch nie getan. Ich brauche es nicht. Als Professor verdient er genug Geld, um mittags essen zu gehen.«

Olaf zuckte zusammen, das sah sie, es war gemein gewesen, weil sie wusste, wie sehr er als freier Architekt um jeden Auftrag kämpfen musste und dass es auch Monate gegeben hatte, in denen er nicht wusste, wie er seine Miete bezahlen sollte. Aber sie konnte nicht anders als ihn beleidigen, denn er hatte sie ja schließlich auch beleidigt. Ihren Mann, ihre Familie und die Art, wie sie mit dieser Familie lebte. Auf das bunte Geschirr war sie besonders stolz, denn es drückte das aus, was sie eigentlich vorgehabt hatte zu leben: eine glückliche Familie mit Lachen und Scherzen am Frühstückstisch, mit geistreichen Gesprächen und tiefen Blicken zwischen Matthias und ihr, während die Kinder artig ihre Butterbrote aßen, die sie natürlich selbst schmieren konnten, seit sie drei waren.

Die Wirklichkeit war ziemlich anders. Morgens kamen sie immer in Hektik. Matthias hatte keine Lust, vor seinem ersten Kaffee überhaupt irgendetwas zu sagen. Ihr ging es eigentlich auch so, aber irgendwie hatte es sich schon sehr früh eingespielt, dass die Kinderbetreuung morgens ihr Job war und nicht seiner. Also musste sie zwischen Schlucken Kaffee Brote schmieren, weil Philipp damit noch Schwierigkeiten hatte, Pausenbrote für Schule und Kindergarten fertigstellen, gleichzeitig mit Julia reden, die als Einzige morgens schon einen enormen Gesprächsbedarf hatte, und darauf achten, dass Philipp seinen Kakao nicht umwarf, was er oft tat, weil er gedankenverloren mit dem Besteck spielte, gegen die Tasse klopfte und Musik machte, wie er es ausdrückte. Die einzige Hilfe, die sie von Matthias bekam, war ab und zu ein vorwurfsvolles Aufstehen und In-die-Küche-Gehen, um einen Lappen zu besorgen, damit sie die Kakaoinseln auf dem Tisch und dem Fußboden wieder wegwischen konnte.

»Ich geh dann mal«, sagte er früher als sonst, wenn das Frühstück besonders hektisch verlief, und verschwand in sein ruhiges Büro, während sie zurückblieb, die Kinder auf den Weg in Schule und Kindergarten brachte und dann in die Redaktion oder zu Terminen hetzte und der Frühstückstisch oft immer noch nicht abgeräumt war, wenn sie mittags kurz vor den Kindern nach Hause kam und gleich in die Küche stürzte, um zu kochen.

Wenn Matthias sich in den vergangenen Jahren auf Forschungsreise befand, hatte sie mit den Kindern auch oft einfach in der Küche gefrühstückt, anstatt im Esszimmer, wie ihr Mann es sonst wünschte.

Das morgendliche Familienritual, das sie sich so groß-

artig ausgemalt hatte und das sie auch von ihrer Ur-
sprungsfamilie so in Erinnerung hatte, gelang ihr irgendwie nicht. Aber das gab Olaf noch lange nicht das
Recht, über sie zu lästern, zumal er gar nicht wusste, wie
es sich in einer Familie lebte. Er kannte doch nur Wo-
chenendbeziehungen. Er hatte noch nie mit einer Frau
zusammengelebt, und so, wie sie ihn verstanden hatte,
wollte er das auch nicht, weil er fand, dass Frauen und
Männer generell nicht füreinander bestimmt waren.

Olaf hatte aber sehr schnell bemerkt, dass sie verstimmt war, und sie noch einmal ins Bett gezogen, und
danach war alles wieder rosig und locker gewesen, wie
er – und sie ja eigentlich auch – es wollte.

Aber nicht jetzt, wo es um etwas wirklich Wichtiges
ging, nämlich darum, Charlotte Rice angemessen zu begrüßen.

Wütend guckte Christiane zu Olaf hinüber, am liebsten hätte sie ihn zurechtgewiesen und ihm klargemacht,
wie lächerlich er sich verhielt. Aber gleichzeitig fand sie
ihn einfach nur hübsch in seinen hellen Hosen und
dem karamellfarbenen Polohemd. Und seine Schuhe
waren wieder besonders elegant. Heute trug er hellbrau-
ne Slipper aus weichem Wildleder und dazu Socken in
passender Farbe. Mittlerweile lagerten schon fünf Paar
seiner Schuhe in ihrer Wohnung.

Neben seinen wirkten ihre, die sie eher zufällig kaufte, meistens zu ausgeflippt oder manchmal sogar regelrecht schäbig. Sie hatte eine Vorliebe für farbige Schuhe,
rote, grüne, gemusterte, gelbe, orangefarbene. Sie besaß
Slipper im Leopardenlook, und vor kurzem hätte sie sich
fast pinkfarbene Sneaker zugelegt. Dann aber hatte doch

die Vernunft gesiegt, weil sie fand, dass sie das Geld, das Matthias ja nun allein verdiente, nicht für Schuhe ausgeben sollte, die sie doch nur selten tragen würde, sondern für die Familie.

Heute hatte sie sich für ein dezenteres Paar entschieden, eigentlich fand sie die Schuhe ziemlich fad, aber Olaf hatten sie besonders gut gefallen: blaue Lackschuhe mit einer Schleife vorne an der Spitze, ein halbhoher Absatz. Dazu trug sie eine dunkelblaue Leinenhose und ein rosa Polohemd. Ihre rosafarbenen Perlen steckten in den Ohrlöchern, und auch um den Hals trug sie eine zarte Perlenkette. Sie dachte, dass sich Charlotte vielleicht wohler fühlen würde, wenn sie englisch aussähe oder so, wie sich die Hamburger Engländer vorstellten.

Jetzt fiel ihr ein, dass sie gar nicht wusste, wie Charlotte aussah, und auch kein Pappschild mit ihrem Namen vorbereitet hatte. Sie hoffte, dass nicht viele allein reisende alte Frauen mit diesem Flugzeug aus London-Gatwick kamen. War Charlotte Witwe, weil sie allein reiste? Über die Vergangenheit der Engländerin wusste Christiane mehr als über ihre Gegenwart. Wie lebte sie? Allein? Hatte sie Kinder? Hoffentlich lässt sie sich auf mich ein, dachte Christiane.

Die ersten Passagiere, die mit der Londoner Maschine geflogen waren, kamen durch die Tür und gingen zielstrebig an ihnen vorbei. Es waren Männer im Anzug, die Koffer hinter sich herzogen. Gleich hinter ihnen erschien eine mittelgroße Frau mit weißen Haaren, die sie in einem Pagenschnitt trug. Sie hatte für ihr Alter eine sportliche Figur, trug helle Baumwollhosen, flache beigefarbene Schnürschuhe und ein weißes Polohemd, darüber eine blaue sommerliche Windjacke der Art, wie man sie anhat, wenn man im Schnellschritt spazierengeht und einem auch Regen nichts ausmacht. Ihre Haut war gebräunt und im Gesicht sehr faltig. Sie trug keine Brille. In der Hand hielt sie eine weinrote Reisetasche, die zu ihrer Handtasche passte. Sie baumelte an einem langen Riemen von ihrer rechten Schulter. Sie trägt sonst keine Handtasche. Das ist Charlotte Rice, dachte Christiane. Die Frau blieb stehen, achtete nicht darauf, dass sie so zum Hindernis wurde, und sah sich zögernd um. Plötzlich verlor sie all die Souveränität, die sie eben noch ausgestrahlt hatte. Sie hat Angst, dachte Christiane.

Sie ging auf die Frau zu und streckte ihr die Hand entgegen. »Hallo«, sagte sie auf Deutsch. »Entschuldigen Sie. Sind Sie Charlotte Rice?«

»Yes, I am Charlotte Rice«, erwiderte die Frau und gab ihr die Hand. Sie war warm und fest. Christiane spürte Schwielen am Handteller der alten Frau und freute sich darüber, dass Charlotte Rice augenscheinlich gerne mit den Händen arbeitete. Sehr wahrscheinlich auch im Garten, dachte Christiane, die Schwielen fühlten sich ähnlich an wie die, die sie selbst in Hamburg von Frühjahr bis Herbst immer gehabt hatte. Sie hatte im Garten ihres Hauses gearbeitet, er war groß genug, dass man dort Blumen und Salat anpflanzen konnte, und klein genug, um das Arbeitspensum allein zu bewältigen, denn Matthias war auch in dem Bereich keine Hilfe gewesen. Christiane hatte immer gerne im Garten gearbeitet, war morgens und abends durch ihren Park gegangen, wie sie ihn nannte, hatte sich darüber gefreut, wenn der Salat anging, die Narzissen und Tulpen im Frühjahr richtig kamen, weil die Wühlmäuse einen Großteil der Blumenzwiebeln im Herbst doch in Ruhe gelassen hatten. Sie war verstimmt, wenn Matthias ihre Bemühungen, ein ansehnliches Staudenbeet mit Sommerblumen anzulegen, nicht würdigte, sondern nur das Unkraut sah, das sie noch nicht gezupft hatte. Aber er fand auch keine Zeit und Muße, es selbst zu erledigen.

Ihr hatte es gefallen, sich in den Garten verabschieden und dort in der Sonne einige Zeit verbringen zu können, ohne dass es so aussah, als ob sie faulenze. Sie zupfte die vertrockneten Blüten von den Stengeln, lockerte mit einer kleinen Schaufel die Erde und dachte sich neue Fallen für die Schnecken aus. Sie hatte Jahr für Jahr alles registriert und war stolz darauf gewesen, dass sich der Garten unter ihrer Pflege langsam veränderte und schöner wurde.

All das hatte sie aufgeben müssen, denn in Berlin gab es in dem Stadtteil, der für Matthias nur in Frage gekommen war, zwar Wohnungen mit Gartenbenutzung, aber eben kein bezahlbares Haus mit eigenem Garten.

Vielleicht sollte ich das Geld, das ich durch den Hausverkauf bekomme – es würden immerhin 300 000 Euro sein –, dazu nutzen, ein Reihenhaus mit Garten zu kaufen, dachte sie. Vielleicht würde sie sogar Matthias davon überzeugen, dass es besser für die Kinder war, wenn sie woanders wohnten als in Grunewald, aber dafür einen Garten hätten. Auf der anderen Seite wollte sie gar nicht weg aus der Gegend, in der sie jetzt wohnte. Sie mochte die altmodischen gusseisernen Straßenlaternen, die herrschaftlichen klassizistischen und Jugendstilhäuser, dazwischen die modernen Gebäude, die das Gesamtbild durch ihre klaren Linien dennoch nicht störten. Sie mochte die kleinen Seen, die sich hier aneinanderreihten, die Nähe zum Grunewald und zum Wannsee. Und sie wollte auch momentan kein Familienhaus kaufen. Schließlich betrog sie ihren Mann gerade inbrünstig und ohne schlechtes Gewissen. Dazu passte kein familiäres Hausprojekt. Die Pläne mit Olaf am Heiligen See waren nur Spinnerei gewesen, nichts Ernstzunehmendes, obwohl es sich für einen Moment so angefühlt hatte, als ob sie tatsächlich gemeinsam ein Haus planten.

Christiane sah Charlotte Rice in die Augen. Der Blick der Engländerin wirkte trüb. Vielleicht hat sie sich mit einer Tablette beruhigen wollen, dachte Christiane, zu verstehen wäre es ja. Charlotte Rice schien es auch nicht unangenehm zu sein, ihr die Hand zu schütteln. Doch danach schien sie nicht weiterzuwissen. Sie machte keine Anstalten, etwas zu sagen.

»Möchten Sie einen Kaffee oder Tee, bevor wir fahren?«, fragte Christiane wieder auf Deutsch.

»Sorry, I don't speak German«, sagte Charlotte. Hätte ich wissen müssen, dachte Christiane. Zerknirscht wiederholte sie die Frage auf Englisch. Ihr deutscher Akzent hörte sich schrecklich an.

»Nein, vielen Dank. Ich würde gerne gleich zum Anwalt und dann in mein Hotel«, sagte Charlotte auf Englisch. Ihre Stimme wirkte kühl, distanziert, als ob sie sich vor dieser Reise vorgenommen hatte, so wenig menschlichen Kontakt wie möglich zu Deutschen aufzubauen, und als ob Menschen dieser Nationalität immer noch Feinde wären.

Obwohl Christiane verstand, warum Charlotte so dachte, fühlte sie sich ungerechtfertigt zurückgewiesen. Nur weil sie Deutsche war, sollte sie von dieser Frau keine Chance bekommen? Sie war doch diejenige, die ein an deren Eltern vollzogenes Unrecht wiedergutmachen wollte.

Olaf, den sie ganz vergessen hatte, stellte sich Charlotte Rice vor, indem er sich verbeugte und ihr sein charmantes Lächeln schenkte.

»Wir freuen uns, dass Sie nach Berlin gekommen sind. Ich hoffe, Sie hatten einen angenehmen Flug«, sagte er in perfektem Oxfordenglisch.

Charlotte Rice nickte.

»Wie ist das Wetter momentan in London?«, fragte Olaf. »Der Sommer ließ bisher ja hier einiges zu wünschen übrig«, sagte er.

Charlotte schien sich innerlich zu straffen. Dann fing sie an, über das Wetter zu sprechen, als ob es sie wirklich interessierte. Olaf nahm die alte Frau leicht am Arm und lenkte sie in Richtung Ausgang. Christiane blieb nichts anderes übrig, als Olaf und Charlotte zu folgen. Sie ärgerte sich, dass sie nicht selbst darauf gekommen war, Charlotte nach dem Wetter zu fragen. Natürlich konnte sie wie die meisten Engländer voll Begeisterung über das Wetter reden. Olaf hatte das sofort erkannt – sie nicht, weil Charlotte für sie auch keine Engländerin war.

23

Schon von weitem hatte Charlotte durch die Scheibe diese sehr hübsche Frau mit den hellroten Haaren entdeckt. Es war genau derselbe Farbton wie bei Gerhard in Dovercourt. Die Rothaarige war nervös, das konnte Charlotte sehen. Sie fingerte an ihrer Frisur herum und zupfte vermeintlich unordentliche Strähnen zurecht. Sie trat von einem Fuß auf den anderen und musste sich anscheinend zurückhalten, nicht an ihren Fingernägeln zu knabbern. Immer wieder sah sie in Richtung Gate-Ausgang und zuckte unmerklich zusammen, wenn sich die Tür öffnete und wieder jemand herauskam.

In ihrer Nähe lehnte ein Mann an einer Säule, der zwar so tat, als ob er nichts mit ihr zu tun hätte, aber sie die ganze Zeit beobachtete. Er schien wütend auf sie zu sein, das konnte Charlotte an seinen verschränkten Armen und seiner verstockten Haltung erkennen, schien sie aber gleichzeitig hinreißend zu finden. In diesem Teil des Schönefelder Flughafens gab es keine Bänke für die Wartenden, sondern nur gegenüber vom Ankunftsbereich ein Café. *Zigolini* hieß es, las Charlotte automatisch. Wie sollte sie das aussprechen? Mit englischem Akzent. Etwas anderes konnte sie sicher nicht. Jedenfalls war deutlich zu erkennen, dass der Mann mit der Frau, die er von weitem anhimmelte, lieber im Café Händchen gehalten hätte, als an der Säule gelehnt auf jemanden wie sie zu warten.

Charlotte hoffte, dass die beiden Christiane Mohn und Olaf Haas wären, wie in der letzten Mail angekündigt, die sie noch vor der Abreise bekommen hatte. Sie waren jung genug, um gar nichts mit der Nazizeit zu tun zu haben. Sie würde mit ihnen klarkommen, mehr wollte sie nicht.

Aber sie hatte nicht damit gerechnet, dass sie die beiden auf Anhieb mögen würde, besonders Christiane Mohn.

Charlotte nahm die Hand, die die Frau ihr entgegenstreckte. Sie war weicher als ihre eigene, aber dennoch nicht zu zart. Christiane Mohns Händedruck war bestimmt. Sie sah ihr in die Augen, während sie ihr die Hand gab. Sie hatte sehr klare bernsteinfarbene Augen mit goldenen Sprenkeln darin. Charlotte wunderte sich, dass sie trotz der vielen Beruhigungsmittel diese Details wahrnahm, als ob ihre Wahrnehmung durch die Tabletten besonders geschärft und nicht gedämpft worden wäre.

Eigentlich hätte sie der jungen Frau auch auf Deutsch antworten können, denn sie verstand jedes Wort. Aber sie wollte sich nicht auf die deutsche Sprache einlassen. Also gab sie vor, alles vergessen zu haben. Ihr tat die rothaarige Frau fast ein wenig leid, wie sie zusammenzuckte und sich augenscheinlich schämte, weil sie die Begegnung mit einem ehemaligen Kindertransportkind offenbar falsch angegangen war. Aber sie hatte sich nun einmal vorgenommen, die perfekte Engländerin zu mimen.

Und Olaf Haas schien sie gleich zu durchschauen. Es war ein Spiel, er behandelte sie wie jemanden, der dem

Klischee einer Engländerin in fortgeschrittenem Alter zu hundert Prozent entsprach, und sie gab diese Rolle. Ob er sich darüber im Klaren war, dass er ihr damit einen Anker zuwarf, an dem sie sich festklammern konnte? Olaf Haas schien zwar nach außen sehr bemüht zu sein, distanziert und ein wenig desinteressiert an seiner Umgebung zu wirken, aber in Wahrheit war er wohl ein besonders guter Beobachter, dachte Charlotte. Als Christiane hinter ihnen hertrottete und ein empörtes Gesicht machte, blieb er stehen, kramte in seiner Tasche nach seinen Zigaretten, bis sie neben ihnen hergehen konnte, ohne dass es so aussah, als ob er auf sie wartete. Er legte ihr kurz die Hand auf den Rücken, und Charlotte bemerkte, dass Christiane sich unter dieser Berührung sofort entspannte.

Draußen vor dem Flughafengebäude begannen Christiane und Olaf eine Debatte darüber, wo sie den Wagen abgestellt hatten. Beide schienen es nicht mehr genau zu wissen. So viel verstand sie, dass es darum ging, obwohl sie leise und schnell sprachen. Charlotte sah sich um. Noch immer war ihre Wahrnehmung besonders geschärft. Sie wusste, dass sie so auf Stresssituationen reagierte.

Sie versuchte unwillkürlich, die Schilder neben und auf dem gegenüberliegenden Parkplatz zu entziffern. *Postleitzentrale,* las sie und *Assmann Büromöbel.* Was für sperrige unansehnliche Wörter, dachte sie. Es war nicht besonders laut. Man hörte das Rauschen der vorbeifahrenden Autos, hier und da das Quietschen von Reifen, Bustüren, die sich öffneten. Und links von ihr einzelne Schritte und das Geräusch von den kleinen Rollen der Ziehkoffer auf Steinplatten. Die Geräusche wurden vom Dach über dem an einer Seite verglasten Gang, der zum Bahnhof führte, zurückgeworfen. Die Scheiben der Eingangshalle waren bräunlich verspiegelt wie wohl auch zu DDR-Zeiten. Ein altmodischer Eisenbahnwaggon links neben ihr war zur *Ess-Bahn* umgebaut worden. *Berlins abgefahrenste Currywurst,* las Charlotte.

Christiane und Olaf hatten aufgehört zu debattieren und sahen ein wenig hilflos in ihre Richtung. Anscheinend hatten sie das Problem des Autostandortes noch nicht hinreichend gelöst.

Es begann zu nieseln. Olaf und Christiane einigten sich. Olaf ging über den Parkplatz vorweg und trug ihre Tasche, wovon er sich nicht hatte abbringen lassen. Christiane folgte ihm, dann Charlotte. Hoffentlich fährt er keinen Angeberwagen, dachte sie. Ein Klischee, das sich im Laufe ihres Lebens in England über Deutsche bei ihr festgesetzt hatte, war, dass sie ihre Autos liebten, hegten und pflegten und auf protzige teure Wagen hingebungsvoll sparten.

Sie blieben vor einem dunkelblauen Citroën DS in altmodischem Design stehen, der seine besten Tage schon längst hinter sich hatte. Aber er war offenbar vor kurzem durch die Waschanlage gefahren worden. Olaf öffnete erst die Beifahrertür. Charlotte wollte nicht neben ihm sitzen, denn falls sie während der Fahrt die Fassung verlöre, wollte sie nicht, dass ihr jemand ins Gesicht sehen konnte.

»Christiane, setzen Sie sich nach vorn, ich möchte hinten Platz nehmen«, sagte Charlotte und verfiel automatisch in die angelsächsische Angewohnheit, den Nachnamen wegzulassen.

»Wirklich, Mrs. Rice?«

»Charlotte – ja, es ist so bequem für mich.«

Olaf lenkte den Wagen vom Parkplatz, Christiane schwieg, wollte das Radio anschalten, zögerte dann aber, weil sie wohl dachte, dass es ihr etwas ausmachen würde. Charlotte sagte nichts dazu, obwohl es sie nicht gestört hätte.

Sie lehnte sich in das Polster zurück und schloss die Augen. Christiane und Olaf begannen, sich miteinander zu unterhalten. Sie redeten schnell und leise, so dass Charlotte nichts verstand außer dem beständigen Murmeln in einem Idiom, das ihr vor Urzeiten einmal sehr vertraut gewesen war. Jetzt würde sie nur etwas verstehen, wenn sie genau zuhörte und sich auf jedes Wort konzentrierte, aber das wollte sie nicht. Sie war sich sicher, dass die beiden jungen Leute jetzt mit sich selbst beschäftigt sein wollten und keine Zuhörer benötigten.

Schon einmal hatte sie so auf einer Rückbank eines Wagens gesessen und nicht verstanden, was vorne gesprochen wurde. Sie hatte damals gerade mit den Füßen auf den Boden des großen schwarzen Wagens gereicht, der sie in Dovercourt abgeholt hatte.

Felix saß neben ihr und sah aus dem Fenster. Er wirkte eingeschüchtert, hatte seinen Koffer nicht selbst packen können, und auch da hatte Gerhard mal wieder geholfen. Geduldig hatte er mit Felix jede Ecke der Hütte, in der sie die vergangenen drei Wochen zusammen verbracht hatten, nach seinen Sachen abgesucht, war unter das Bett gekrabbelt, um auch die letzte Socke hervorzuholen, und hatte alle zerknüllten schmutzigen Kleidungsstücke, die überall herumlagen, sorgfältig geglättet und zusammengefaltet. Die Schlafanzughose, die Felix in der Nacht zuvor nass gemacht hatte, wusch er noch einmal mit Seife aus, damit sie nicht stank, wrang sie aus, wickelte sie in ein Handtuch und legte sie in den Koffer.

Die letzten Tage hatte Gerhard mit Felix trainiert, um bei der nächsten Vorstellungsrunde der Pflegeeltern, die jeden Samstag kamen, besser abzuschneiden. Charlotte hatte es selbst versucht, war aber an der Bockigkeit ihres Bruders gescheitert. Als nämlich die Erwachsenen am ersten Sonnabend, den Felix, Gerhard und Charlotte zusammen in Dovercourt verbrachten, an ihrem Tisch vorbeikamen, hatte Felix nicht, wie es eigentlich erforderlich gewesen wäre, von seinem Essen aufgesehen und sie angelächelt, als sie ihn ansprachen, sondern hatte stumm auf seinen Teller gestarrt und die Suppe in sich hineingelöffelt. Charlotte hatte es mit Erschrecken gesehen. Sie wollte, dass die Frau, die Felix angesprochen hatte, ihre Pflegemutter wurde, denn sie lächelte beim Sprechen und trug eine Kette mit rosa schimmernden Perlen wie ihre Mutter, und sie hatte einen Pelzkragen an ihrer Jacke und feine blaue Lederhandschuhe. Die ist bestimmt reich und nett, dachte Charlotte, die wird gut für uns sorgen können.

Sie nahm all ihren Mut zusammen und sprach die Dame an, die eigentlich schon weitergehen wollte, weil sie keine Reaktion von Felix bekam.

»I am Charlotte Reisbach«, sagte sie, »I am from Berlin. Nice to meet you.«

Sie war sehr stolz darauf, dass sie diese Sätze sagen konnte. Gerhard hatte sie ihr beigebracht. Jetzt saß er neben ihr und ermutigte sie durch einen anerkennenden Blick weiterzumachen.

Die Dame mit dem Pelzkragen lächelte und sagte etwas zu ihr in schnellem Englisch, was sie nicht verstand. Aber sie nickte zu allem, was die Dame sagte.

»Sie ist zehn Jahre alt«, übernahm Gerhard jetzt für sie das Sprechen. Diesen Satz erkannte sie. Er hatte ihn ihr auch in den vergangenen Tagen beigebracht. Die Dame strich ihr mit behandschuhter Hand über den Kopf und sagte etwas zu ihr, das wohl in Richtung hübsche blonde Haare ging. Das kannte Charlotte schon. In der Zeit in Dovercourt und auf der Reise hatten ihr einige Menschen fast ungläubig über die blonden Haare gestrichen.

Die Dame mit den Lederhandschuhen lächelte weiter. Es lief gut für sie, das spürte Charlotte.

»This is my brother Felix, he is eight«, sagte sie jetzt und zeigte auf Felix, der immer noch stur seine Suppe löffelte, ohne aufzublicken.

»Begrüße die Dame endlich«, zischte Charlotte und knuffte ihren Bruder in die Seite.

»Hallo«, sagte Felix, ohne aufzublicken. Und nicht nur das, jetzt stützte er seine Ellbogen auf den Tisch und fing an, die Suppe zu schlürfen und zu rülpsen.

Irritiert wandte sich die Dame von ihm ab und zu ihr. Sie fragte sie etwas, was Charlotte nicht verstand. Gerhard antwortete stattdessen.

Daraufhin ging die Dame mit dem Pelzkragen weiter an den nächsten Tisch.

»Was hat sie gefragt?«, wollte Charlotte wissen.

»Ob du auch ohne deinen Bruder in eine Familie gehen würdest.«

»Und was hast du gesagt?«

»Das würde sie niemals tun.«

Felix grinste sie jetzt an und aß wieder vernünftig.

»Hab ich das nicht gut gemacht?«, sagte er. »Du willst doch auch bei Gerhard bleiben. Wir warten, bis jemand uns alle drei nimmt.«

»Das klappt nie«, schimpfte Gerhard. »Sie wollen keine dreizehnjährigen Jungs, das weißt du doch.«

Gerhard hatte ihr und Felix erklärt, dass er darauf warten müsse, bis ein Platz in einem anderen Heim frei würde, und er auf Pflegeeltern wenig Chancen hätte, weil sie keine Jungs haben wollten, die schon so alt waren wie er.

»Aber das stört mich nicht«, sagte er trotzig. »Mit Kindern zu leben ist doch viel lustiger.«

Charlotte sah die Dame mit dem Pelzkragen wenig später mit einem Mädchen in ihrem Alter den Raum verlassen. Sie legte im Gehen die Hand auf die Schulter des Kindes, wie ihre Mutter das bei ihr oft getan hatte. Und Charlotte verfluchte zum ersten Mal, dass sie ihren Eltern versprochen hatte, sich um ihren Bruder zu kümmern und ihn nicht zu verlassen.

Die nächsten Tage vergingen schnell, weil Gerhard beständig mit Felix trainierte, wie er sich zu verhalten hätte, wenn wieder Pflegeeltern kämen. Er übte das Lächeln, den korrekten Blick, der zwischen hilflos und bewundernd lag. Er schärfte ihm ein, bloß nicht angeben zu wollen und großspurig aufzutreten. Gerhard wusste, dass die Pflegeeltern Jungs nur dann wollten, wenn sie brav gescheitelt und sittsam am Tisch saßen und so taten, als ob sie niemals laut oder anstrengend sein könnten.

Weil Felix seinem großen Freund Gerhard gefallen wollte, trainierte er mit ihm. Gerhard schaffte es sogar, Felix beizubringen, auf Englisch zu sagen, wie er hieß und wie alt er war. Daran war sie selbst gescheitert, weil ihr Bruder sich die englischen Sätze einfach nicht hatte merken können.

Am nächsten Samstag kamen wieder viele Erwachsene auf der Suche nach einem passenden Pflegekind. Charlotte hatte sich ihr bestes Kleid angezogen, sich die Haare abends vorher gewaschen, obwohl nicht so viel warmes Wasser da war. Sie hatte sich die Haare am Morgen so lange gekämmt, bis sie glänzten, und sich dann von einem anderen Mädchen Zöpfe flechten lassen, weil sie ordentlicher wurden, wenn sie es nicht selbst tat. Felix hatte auf Geheiß von Gerhard seine Schuhe geputzt, das Hemd angezogen, das sie bisher »für gut« im Koffer gelassen hatten, die Flecken in seinem blauen Pullover mit Wasser entfernt und sich die Fingernägel gesäubert und von ihr schneiden lassen.

Jetzt saß er neben ihr am Tisch, das Essen war schon vorbei. Gerhard hatte ihm sein Wilhelm-Busch-Buch geliehen, in dem er vorgab zu lesen. Charlotte wusste ganz genau, dass ihr Bruder nicht las. So ein schweres Buch konnte er noch gar nicht lesen, aber sie hatte beschlossen, dass es bestimmt einen guten Eindruck machte, wenn ein achtjähriger Junge Wilhelm Busch läse.

Die Erwachsenen gingen durch die Reihen der Kinder, blieben hier und da stehen und sprachen mit ihnen. Es war wieder so wie am vergangenen Wochenende. Die kleinen Mädchen, die noch jünger waren als sie, sehr brav wirkten und mit Sicherheit keinen Bruder hatten, wurden als Erste an der Hand einer englischen Dame oder eines englischen Herrn aus dem Saal geführt.

Sicher würden sie wieder kein Glück haben, dachte Charlotte bekümmert. Aber sie wollte weg aus Dovercourt, auch wenn das hieß, dass sie dann Gerhard verlassen musste. Sie wollte wieder in einem Bett schlafen können, dessen Bettdecke morgens nicht klamm war, weil nachts die Schneeflocken, die durch die undichten Stellen im Dach rieselten, geschmolzen waren. Sie wollte nicht mehr mit so vielen Kindern in einem Esssaal hocken müssen. Es war ihr zu laut, zu hektisch. Sie wollte an einem Küchentisch sitzen, mit einer Mama und einem Papa gegenüber und ihrem Bruder neben sich. Dort war es bestimmt warm und gemütlich, so wie in ihrer Küche in der Wohnung an der Matterhornstraße, nach der sie sich so sehr sehnte. In Gedanken ging sie vor dem Einschlafen von Raum zu Raum. Der Parkettfußboden, der in allen Zimmern außer in der Küche und im Badezimmer lag, knarrte unter ihren Füßen. Das war früher blöd gewesen, wenn sie nachts hatte aufstehen müssen, um auf die Toilette zu gehen, und danach einen Abstecher ins Wohnzimmer machte, um einmal in die Dose mit den Pralinen zu greifen. Sie hatte sich dann immer auf Zehenspitzen bewegt, um zu vermeiden, dass die Dielen zu laut knarrten, damit ihre Mutter nicht geweckt wurde.

Das Schlafzimmer der Eltern lag nämlich neben dem Wohn- und dem Esszimmer. Wenn die Tür am Wochenende morgens einen Spalt geöffnet war, bedeutete es, dass sie und Felix zu den Eltern ins Bett durften. Dort war es warm und es roch gut, und sie tollten mit Papa herum, durften sogar manchmal eine kleine Kissenschlacht veranstalten, wenn er gut gelaunt war. Manchmal stand Mama dann auf und bereitete in der Küche für alle heißen Kakao zu, den sie dann auf einem Silbertablett mit Spitzendecke servierte und sich dabei neckisch ein Geschirrtuch um die Hüften schlang. Das Mädchen hatten sie entlassen müssen, Charlotte wusste nicht mehr genau, wann.

Das waren die schönen Morgen, an die sich Charlotte erinnerte, und dann gab es die anderen Tage, an denen die Tür vom Schlafzimmer auch mittags zugesperrt war, wenn sie und Felix aus der Schule kamen. In der Küche lag ein Zettel, auf dem stand, sie sollten das, was auf dem Herd stand, aufwärmen und Mama in Ruhe lassen, weil sie sich ausruhen müsse. Charlotte wusste, dass sie an solchen Tagen Migräne hatte, mörderische Kopfschmerzen, die immer häufiger kamen, je älter Charlotte wurde.

Aber in ihren Phantasien kurz vor dem Einschlafen dachte Charlotte in Dovercourt nur an die schönen Dinge zu Hause in ihrer Wohnung, an ihr himmelblaues Holzbett in ihrem kleinen Zimmer, das sie allein bewohnen durfte, an ihre Puppen, die auf einem Regal saßen und von denen sie nur eine hatte mitnehmen dürfen, die sie auf dem Schiff nach England verloren hatte. Sie sagte sich die Namen auf: Sophie, Annette,

Maria. Sie zog sie in Gedanken aus und kämmte ihnen die Haare. Über ihrem Bett hatte ein Mobile aus Holz gehangen, Boote mit blauem Rumpf und weißen Segeln, die so aussahen wie die, die am Wochenende auf dem Wannsee unterwegs waren. Eigentlich hatte Charlotte dieses Mobile mitnehmen wollen, aber ihre Mutter, die es für sie gebastelt hatte, brachte es nicht übers Herz, es abzuhängen.

»Es bleibt hier, bis du wiederkommst«, hatte sie damals vor ihrer Abreise gesagt.

Nach kurzer Zeit waren eine Frau und ein Mann an ihren Tisch vorbeigekommen, Charlotte stickte gerade mit gesenktem Kopf, sie hatte gedacht, dass es besonders gut ankäme, wenn sie den vermeintlichen Pflegeeltern zeigen würde, dass sie handarbeitstechnisches Geschick besaß.

Die Frau legte die Hand auf ihren Kopf und murmelte wieder etwas von »blond hair«. Der Mann setzte sich sogar neben Felix und schaute mit ihm zusammen das Wilhelm-Busch-Buch an. Er schien es in der englischen Fassung zu kennen und war begeistert, dass Felix es auch zu mögen schien.

»Your brother?«, fragte die Frau, die zwar lächelte, aber über deren Gesicht sich kein Strahlen ausbreitete wie bei der Frau eine Woche zuvor.

»Yes«, sagte Charlotte, »he is eight and very nice.« Auch das hatte ihr Gerhard beigebracht.

»And you are orthodox?«, fragte die Frau.

»No«, sagte Charlotte, wie Gerhard ihr das geraten hatte. Denn er wusste, dass orthodox nicht bei allen englischen Erwachsenen gut ankam, weil er den Viehmarkt, wie er die Besuchsrunde der Pflegeeltern nannte, schon mehrmals mitgemacht hatte. Die Frau, die ganz dünn war und eine spitze Nase hatte, ging zu ihrem Mann und beriet sich mit ihm. Er sah lustiger aus als seine Frau, hatte winzige Falten um die Augen und große Hände, die er nervös aneinanderrieb, während seine Frau mit ihm sprach. Niemand blieb bei Gerhard stehen, obwohl auch er sich extra ordentlich gekämmt hatte und seinen besten Pullover trug.

Die Frau winkte eine Helferin heran.

»We take both«, sagte sie und zeigte auf Charlotte und Felix. Charlotte sah fragend zu Gerhard, denn sie hatte nicht verstanden, was die Frau gesagt hatte. »Sie nehmen euch beide«, flüsterte er.

Eine Stunde später saß sie dann mit Felix zusammen im Fond des Wagens. Sie fuhren Richtung London, so viel hatte Charlotte noch verstanden, aber alles andere war zu einem Brei aus fremden Klängen vermischt worden.

Ihr neues Zuhause lag in Richmond, wie sie später erfuhr – es war eine ruhige Gegend mit hohen, alten Bäumen an der Straße. Es war ruhig, einige Straßen hatten Kopfsteinpflaster. Die Häuser, die sie passierten, waren zumeist prächtig, mehrstöckig, fast wie bei uns zu Hause, dachte Charlotte. Nur ihre geliebten Kiefern mit dem rötlichen Stamm und der manchmal vom Wind zerzausten Krone schien es hier nicht zu geben. Stattdessen entdeckte Felix Kastanien, Eichen und Buchen. Mit Bäumen kannte er sich aus, weil sie ihn wirklich interessierten. Sie fuhren durch einen Park. Charlotte sah Damwild auf den Wiesen grasen.

Ihre Pflegeeltern sprachen auch nicht mit ihnen, als sie vor einem großen roten Backsteinhaus mit einem schmiedeeisernen Tor, das von gewaltigen Hortensienbüschen eingerahmt war, anhielten. Mr. Kramer holte ihre Koffer aus dem Kofferraum und bedeutete ihnen durch Handzeichen, dass sie aussteigen und ihm folgen sollten. Der Kies im Vorgarten knirschte unter ihren Füßen. Es ist schön hier, dachte Charlotte und flüsterte es Felix zu, der sich an ihrer Hand festhielt, obwohl er in Berlin immer behauptet hatte, er sei dafür schon zu erwachsen. Eigentlich ging es ihr ganz gut, sie freute sich auf ein eigenes Zimmer, das sie in dem Haus vielleicht bekommen würde, auf ein Bad in der Wanne und ein schönes Bett, vielleicht mit duftender, gemangelter Bettwäsche und einem Plumeau anstatt der kratzigen Wolldecken, die sie in Dovercourt bekommen hatte.

Aber sie machte sich Sorgen um ihren Bruder, sie spürte seine Angst und Unsicherheit und befürchtete, dass er wieder einen dieser Zustände bekommen könnte, bei denen er in eine Starre verfiel, aus der ihn niemand anderes außer Mama wieder hätte herausholen können.

In der Eingangshalle war es dunkel und kalt, und ihre Schritte hallten auf dem braunen Steinfußboden. Mr. Kramer übergab die beiden Koffer der Kinder einer älteren Frau, die Charlotte und Felix nicht freundlich und mit durchdringenden Augen musterte. Es war die Haushälterin der Familie Kramer, Charlotte konnte sich nicht mehr erinnern, wie sie hieß, nur dass Felix und sie schnell den Spitznamen Drachen für sie fanden.

Frau Kramer verschwand mit Herrn Kramer hinter einer dunkelbraunen Holztür, nachdem sie irgendetwas zu der Haushälterin gesagt hatte. Die machte eine Kopfbewegung in Richtung Treppe, was wohl heißen sollte, dass sie mit ihr hinaufsteigen sollten. Auch die Zimmer oben waren dunkel, und Charlotte war froh, dass sie mit ihrem Bruder in einem Raum schlafen durfte. Vor dem Fenster hingen schwere dunkelrote Vorhänge, die geschlossen waren, als sie das Zimmer betraten. Mit einem Ratsch zog der Drachen sie beiseite.

»Felix, wir haben einen Garten«, freute sich Charlotte, nun nicht mehr im Flüsterton.

»Sei nicht so laut«, zischte der Drachen auf Englisch. Charlotte vermutete zumindest, dass es so etwas heißen sollte, denn sie legte gleichzeitig den Finger an die Lippen. Rechts und links von dem rechteckigen Fenster, das fast bis zum Boden reichte, standen zwei dunkelbraune Holzbetten mit Tagesdecken aus demselben schweren Stoff wie die Vorhänge.

An der gegenüberliegenden Wand entdeckte Charlotte einen großen Schreibtisch mit zwei Stühlen davor und daneben einen Schrank, einen Waschtisch, alles aus dunklem Holz. Nur die Waschschüssel und die Kanne aus weißem Porzellan bildeten helle Farbflecke. An den Wänden hingen Landschaftsgemälde. Auch sie wirkten düster.

Das ist kein Raum, der für Kinder eingerichtet worden ist, dachte Charlotte. Warum haben die Kramers uns genommen, wenn sie keine Kinder mögen?

Mit spitzen Fingern öffnete die Haushälterin ihre Koffer und warf all ihre Kleider auf den Fußboden. Sie sagte etwas von Waschen, kratzte sich am Kopf und sah Charlotte und Felix fragend an.

»Sie will wissen, ob wir Läuse haben«, flüsterte Felix empört.

»No«, sagte er laut und schüttelte den Kopf.

Sie mussten sich ausziehen und in das angrenzende Badezimmer gehen. Dort wurden sie zusammen in eine Wanne gesetzt und mit einer harten Wurzelbürste abgeschrubbt, so dass die Haut nach kurzer Zeit schmerzte. Die Seife brannte in ihren Augen, aber keiner gab ihnen einen Waschlappen, wie Mama das immer getan hatte, damit sie die Seife aus den Augen wischen konnten.

Nach dem Baden kämmte der Drachen Charlottes Haare mit harten, ungeduldigen Strichen. Wenn Mama manchmal beim Kämmen zu rabiat gewesen war, hatte es gereicht, »Aua« zu rufen, und sie hatte sich entschuldigt. Jetzt biss Charlotte die Zähne zusammen, um nicht aufzuschreien oder zu heulen.

An ihrem ersten Abend in ihrem neuen Zuhause saßen Charlotte und Felix unten im Speisezimmer mit ihren neuen Eltern und kamen sich unsichtbar vor, denn niemand sprach mit ihnen, und sie durften während des Essens auch nicht miteinander sprechen, sondern mussten sich ausschließlich damit beschäftigen, das Besteck richtig zu halten.

Viel später begriff Charlotte, dass ihre Pflegeeltern nicht böse oder kalt waren, sondern einfach nicht wussten, wie sie mit ihnen umgehen sollten, mit diesen heimatlosen Kindern, die sie erwartungsvoll ansahen, die so viel Bedürftigkeit nach Nähe und Wärme ausstrahlten, nach einer Umarmung und lieben Worten, dass es den Kramers zu viel war und sie lieber mit Distanz und Reserviertheit antworteten, weil sie dachten, es wäre besser, diese armen Kinder, deren Anblick in Dovercourt ihnen fast das Herz gebrochen hätte, abzuhärten und ihnen gleich zu zeigen, dass sie allein waren und allein zusehen mussten, wie sie durchkamen.

Nein, ihnen fehlte es an nichts in der Zeit im dunklen, kalten Haus in Richmond, sie bekamen genug zu essen, neue Kleider, wenn sie es brauchten, sie hatten Spielzeug, sie konnten im Garten herumtoben, wenn sie es geschickt anstellten und sich nicht von dem Drachen erwischen ließen. Und die Kramers waren nie unfreundlich oder laut zu ihnen.

Und es gab die Schule, in die Charlotte vom ersten Tag an gerne ging. Niemand ärgerte sie dort, sie war zwar zuerst »die Deutsche«, aber als sie erklärte, warum sie das Land hatte verlassen müssen, traute sich niemand mehr, sie so zu nennen. Sie lernte schnell Englisch und verbrachte ihre Nachmittage in der Bibliothek von Richmond. Sie fand sogar eine Freundin, die sie zu ihrem Geburtstag einladen konnte. Auch Felix lernte Englisch, er genoss es, Jungs zum Fußballspielen zu haben und nicht mehr auf dem Nachhauseweg mit Steinen beworfen zu werden.

Aber es gab keine Umarmung mehr, keine Küsse, keine Schmatzerattacken wie von ihrer Mutter – viele kleine laute Küsse hintereinander auf die Wange, dass einem davon ganz schwindelig wurde. Umarmungen und Küsse schickten sich einfach nicht zwischen Erwachsenen und Kindern. Charlotte und auch Felix lernten schnell, nicht mehr ungestüm zu sein und Abstand zu halten. Nur wenn sie allein waren, hielten sie sich manchmal aneinander fest, legten sich auf ein Bett und versuchten sich so im Arm zu halten, wie ihre Mutter und ihr Vater es getan hatten.

24

Am liebsten hätte er jetzt laut Musik gehört, irgendwas Schnelles und Rockiges, er hätte das Radio bis zum Anschlag aufgedreht und wäre bei geöffneten Fenstern schneller gefahren als diese läppischen 80 km/h, die er momentan auf dem Tacho hatte. Aber er traute sich nicht. Christiane würde sicher sofort wieder damit beginnen, ihm Vorwürfe zu machen, wie unsensibel er sei und warum er nicht bemerkt habe, dass Charlotte Rice jetzt Ruhe brauchte. Vielleicht war er ja auch unsensibel und wenn es darum ging, die Psyche der Frauen zu begreifen, wahrhaftig absolut unbegabt, aber er konnte zumindest erkennen, wenn die Stimmung so deprimierend wurde, dass unbedingt etwas getan werden musste, um das zu ändern. Er traute sich schon gar nicht mehr, in den Rückspiegel zu schauen, weil er dann einen Blick aus Charlottes trüben Augen hätte einfangen können. Sie hatte sich bestimmt mehrere Beruhigungsmittel der stärkeren Sorte eingeworfen. Er kannte sich damit aus, während seines Studiums hatte es eine Phase gegeben, in der er sich mit Beruhigungspillen gedopt hatte, weil er sonst nicht mehr klargekommen wäre. Der Grund für seinen erbärmlichen Zustand damals war eine Frau gewesen, vielleicht die einzige Frau, die ihm wirklich nahegekommen war, die er aber so behandelt hatte wie die anderen davor: distanziert, etwas kühl. Er hatte sich immer nur dann um sie gekümmert, wenn es ihm gerade gefiel, war oft nicht für sie da gewesen, wenn sie ihn brauchte. Und dann hatte sie ihn verlassen. Von jetzt auf gleich, einfach so, ohne Vorwarnung. Und er war danach wütend auf sie gewesen, hatte sich eine Zeitlang erfolgreich eingeredet, dass er sie ja überhaupt nicht geliebt hatte. Dann traf er sie auf der Straße wieder, ein Mann hatte den Arm um sie gelegt. Der Mann war durchschnittlich, gewöhnlich, dennoch lächelte seine Exfreundin ihn verliebt an und hatte überhaupt kein Strahlen mehr für ihn übrig. Sie lud ihn sogar schon einmal unverbindlich zu ihrer Hochzeit ein, die sie für demnächst plante. Am Tag ihrer Hochzeit betrank sich Olaf sinnlos allein in seiner Wohnung. Und heute, so viele Jahre später, tat es immer noch weh, wenn er ihren Namen auch nur dachte.

Sehr wahrscheinlich hatte Charlotte während des Fluges auch noch Alkohol getrunken, vermutete Olaf. Sie starrte auf die Rückenlehne und sah nicht aus dem Fenster. Natürlich war sie alt, weit über siebzig musste sie sein, aber war es nötig, dieses Alter so zur Schau zu tragen? Sie hatte eigentlich nur Lippenstift aufgetragen und den auch noch in der Farbe ihrer ziemlich schmalen Lippen. Die Falten auf ihren Wangen, um ihre Augen herum und auf ihrer Stirn hatten sich schon vor Urzeiten in die Haut eingegraben, und es sah nicht so aus, als ob Charlotte irgendwann einmal mehr getan hätte, als eine Feuchtigkeitscreme aufzutragen, die ihre Gesichtshaut vor allzu großer Trockenheit und vor Sonneneinwirkung schützen sollte. Ihr Kinn war erschlafft, aber dadurch, dass sie nicht dick war, sondern eigentlich eher hager, störte das nicht. Hatte sie überhaupt Parfüm aufgetragen? Der Geruch, der von Charlotte Rice ausging, war nicht unangenehm, aber sie roch eher nach Seife als nach Parfüm oder Eau de Cologne. Olaf konnte sich nicht helfen. Er mochte keine Frauen, die ihre Weiblichkeit so wenig betonten. Das hatte seiner Meinung nach nichts mit dem Alter zu tun, sondern war eine Frage der grundsätzlichen Einstellung zum eigenen Körper.

Aber waren diese Gedanken jetzt eigentlich wichtig? Christiane würde natürlich sagen, nein, überhaupt nicht, und ihn fast schon verletzt ansehen, weil sie es nicht ertragen konnte, dass jemand, der mit ihr schlief und in den sie verliebt war, nicht feinfühlig sein wollte, wenn sie es für angebracht hielt. Besonders bei ihm störte sie diese Diskrepanz zwischen seiner Zärtlichkeit und seiner Hingabe im Bett, seiner Fähigkeit, sich dort auf sie einzulassen, und seiner kühlen Distanziertheit, die er zur Schau trug, besonders wenn er nicht weiterwusste. Das hatte sie ihm gestern auseinandergesetzt, und er hatte sich sehr darüber geärgert, dass sie sich das Recht herausnahm, ihn zu analysieren. Martina tat es auch nach all diesen Jahren nicht.

Aber Christiane sprach jedenfalls wieder mit ihm. Auch sie redete jetzt über das Wetter, sie hatte heute Morgen mit ihrer Mutter telefoniert und erklärte ihm nun, dass ihre beiden Kinder gestern bei Sonnenschein den ganzen Tag am Strand verbracht hätten, ohne zu murren, dass sie so hingebungsvoll allein am Wasser gespielt hätten, dass ihre Mutter sogar in Ruhe hatte lesen können. Immer wenn sie von ihren Kindern sprach, hatte Christiane dieses spezielle Leuchten in den Augen, es war anders als das, was er kannte, es war nicht begehrlich oder feurig, sondern innig und sanft zugleich. Er glaubte nicht, dass er diese Art von Strahlen schon einmal in Martinas Augen wahrgenommen hatte, wenn sie über Max sprach. Sie beschwerte sich meistens über ihn oder lobte ihn, weil er irgendetwas so getan hatte, wie sie es für richtig hielt.

Bald würden Christianes Kinder zurückkommen. Nur noch ein paar Tage, und dann würde sie keine Zeit mehr für ihn haben. Sie könnten nicht mehr jede Nacht miteinander verbringen. Sehr wahrscheinlich würden sie überhaupt keine Nacht mehr miteinander verbringen. Olaf wusste nicht, ob es zu Ende gehen würde, wenn ihre Kinder in Berlin wären. Sie hatten noch nicht darüber gesprochen. Bald würde auch Martina wieder in Ludwigslust sein. Aber er hatte auch noch nicht darüber nachgedacht, wie es dann weitergehen sollte. Jedenfalls fühlte sich die Verbindung mit Christiane nicht mehr wie eine einfache Affäre an, die sie sich beide gönnten, weil die Umstände es gerade zuließen. Sie war ihm wirklich nahegekommen, das merkte er daran, dass er manchmal ein ungutes Gefühl hatte, wenn er sie ansah. Sie war ihm zu wichtig geworden und störte seine Kreise. Sie beschäftigte ihn, wenn er arbeitete, das hatte bisher noch keine Frau geschafft. Er konnte sich manchmal nicht so gut konzentrieren, wie er wollte, und gerade in der nächsten Zeit wäre es sehr wichtig, sich auf das Projekt zu konzentrieren, das vor ihm lag. Schon lange hatte er sich gewünscht, ein Haus in so einer phantastischen Lage zu bauen.

Charlotte Rice auf dem Rücksitz sprach immer noch nicht und starrte weiter nach vorne. Sie sah kein einziges Mal aus dem Fenster. Vielleicht hat sie Angst, noch irgendwo Nazis zu entdecken, dachte Olaf sarkastisch und fragte sich, ob die alte Frau es schaffen würde, ihr Feindbild von Deutschland so lange aufrechtzuerhalten, wie sie in Deutschland verweilte. Irgendwie ging ihm das gegen den Strich. Er wollte, dass sie die Augen öffnete und sah, wie anders Deutschland mittlerweile geworden war. Er wollte sie zwingen, sich einzugestehen, dass es falsch gewesen war, sich jahrzehntelang zu weigern, anzuerkennen, dass die Geschichte sich weitergedreht hatte.

Sie kamen am Heiligen See vorbei, und Olaf bog einfach Richtung Haus ab, obwohl sie abgesprochen hatten, gleich zum Anwalt zu fahren, weil Charlotte das Haus gar nicht hatte sehen wollten.

»Warum halten wir?«, fragte Christiane.

»Ich wollte ihr das Haus zeigen«, sagte Olaf.

»Aber sie hat doch gesagt, dass sie ...«

»Mag sein, ich denke aber doch, dass sie es sehen sollte. Ihr gehört es ja sozusagen zur Hälfte.«

Schon wieder sah Christiane ihn mit diesem wütenden Blick an, die Augen leicht zusammengekniffen, die Mundwinkel unmerklich nach unten gezogen, weil sie ihre Lippen aufeinanderpresste. Dieser Blick verletzte ihn, aber das ahnte sie sicher nicht. Es interessierte sie wohl auch nicht. Langsam wurde ihm das alles hier zu viel. Auch wenn Martina längst nicht so aufregend und inspirierend war, wenn sie wenig Themen ansprach, die ihn wirklich interessierten, war sie zumindest nicht auf diese Art schwierig. Bei Christiane fühlte er sich ständig auf dem Prüfstand. Matthias fährt sicher gerne mal für einige Wochen weg, dachte er. Zum ersten Mal, seit er wusste, dass Matthias existierte, empfand er so etwas wie Sympathie für ihn.

Charlotte Rice war mittlerweile ausgestiegen und sah sie beide fragend an.

»Ich dachte, Sie wollten das Haus und das Grundstück Ihrer Eltern vielleicht doch noch einmal sehen«, sagte Olaf.

Charlotte nickte, schien aber nicht sehr überzeugt davon zu sein, dass es wirklich eine gute Idee war. Sie wirkte ein wenig unsicher auf den Beinen, deshalb ergriff Olaf ihren Arm. Bereitwillig hakte die alte Frau sich bei ihm unter. Sie jedenfalls mag meine Art, dachte Olaf. Christiane trottete wieder unschlüssig hinter ihnen her und hatte die Hände in den Taschen ihres Mantels vergraben. Olaf dachte daran, wie sie zum ersten Mal gemeinsam hier gewesen waren und Christiane nicht bemerkt hatte, dass er sie unsäglich begehrte. Er verstand diese Frau nicht. Auf der einen Seite war sie so einfühlsam, mit ihren Kindern bestimmt großartig, verständnisvoll, auf der anderen Seite merkte sie überhaupt nicht, dass sie ihm mit ihrer brüsken Art manchmal zu sehr auf die Füße trat. Aber jetzt war es wichtiger, sich um Charlotte zu kümmern, die sich an seinem Arm festhielt, als ob sie im Begriff wäre, das Gleichgewicht zu verlieren.

»Ich kann mich an das Haus nicht erinnern«, sagte sie. »Sind wir wirklich richtig?«

»Es stand damals noch nicht hier, es ist erst zu DDR-

Zeiten gebaut worden«, sagte Olaf. Endlich konnte er die Initiative ergreifen und Christiane zeigen, dass auch er mit der Situation zurechtkam.

Charlotte schüttelte den Kopf, als sie vor dem Haus stehen blieben.

»Nein, ich erinnere mich an gar nichts. Wann haben meine Eltern das Grundstück gekauft? Geht das aus dem Vertrag hervor?«

»1928«, sagte Olaf. Er hatte das recherchiert.

Christiane sah ihn erstaunt und nicht mehr verdrossen, sondern ein wenig bewundernd an.

»Da bin ich geboren«, sagte Charlotte. »Ich will den Garten sehen.«

25

Charlotte hatte angenommen, dass sich ihre Leidenschaft für Gartenarbeit aus sich selbst heraus entwickelt hatte. Sie konnte sich nicht erinnern, dass irgendjemand in ihrer Familie in Deutschland oder danach in England im Garten gearbeitet hätte. In Richmond wurde dafür ein Gärtner bestellt, der die Hortensienbüsche im Vorgarten und die Rosen- und Staudenbeete im hinteren Garten pflegte. Die Rasenfläche wurde regelmäßig gemäht, eigentlich war sie ideal zum Fußballspielen, aber nachdem Felix seinen Fußball in die Rosen geschossen hatte und dafür zwei Wochen Zimmerarrest bekam, spielten sie im Garten nicht mehr Fußball, es sei denn, der Drachen hatte Ausgang und Mr. und Mrs. Kramer waren auch weg.

Charlotte ging mit Olaf um das graue, nicht sehr ansehnliche Haus herum und betrat den Garten. Den Bildern aus ihrer Erinnerung, die sie augenblicklich bestürmten, konnte sie nur standhalten, indem sie sich bei Olaf festhielt. Der Garten war ein wenig vernachlässigt worden, aber dennoch blühte an jeder Ecke etwas: Stockrosen, gefüllte Sonnenblumen, rosafarbene und weiße Bougainvilleen und ihre geliebten Levkojen, die sie in London immer wieder versucht hatte zu züchten. Aber einerlei, was sie mit ihnen anstellte, sie waren nie so geworden, wie sie es sich erträumt hatte.

Einer ihrer schönsten Träume, der oft wiederkam und sie entspannte, war der von einem perfekten Garten. Im Traum waren die Pflanzen und Blumen größer als in Wirklichkeit. Sie hatten einen intensiveren Duft, und in der Ferne hörte Charlotte ein leises Plätschern, als ob der Garten am Wasser läge, wobei sie den See oder den Fluss in ihrem Traum nie sah. Pfauenaugen und Nacht-falter gab es in ihrem Traumgarten, sie fand dort Maikä-fer und unzählige Marienkäfer, und ganz hinten in einer Ecke stand eine Steinbank, auf der manchmal in ihrem Traum jemand saß. Aber sie war nie so nahe herange-kommen, dass sie hätte erkennen können, wer es war. Niemals hatte Charlotte angenommen, dass es diesen Garten wirklich gab, und nun stand sie mittendrin. Jetzt fiel ihr alles wieder ein. Hier am Ufer des Heiligen Sees hatte sie einen großen Teil ihrer frühen Kindheit ver-bracht. Hierher war sie mit ihren Eltern am Wochenen-de, besonders von Frühling bis Herbst, hinausgefahren, und immer hatte ihre Mutter große Körbe dabeigehabt, in denen sie Blumen oder Erbsen, Bohnen oder Äpfel, je nachdem, was gerade dran war, wieder mit zurück nach Schlachtensee nahm. In jedem Raum füllte sie nach einem dieser Ausflüge Vasen mit Blumen, und der Duft verzauberte die Wohnung.

Jetzt sah sie sich wieder neben ihrer Mutter in einem Beet hocken, in einer Hand die kleine grüne Emaille-schaufel, die sie zum Geburtstag geschenkt bekommen hatte. War es ihr dritter gewesen? Sie ahmte die Bewe-gungen ihrer Mutter nach, die nicht müde wurde, die Erde in den Beeten aufzulockern, Unkraut zu entfer-nen, die Blüten abzuknipsen und zu gießen, wenn die

Pflanzen länger kein Wasser mehr bekommen hatten. Ihr Vater beteiligte sich selten an dieser Art der Gartenarbeit, er war für die gröberen Dinge zuständig. Er schnitt Äste von Bäumen ab, mähte den Rasen, wenn es nötig war. Dabei zog er manchmal sein Hemd aus, bis seine Frau sich beschwerte, weil doch Nachbarn ihn so sehen könnten. Oft saß er aber auch nur in seinem Liegestuhl, den sie in einem Holzschuppen am Ende des Grundstückes neben den Gartengeräten deponiert hatten, und dachte darüber nach, was für ein Haus er bauen würde, wenn er dafür genug Geld zusammengespart hätte.

Oft kamen auch die Großeltern vorbei, Mamas Eltern, Oma und Opa Potsdam nannten Charlotte und Felix sie, denn sie wohnten ganz in der Nähe, drei Stationen mit der Straßenbahn entfernt. Durch einen Tipp von ihnen hatten sie das Grundstück auch günstig kaufen können, mit der Erbschaft, die Papa beim Tod seiner Eltern gemacht hatte. Seine Eltern waren schon tot gewesen, als Charlotte auf die Welt kam, aber Mama und Papa sprachen viel über sie, besonders wenn sie in ihrem Garten am Heiligen See waren.

Sie war in diesem Garten glücklich gewesen. Ihre Mutter hatte hier ihre Hochzeit ausrichten wollen. Davon sprach sie schon, als Charlotte noch ganz klein war.

»Wir stellen einen langen Tisch in der Nähe des Sees auf und decken ihn mit gemangelter weißer Tischwäsche und dem Silber und Porzellan, das wir nur zu den höchsten Feiertagen aus dem Schrank holen«, erzählte sie.

»Und dann pflücken wir große Sommersträuße«, sagte Charlotte.

»Du wirst eine so schöne Braut«, erwiderte ihre Mutter und strich ihr mit einem zärtlichen Blick das Haar aus der Stirn.

Warum hatten ihre Eltern das Grundstück verkauft?, fragte sie sich, aber sie wusste die Antwort. Sie hatten die Garantiesumme für ihre Kinder bezahlen müssen, um sie nach England schicken zu können, und sie hatten nichts mehr, das sie sonst hätten verkaufen können. Außerdem dachten sie, dass sie selbst es schaffen würden, Deutschland rechtzeitig zu verlassen.

Wenn die Nazis nicht an der Regierung gewesen wären, wenn es den Krieg und den Holocaust nicht gegeben hätte, wenn die DDR nicht gegründet worden wäre, wenn es so weitergegangen wäre wie Ende der 20er, würde ich jetzt hier leben, dachte Charlotte. Vielleicht würde ich jeden Morgen mit einem Handtuch zum Schwimmen gehen, mich zuerst kurz auf den Steg setzen und dann mit einem Kopfsprung ins Wasser tauchen wie meine Eltern damals.

Ihre Beine gaben nach. Gott sei Dank war Olaf immer noch an ihrer Seite, und so konnte sie sich auf seinen Arm stützen. Sie hatte damit gerechnet, dass sie sich von Nazis bedroht fühlen würde, sobald sie deutschen Boden betrat, dass sie in Christiane und Olaf die Nachfahren dieser Nazis erkennen würde, dass die Erinnerungen an ihre Kindheit ausschließlich überschattet von Schmerz und Angst wären, dass sie überhaupt kein Heimatgefühl entwickeln und ihr hier alles so fremd sein würde wie jeder x-beliebigen Engländerin, die mit über siebzig zum ersten Mal Deutschland, dieses ehemals so verhasste Feindesland, besuchte.

Aber von den innigsten und schönsten Erinnerungen an ihre Kindheit heimgesucht zu werden kam so überraschend für sie, dass sie überhaupt nicht wusste, wie sie darauf reagieren sollte.

»Wir haben hier sehr viel Zeit verbracht«, sagte sie zu Olaf. Er fragte nicht weiter. Christiane stand abseits, sie wirkte nervös. Sie schien nicht damit einverstanden zu sein, dass Olaf ihr das Haus und den Garten zeigte. Vielleicht kämpft sie mit dem Gedanken, mir den gesamten Besitz anzubieten, dachte Charlotte. Irgendwie stand er ihr ja auch zu, und wenn sie es darauf anlegte, einen Prozess zu führen, könnte es ihr vielleicht auch gelingen, alles zu bekommen. Aber ob sie das dann noch erleben würde? Sie war alt, in letzter Zeit hatte sie schon ein paarmal geglaubt, dass sie sterben müsste, denn ihr Herz schlug ab und zu so wild und unregelmäßig. Es schmerzte dann stark. Es waren Arrhythmien. Sie wusste, dass diese plötzlich auftretenden Unregelmäßigkeiten des Herzschlages sehr schnell dazu führen könnten, dass ihr Herz nach einem letzten Aufbäumen einfach stehenbliebe. Charlotte wollte unbedingt noch einmal vorher ihren Bruder sehen, den einzigen Menschen, den sie ihr ganzes Leben hindurch geliebt hatte.

Wenn sie Olaf, den Architekten, richtig verstanden hatte, würde der Verkauf des Hauses in den nächsten Tagen über die Bühne gehen. Sie müsste nur beim Anwalt Papiere unterschreiben, ihre Bankverbindung angeben, und dann würde sie das Geld überwiesen bekommen. Ungefähr 300 000 Euro, 150 000 für sie selbst und 150 000 für Felix.

»Wir müssen jetzt aufbrechen«, sagte Olaf. Er war höflich, verbindlich, wahrte eine Distanz zu ihr, die ihr guttat. Sicher ging ihm diese Sache nicht so nahe wie Christiane. Das war offensichtlich. Sein Ziel war es, diesen Termin möglichst unbeschadet über die Bühne zu bringen. In Gedanken war er schon viel weiter, nämlich dabei, mit Christiane, in die er offensichtlich verliebt war, den Hausverkauf zu feiern. Christiane war verheiratet. Sie trug einen schlichten Ehering, aber es war klar, dass nicht Olaf ihr Mann war. In einer anderen Situation hätte Charlotte diese Konstellation interessiert, aber dafür hatte sie heute keine Kraft.

»Wo ist die Kanzlei?«, fragte Charlotte, als sie wieder im Wagen saßen, dieses Mal sie vorne auf dem Beifahrersitz und Christiane hinten. Eigentlich hatte sie nicht fragen wollen, denn es bestand eine wenn auch nur winzige Möglichkeit, dass sie den Straßennamen wiedererkennen und dass er eine weitere Flut von Erinnerungen auslösen würde. Aber der Name der Straße kam ihr nicht bekannt vor, die Kanzlei lag irgendwo im Potsdamer Stadtgebiet.

26

Bemerkte Olaf nicht, dass Charlotte nahe daran war zusammenzubrechen? War er wirklich so blind? Er musste doch spüren, dass sie sich mit zitternder Hand an seinen Arm klammerte und alle paar Schritte ins Wanken geriet? Was wäre, wenn sie stürzte und Olaf sie nicht auffangen könnte? In ihrem Alter brach man sich leicht etwas.

So sehr Christiane Olafs entspannte Sicht auf die Dinge schätzen gelernt hatte, so wenig gefiel er ihr jetzt in dieser Situation. Okay, er war charmant, zuvorkommend, mimte den Kavalier alter Schule perfekt. Und Charlotte schien es zu gefallen. Auf der anderen Seite war das, was er tat, leichtsinnig und unüberlegt. Hatte er selbst wirklich noch keine seelischen Zustände erlebt, die ihn an die Grenze seiner Belastbarkeit und darüber hinaus geführt hatten? War ihm die Seelenwelt wirklich unbekannt, in der sich Panik und Ängste zu einem Sturm zusammenbrauten, der in kurzer Zeit lebensbedrohlich werden konnte?

Christiane hatte solche Zustände in den vergangenen Jahren zu oft erlebt. Sie waren immer mit großer Hilflosigkeit verbunden gewesen, weil sie nicht gewusst hatte, wie sie Philipp noch helfen könnte. Christiane wollte auf keinen Fall wieder in diesen lähmenden, dichten Nebel aus Panik, Angst und Scham fallen.

Vielleicht würde sich bald alles ändern. Möglicherweise gab es einen Weg für Philipp, den sie noch nicht kannte. Möglicherweise sollte sie einfach abwarten, bis sich ihr eine Lösung offenbarte. Aber warum hatte sie Angst, dass es zu einer Katastrophe käme, wenn sie die Zügel einmal schleifen lassen oder aus der Hand geben würde? In den vergangenen Wochen hatte sie es doch auch geschafft, die Verantwortung für ihre Kinder an ihre Mutter abzugeben. Es war sogar leicht gewesen. Sie hatte es genossen, sich wenig Gedanken um den weiteren Verlauf von Philipps Entwicklung zu machen.

Verstohlen betrachtete Christiane Charlottes Profil. Sie hätte die alte Frau gerne fotografiert. Dieses von Falten zerfurchte Gesicht, diese hervorstehende, fast aristokratische Nase, ihre dunkelblonden Augenbrauen und Wimpern, diese wässrig-blauen Augen, die früher bestimmt durchdringend und sehr beeindruckend gewesen waren, den Mund mit den vergleichsweise schmalen Lippen. Charlotte war nicht schön, sehr wahrscheinlich nie gewesen, und weiblich wirkte sie auch nicht. Ihr Hals war dafür zu hager und zu faltig. Jede ihrer Bewegungen verriet, dass sie gar keinen Wert darauf legte, Männer zu beeindrucken. Insgeheim beneidete sie Charlotte um diese Haltung. Ihr selbst war es immer wichtig gewesen, dass Männer sie attraktiv fanden. Sie genoss begehrliche Blicke. Sie wollte sie auch noch empfangen, wenn sie älter sein würde. Sie hatte sich geschworen, dass sie nicht wie einige Frauen der Generation ihrer Mutter werden wollte, die ihre

Sexualität bei der Eheschließung in der Kirche abgegeben zu haben schienen.

Lass es gutgehen, dachte Christiane, bitte lass Charlotte nicht zusammenbrechen. Sie hätte gerne in der Kanzlei angerufen, um den Anwalt davor zu warnen, in Charlottes Gegenwart Deutsch zu sprechen, aber sie traute sich nicht, im Wagen zu telefonieren. Was wäre, wenn Charlotte doch etwas verstünde und sich vielleicht bevormundet vorkäme?

Die Sekretärinnen schwiegen, als sie in die Kanzlei kamen, und der Anwalt begrüßte Charlotte in formvollendetem Englisch. Christiane konnte sich zurücklehnen. Jetzt übernahm jemand anderes die Verantwortung, dem sie trauen konnte. Sie musste nur ihren Namen unter einige vom Anwalt in seiner notariellen Position vorbereiteten Papiere setzen. In weiser Voraussicht hatte er sämtliche Unterlagen übersetzen lassen.

Sie wurden in einen Konferenzraum geführt. Auf dem dunklen Mahagonitisch standen Kaffee, Tee, Tassen, Gläser, Cola, Mineralwasser und Kekse bereit. Die Kanzlei schien gute Geschäfte zu machen. Die Bilder an den Wänden – Stiche vom historischen Kern Potsdams und Berlins – waren Originale. Christiane setzte sich auf einen der grün gepolsterten antiken Stühle. In dieser konservativen, gediegenen Atmosphäre fühlte sie sich wie immer etwas fehl am Platz. Sie bemerkte, dass ihre Fingernägel nicht manikürt waren. Sie griff sich in die Haare und versuchte ihren Pferdeschwanz, der sich kurz vor der Auflösung befand, unauffällig zu richten. Hatte sie ihre Schuhe eigentlich geputzt? Sie sah zu Olaf hinüber, der am anderen Ende des Tisches als Beobachter Platz genommen hatte. Dieser Teil der Abwicklung war nicht sein Part. Eigentlich hatte er im Vorraum warten wollen, aber Charlotte hatte auf seine Anwesenheit bestanden. Er wirkte entspannt, vielleicht sogar ein wenig arrogant, war er das schon die ganze Zeit gewesen? Jedenfalls erkannte sie in diesem Mann nicht den wieder, der mit ihr noch vor wenigen Tagen in Kleidern in den See gesprungen war und sie dann auf dem warmen Holzsteg geliebt hatte. Der Mann, den er jetzt verkörperte, würde so etwas nicht tun. Contenance, schien er zu raunen, weil sie unruhig auf ihrem Stuhl hin und her rutschte, während er lässig, aber elegant und unbeweglich auf das wartete, was als Nächstes geschehen würde.

Der Anwalt verlas die Papiere auf Deutsch und dann auf Englisch. Ab und zu nickte Charlotte. Auch sie wirkte jetzt nicht mehr aufgewühlt, sondern fast kühl, auf jeden Fall beherrscht.

»Haben Sie noch Fragen?«, fragte der Anwalt auf Deutsch und sah dabei Charlotte an. Die alte Frau zuckte unvermittelt zusammen, niemand hatte sie vorher direkt auf Deutsch angesprochen. Charlottes Gesicht war plötzlich schweißüberströmt, und ihre Gesichtsfarbe wechselte binnen Sekunden von normal zu Weiß. Lautlos sackte sie in sich zusammen.

Die Männer im Raum reagierten nicht. Christiane war sich nicht sicher, ob sie überhaupt bemerkt hatten, was geschehen war.

»Olaf, wir müssen sie hinlegen. Sie ist ohnmächtig geworden«, sagte sie, während sie aufsprang. Gemeinsam hoben sie die bewusstlose Frau vom Stuhl und legten sie auf den Boden.

»Hol mir was, sie muss die Füße hochlegen«, befahl Christiane.

Der Anwalt hatte den Raum verlassen, um einen Notarzt anzurufen. Olaf kam mit Sitzpolstern zurück. Gemeinsam lagerten sie Charlotte auf dem Boden. Sie atmete zwar, war aber immer noch ohnmächtig. Christiane hockte sich zu ihr auf den Boden, hielt ihre Hand und klopfte leicht auf ihre Wangen.

»Besorg mir einen feuchten Lappen«, sagte sie zu Olaf.

Nach kurzer Zeit kam er mit einem Geschirrhandtuch zurück. Sie legte es Charlotte auf die Stirn, streichelte ihre kalte Hand und sprach leise mit ihr auf Deutsch. Sie wusste, dass jetzt nur ein sanfter mütterlicher Singsang helfen konnte. Sie sprach mit ihr so wie mit ihrem Sohn während eines Anfalls, bei dem er zuerst wütend und dann starr wurde und verstummte.

Nach, wie es Christiane schien, unendlich langer Zeit öffnete Charlotte die Augen. Sie sah Christiane an, nahm sie aber noch nicht richtig wahr.

Der Notarzt traf ein. Christiane wollte aufstehen und sich zurückziehen, aber Charlotte hielt ihre Hand weiter fest. Es wurde eine Infusion gelegt. Nach kurzer Zeit kehrte in Charlottes Gesicht die Farbe zurück.

»Ich werde sie ins Krankenhaus bringen lassen«, sagte der Notarzt zu Christiane. »Sie muss beobachtet werden.«

»Sie ist nicht gestürzt, nur auf dem Stuhl zusammengesackt. Wir haben sie dann auf den Boden gelegt«, erklärte Christiane.

»Dennoch, es ist besser, wenn sie beobachtet wird.«

Charlotte drückte ihre Hand und bewegte die Lippen: »Ich will nicht«, flüsterte sie auf Deutsch.

»Ich rufe jetzt den Krankenwagen«, sagte der Notarzt.

»Nein«, sagte Charlotte jetzt lauter. »Nicht den Krankenwagen. Ich will nicht. Nicht ins Krankenhaus.«

Sie sprach immer noch Deutsch, und ihre Stimme hatte die Klangfarbe eines sehr jungen Mädchens.

»Aber es ist besser für sie«, sagte der Notarzt zu Christiane.

»Bitte nicht, ich möchte nicht«, bettelte Charlotte.

»Gibt es eine andere Möglichkeit?«, fragte Christiane.

Sie schien die Einzige zu sein, die sich für die alte Frau interessierte. Olaf stand mit verschränkten Armen etwas abseits. Der Anwalt war wieder hinausgegangen, um zu telefonieren. Er hatte eine seiner Sekretärinnen beauftragt, ihn über den weiteren Hergang in Kenntnis zu setzen.

»Sind Sie mit der Frau verwandt?«, fragte der Notarzt jetzt.

»Nein, aber ich kann mich um sie kümmern. Ich kenne sie gut. Sie ist eine Freundin. Wenn ich sie mit nach Hause nehme und Sie sofort informiere, sobald sich die Lage wieder verschlechtert?«, fragte sie.

Charlotte schien das Gespräch verstanden zu haben. Sie nickte.

»Wollen Sie von Frau Mohn mitgenommen werden?«, fragte der Notarzt.

Charlotte nickte wieder.

»Haben Sie ihn verstanden?«, fragte Christiane jetzt auf Englisch.

»Ja, ich möchte zu Frau Mohn«, sagte sie auf Englisch.

»Ich kann sie fahren«, bot Olaf sich an.

Der Notarzt zögerte.

»Sie müssen unterschreiben, dass Sie die Verantwortung übernehmen«, sagte er dann.

»Können Sie aufstehen?«, wandte er sich an Charlotte, die nickte. Olaf und der Notarzt stützten sie beim Aufstehen und setzten Charlotte in einen Sessel.

Christiane unterschrieb das Formular, der Notarzt verabschiedete sich.

Die Papiere lagen noch nicht unterzeichnet auf dem Tisch. Christiane bemerkte, wie Olaf das bedauernd feststellte. In diesem Moment mochte sie ihn nicht. Als ob er das bemerkte, ging er hinaus und kehrte mit einer Flasche Mineralwasser und Gläsern zurück.

»Kaffee kommt gleich«, sagte er. »Du siehst so aus, als ob du einen gebrauchen könntest.«

Dabei strich er ihr die Haare aus der Stirn, und sie vergaß, dass sie ihn eben für kurze Zeit nicht hatte leiden können.

»Charlotte, Sie auch?«, fragte Olaf. Aber er bekam keine Antwort. Hilfesuchend wandte er sich an Christiane. Woher soll ich wissen, wie ich mich ihr gegenüber verhalten soll?, hätte sie ihn am liebsten gefragt, aber sie tat es nicht. Offensichtlich war er der Meinung, dass sie schon wüsste, was als Nächstes mit dieser Frau anzufangen war.

Christiane bereute, dass sie sich bereit erklärt hatte, Charlotte bei sich aufzunehmen, denn langsam wurde ihr klar, was das bedeutete. Olaf würde sich zurückziehen, sobald er sie zu Hause abgesetzt hätte. Sie müsste sich wieder um jemanden kümmern, der hilfsbedürftig war, Essen kochen, einkaufen, immer verfügbar sein. Und es blieben ihr nur noch zwei Tage, bis ihre Kinder zurückkämen. Sie hatte heute Abend mit Olaf bei einem Picknick am Wasser auf ihren Reichtum anstoßen wollen. Den Champagner hatte sie schon eingekauft, dazu sollte es Käse, Kapern und Erdbeeren geben. Den Käse und die Erdbeeren sollte sie jetzt also mit Charlotte essen und den Champagner irgendwann mit Matthias trinken?

Sobald sie an ihren Mann und die Kinder dachte, spürte sie eine Last auf ihren Schultern, und ihre Muskeln verhärteten sich. Sie konnte nur an die Pflichten und die Sorgen denken, die bald wieder auf sie einstürmen würden. Sie wollte nicht mehr wie bisher die Ehefrau, die ihrem Mann den Rücken freihielt, und die Mutter sein, die sich fast allein um ihre Kinder kümmerte. Sie wollte ihre Kreativität aktivieren und wieder fotografieren. Endlich die Projekte umsetzen, die sie im Kopf gehabt hatte, bevor die Kinder zur Welt kamen. Vielleicht könnte sie ja bald wirklich damit beginnen, das nötige Geld für teures Equipment und ein Atelier hatte sie. Ich könnte mich und die Kinder für eine Weile sogar allein finanzieren, dachte Christiane. In den vergangenen Wochen mit Olaf hatte sie ab und zu mit dem Gedanken gespielt, Matthias zu verlassen, besonders dann, wenn Olaf mit ihr schlief. In diesen Momenten war sie überzeugt, dass Olaf und sie zusammengehörten, dass sie etwas aufbauen würden, weil es überhaupt keinen anderen Weg gab als diesen.

Aber Olaf schwieg zu diesem Thema, wie er auch nicht über Martina sprach. Vor kurzem hatte er bedauernd erwähnt, dass seine Freundin demnächst zurückkehren würde und er dann die Wochenenden wieder in Ludwigslust verbringen müsse. Warum?, hatte sie ihn fragen wollen. Max ist nicht dein Sohn. Du hast Martina doch auch nicht vermisst. Ludwigslust magst du nicht, ihre Freunde nicht, also, was hält dich dort? Aber es hätte keinen Sinn gehabt, ihn zu fragen. Sie wusste, dass er ihr nicht antworten würde. Er sprach nicht über seine Gefühle, das hatte sie zu akzeptieren. Er sagte ihr nicht, dass er sie liebte, obwohl sie annahm, dass er es tat. Einige Male war ihr ein »Ich liebe dich« herausgerutscht, aber er hatte es unkommentiert gelassen. Olaf hatte sich auch nicht nach ihren Kindern erkundigt. War ihre Beziehung für ihn wirklich nur eine Amour fou? Sie versuchte sich einzureden, dass Olaf auf ihre Situation Rücksicht nehmen wollte, aber sie wusste, dass es noch etwas anderes gab, das Olaf davon abhielt, an eine gemeinsame Zukunft mit ihr und den Kindern zu denken.

Der Anwalt hatte den Raum wieder betreten und fragte, ob sie einen Termin für die Unterzeichnung der Papiere vereinbaren sollten.

»Nein«, sagte Charlotte auf Englisch. »Ich möchte jetzt unterschreiben.«

Sofort schob der Anwalt ihr die Papiere hin.

Charlotte unterschrieb alles, ohne sich noch einmal etwas durchzulesen. Dann reichte der Anwalt die Papiere an Christiane weiter. Auch sie unterschrieb ohne Zögern.

Olaf lächelte erleichtert, der Anwalt rieb sich sogar die Hände.

»Gut, dann ist alles erledigt«, sagte er und wandte sich an Olaf und Christiane.

»Wir telefonieren wegen des Notartermins für den Verkauf.«

»Wollen wir fahren?«, fragte Olaf. Er spielte mit seinen Autoschlüsseln. Christiane kam sich vor wie eine unliebsame Pflicht, von der er sich endlich befreien wollte. Aber es hatte keinen Sinn, ihm ihren Unmut mitzuteilen. Mit Charlotte Rice im Schlepptau sollte sie jede negative Äußerung unterlassen. Die Engländerin wirkte immer noch sehr angeschlagen und stützte sich beim Hinausgehen auf sie. Olaf wartete schon im Wagen bei angelassenem Motor.

»Du kannst es kaum erwarten, uns loszuwerden«, zischte Christiane leise. Olaf sah sie erstaunt und verletzt an.

»Ich dachte, sie sollte schnell zu dir gebracht werden«, erwiderte er dann mit beleidigtem Unterton.

Christiane wollte Charlotte allein auf die Rückbank verfrachten, aber Charlotte bat sie, sich zu ihr nach hinten zu setzen. Jetzt ist sie so anhänglich wie Philipp, dachte Christiane. Sie konnte sich nicht entscheiden, ob ihr das auf die Nerven ging oder sie rührte.

27

Wann hatte sie zum letzten Mal auf einem Sofa gelegen und jemand hatte eine Wolldecke für sie geholt und ihr über die Beine ausgebreitet? Und wann hatte sie jemand gefragt, ob sie hungrig sei, und als sie nickte, gefragt, ob sie mit einer Tomatensuppe, Käse, Brot und Erdbeeren einverstanden sei? Charlotte hörte das Knarren des Parkettfußbodens, das Klappern des Geschirrs in der Küche, das Rauschen von Wasser, das Klingeln eines Telefons und Christianes leise Stimme. In ihrem Innern war es still geworden. Sie sah aus dem Fenster in den Garten, und es verwunderte sie schon nicht mehr, dass die Aussicht der ähnelte, die sie nun schon seit Jahrzehnten in ihrem Herzen konservierte. Es war gegen sieben Uhr abends, die Sonne war herausgekommen, und die Stämme der beiden Kiefern, die sie von ihrer Lagerstätte aus sehen konnte, schimmerten rötlich in der Abendsonne. Wie oft hatte sie diese Szene geträumt und war beseelt und fast glücklich wieder aufgewacht? Wie oft hatte sie aber auch davor Angst gehabt, sie noch einmal zu erleben, weil sie nicht sicher war, ob ihr Herz dann standhalten würde? Sie hatte alles andere erwartet, aber nicht dieses tiefe friedliche Gefühl, das jetzt von ihr Besitz ergriff, ganz ohne den scharfen Beigeschmack von Schmerz. Sie betrachtete das Spiel der Sonne auf den

Stämmen und in den Wipfeln, sie sah, dass ein leichter Wind durch die Äste strich, und sie spürte ihn förmlich auf ihrer Haut: diesen sanften Windhauch, der den Geruch von sandigem Boden, Sonne und Kiefernnadeln mit sich führte und nicht von Meerwasser und dunkler Erde wie in London.

Sie wusste nicht genau, was ihr in der Kanzlei geschehen war. Sie hatte sich die ganze Zeit sehr gut im Griff gehabt, auch wenn die Erinnerung an ihre Kindheitstage am Heiligen See sie bedenklich aus der Bahn geworfen hatte. Sie hatte alles unter Kontrolle, doch dann waren ihr diese deutschen Worte um die Ohren geflogen, und schon geriet sie in einen Strudel aus Angst.

Sie wusste nicht, wie lange sie weggetreten war. Nach der Besorgnis, die sich auf den Gesichtern abzeichnete, als sie wieder zu sich kam, musste ihr Zusammenbruch bedrohlich ausgesehen haben. Als Erstes sah sie nach ihrer Ohnmacht in Christianes bernsteinfarbene Augen. Vor kurzem hatten sie Olaf Haas noch durchdringend und kritisch gemustert, jetzt war ihr Ausdruck sanft und weich. Ihre hellroten Haare schimmerten genauso wie Gerhards damals im Lager. Christianes Hand auf ihrer Stirn beruhigte sie. Und auch ihr deutscher Singsang entspannte sie, weil er so ähnlich klang wie der Gesang ihrer Mutter in der Nacht, wenn sie aus einem schlechten Traum erwacht war.

Christiane betrat das Zimmer.

»Wo möchten Sie essen?«, fragte Christiane sie jetzt. »Hier am kleinen Tisch oder am Esstisch?«

»Geht es auch in der Küche?«, fragte Charlotte. »Früher haben wir oft in der Küche gegessen.«

»Können Sie denn schon aufstehen?«, fragte Christiane. Sie nickte. Sie fühlte sich jetzt wieder stark genug. Christiane blieb dicht neben ihr, um ihr eventuell helfen zu können.

Charlotte genoss es, so behandelt zu werden, als sei sie etwas Kostbares. Sie konnte sich nicht erinnern, wie lange es her war, dass sich jemand so um sie gesorgt hatte. Anthony, der Buchhändler, hatte es auf keinen Fall getan. Der war immer zu sehr um sich selbst besorgt gewesen, als dass er sein Augenmerk auf sie hätte richten können. Und ihr Bruder hatte immer den Anspruch gehabt, als Jüngerer von ihr umsorgt zu werden.

Wenn ich wie viele andere der Kindertransportkinder selbst Kinder bekommen hätte, um mir durch meine eigene Familie die Geborgenheit zurückzuholen, die ich zu früh verlor, wäre meine Tochter vielleicht so alt wie Christiane, dachte Charlotte, und ich hätte Enkel. Sie ließ sich von der jungen Frau stützen, als sie durch den Flur ging, und es störte sie zum ersten Mal nicht, sich abhängig zu fühlen, denn dieses Gefühl war gepaart mit einem Gefühl von Wärme und Vertrauen. Christiane Mohn würde sie auffangen und versorgen, falls sie wieder zusammenbrechen sollte.

Natürlich gab es in dieser Berliner Küche keinen Kachelofen und auch keinen großen Spültisch wie früher in der Matterhornstraße. Der quadratische kleine Tisch, der vor dem Fenster stand, war aus hellem Holz. Die Stühle passten zwar dazu, sahen aber sehr hart aus. Über dem Tisch hing eine rote Metalllampe. Es gab selbstverständlich einen Geschirrspüler, einen modernen großen Kühlschrank, einen Herd mit Ceranfeldern anstatt mit

Gasflammen. Das Geschirr, das Christiane jetzt aufdeckte, war weiß mit blauem Rand, das Besteck nicht altmodisch. Es gab keine Stoffservietten wie bei Mutter früher immer, sondern gelbe Papierservietten. Aber in die Mitte des Tisches stellte Christiane eine weiße altmodische Milchkanne, die mit blauen Kornblumen gefüllt war.

Damals in der Nähe ihres Grundstückes am Heiligen See hatte es einen Vorgarten mit unzähligen Kornblumen gegeben, und ihre Mutter hatte sie jedes Mal auf ihre Schönheit aufmerksam gemacht, wenn sie daran vorbeikamen. Felix und sie hatten damals einmal zu Mamas Geburtstag dort einen Strauß gepflückt. Sie waren über den niedrigen Holzzaun gestiegen, als sie wussten, dass die Besitzer nicht da waren, und hatten so schnell gepflückt, wie sie konnten. Mama hatte sich über den Strauß gefreut und nicht gefragt, woher sie ihn hatten. In England hatte Charlotte nie versucht, Kornblumen zu pflanzen.

Christiane füllte die Tomatensuppe in die Teller und setzte sich ihr gegenüber.

»Guten Appetit«, sagte sie auf Deutsch.

»Danke«, antwortete Charlotte auch auf Deutsch.

Sie war hungrig und dankbar dafür, dass jemand anderes das Essen zubereitet hatte als sie selbst.

»Kennen Sie Olaf Haas schon länger? Was für ein Haus will er bauen?«, fragte Charlotte wieder auf Englisch.

Sie bemerkte, wie Christiane mit der Fassung kämpfte und nicht wusste, was für eine Antwort sie geben sollte.

»Nein, eigentlich kenne ich ihn noch nicht lange«,

sagte sie mit beherrschter Stimme auf Englisch. »Und wenn man es genau nimmt, dürfte ich ihn gar nicht mehr sehen«, fügte sie hinzu.

»Erzählen Sie«, forderte Charlotte sie auf.

Was dann kam, war das übliche Drama, A ist mit B verheiratet, meint aber, C zu lieben, der wiederum mit D liiert ist, aber sich in A verliebt hat. Charlotte hatte diese Geschichten dutzendweise gehört und war von zwei Freundinnen auch als Beichtschwester und als Alibi missbraucht worden. Aber Christianes Schilderung fesselte sie doch.

Christiane hatte wohl vorher mit niemandem darüber gesprochen. Ihre Augen begannen zu glänzen, als sie erzählte, wie sie Olaf kennengelernt hatte, ihre Gesichtszüge glätteten sich augenblicklich, und ihre Stimme bekam einen sanfteren Tonfall. Sie war offensichtlich unglaublich vernarrt in diesen Mann. Normalerweise hätte so eine Liebesgeschichte in einer gemeinsamen Wohnung, wenn nicht vor dem Altar oder dem Standesamt enden müssen. Aber da waren zwei andere Partner, die auch in ihrer Abwesenheit eine Rolle spielten. Anfangs gaben sie Christiane und Olaf den Schutz, ihren Gefühlen freien Lauf lassen zu können, ohne darüber nachzudenken, weil ja eigentlich nichts Ernstes daraus werden konnte, wie sie sich am Anfang versichert hatten. Gleichzeitig standen sie den beiden jetzt im Weg, weil zumindest Christiane erkannt hatte, dass es mehr war als eine kleine Bettgeschichte am Rande.

Aber Christiane liebte auch ihren Mann, wie sie Charlotte glaubhaft versicherte, wenn auch anders als Olaf, den sie gleichzeitig vergötterte und unmöglich fand. Ihren Mann liebte sie wie einen Gefährten. Sie war mit ihm sehr vertraut, sie kannte ihn bis ins Innerste. Sie schien ihn und ihre Familie nicht aufgeben zu wollen, aber gleichzeitig darunter zu leiden, dass sie es nicht konnte. Sie wollte die Person bleiben, die sie die vergangenen Jahre geworden war, und gleichzeitig vollkommen anders werden. Aber sie wusste nicht, wie sie beides miteinander vereinbaren sollte, die Frau, die an ihrer Familie hing, und die, die Freiheit und Unabhängigkeit wollte. Sie wollte ihre Kinder nicht aus ihrem kleinen Paradies herausreißen. Und sie war sich sicher, dass Olaf mit ihr kein neues Familienparadies aufbauen wollte, was sie ihm aber nicht übelnehmen konnte.

Christiane tat Charlotte leid. Sie wusste nicht, was sie ihr raten sollte. Also schwieg sie und lauschte Christianes Mischmasch aus Deutsch und Englisch. Und langsam kamen die Erinnerungen an ihre Muttersprache zurück. Als Christiane zum ersten Mal ein deutsches Wort über die Lippen gerutscht war, hatte sie sich erschrocken den Mund zugehalten und sich dann auf Englisch entschuldigt.

»Es ist in Ordnung für mich«, hatte Charlotte geantwortet und sich selbst darüber gewundert, dass die Worte, die Christiane auf Deutsch sagte, überhaupt keine Ängste in ihr auslösten, wohl, weil es um Gefühle und Dinge ging, die, in welcher Sprache auch immer, gleichermaßen dramatisch und brisant waren.

Christiane weinte während ihrer Erzählung. Sie lachte, sie lächelte, sie guckte zornig. Ihr Gesicht spiegelte in rascher Abfolge so viele unterschiedliche Emotionen wider, dass Charlotte am Ende den Eindruck hatte, diese

Frau, der sie vor wenigen Stunden zum ersten Mal begegnet war, genau zu kennen.

Es war mittlerweile dunkel geworden. Der Mond schimmerte durch die Kiefern, groß, weißgelb, strahlend. So hatte Charlotte ihn in England noch nicht gesehen. Dieser Mond schien nur in Berlin so zu leuchten und seine Magie zu entfalten. Charlotte erinnerte sich daran, dass ihre Eltern manchmal in solchen Mondscheinnächten im Heiligen See geschwommen waren, wenn sie auch nachts auf dem Potsdamer Grundstück blieben und in einer kleinen Kammer des Schuppens schliefen. Ihre Eltern hatten gewartet, bis Felix und sie selbst schliefen, und sich dann hinausgeschlichen. Ihre Mutter kicherte. Sie trug nur ein Nachthemd, und ihr Vater hatte den Arm um sie gelegt. Charlotte war nicht nur einmal heimlich hinausgeschlichen und hatte ihre Eltern beobachtet, wie sie sich ihre Kleider vom Leib streiften und dann nackt ins Wasser stiegen, im Mondschein in die Mitte des Sees schwammen, wo ein Floß verankert lag, und sich dort auf die Planken legten. Der See war in ein silbriges Licht getaucht, und Charlotte war eifersüchtig gewesen, weil ihre Eltern ohne sie glücklich waren.

»Wo ist Olaf jetzt?«, fragte sie unvermittelt.

»Ich glaube zu Hause, eigentlich wollten wir uns treffen«, antwortete Christiane, um danach wieder dieses erschrockene Gesicht zu machen, weil sie den zweiten Teil des Satzes nicht hatte sagen wollen.

»Ruf ihn an und fahr zu ihm«, sagte Charlotte auf Englisch und duzte sie im Geiste. »Es ist so eine zauberhafte Nacht.«

»Aber ich kann dich doch nicht allein lassen«, sagte Christiane, und Charlotte genoss den fürsorglichen Tonfall in ihrer Stimme.

»Doch, kannst du, mir geht es gut. Geh, ich weiß doch, wie wenig Zeit ihr noch füreinander habt.«

»Wenn es dir wieder schlechter geht?«

»Wird es nicht. Das weiß ich. Ich bin müde. Ich werde gut schlafen.«

»Ich wollte dich in Julias Zimmer einquartieren. Sie hat ein großes Bett. Ich habe es schon bezogen«, sagte Christiane.

»Danke, alles andere habe ich ja mit. Zeig mir einfach das Zimmer, und dann werde ich schlafen gehen.«

»Ich lege dir das Telefon neben das Bett, und wenn was ist, rufst du mich auf dem Handy an?«, sagte Christiane.

»Gut, danke. Aber ich glaube nicht, dass ich heute Nacht noch irgendwelche Hilfe brauchen werde. Geh und genieß diese Mondnacht.«

Christiane zögerte, aber als sie bemerkte, dass Charlotte keinen Widerspruch duldete, verschwand sie im Schlafzimmer, um kurze Zeit später in einem hellgrünen kurzärmeligen T-Shirt-Kleid, das ihre Figur betonte, wieder zu erscheinen.

»Du siehst umwerfend aus«, sagte Charlotte.

»Ich danke dir«, sagte Christiane und drückte Charlotte einen Kuss auf die Wange.

Dann verschwand sie durch die Haustür. Charlotte blieb in der leeren Wohnung zurück, und es fühlte sich ein wenig so an, als ob sie eine Großmutter wäre, die auf die schlafenden Kinder ihrer Tochter aufpasst.

28

Zwei Martinis auf Eis halfen auch nicht gegen das schlechte Gefühl, das Olaf ergriffen hatte, sobald er in seine erschreckend leere Wohnung zurückgekehrt war. Er ärgerte sich über den verpatzten Abend, den er mal wieder allein verbringen musste, obwohl er unbändige Lust auf eine Frau verspürte. Allerdings nur auf eine bestimmte. Diese Tatsache tat weh. Er hätte sich gerne noch einen Martini gegönnt, hielt sich aber zurück, denn er wusste, was geschehen würde, wenn er jetzt seinem Impuls nachgäbe. Es würde damit enden, dass er die Flasche mit in sein ungemachtes Bett nahm, um sie dann im Laufe einer schlaflosen Nacht auszutrinken. Am nächsten Morgen käme dann die Rache in Gestalt hundsmiserabler Laune und Kopfschmerzen, gepaart mit Übelkeit, weil sein eben nicht mehr 25-jähriger Körper seit einigen Jahren bei massivem Alkoholgenuss rebellierte.

Also beschloss Olaf, aufzuräumen, anstatt zu trinken, um den Schmerz zu vergessen, den er dumpf in sich spürte. Wo sollte er anfangen? Neben dem Bett standen natürlich einige leere Gläser, aber es waren zur Abwechslung nicht nur seine. An einigen befanden sich Spuren von kirschrotem Lippenstift. Beim Anblick dieser Farbkleckse registrierte Olaf ein Kratzen im Hals. Es fühlte sich an, als ob er gleich weinen müsste. Aber das wollte er auf keinen Fall. Also holte er das grasgrüne Tablett mit den Enten, das seine Mutter ihm vor Urzeiten geschenkt hatte und das er unter den Zeitungen in der Ecke neben dem Sofatisch fand, ging durch die Wohnung und sammelte alle Gläser, gebrauchten Aschenbecher und Teller ein, trug das Tablett in die Küche und bestückte seine kleine Geschirrspülmaschine damit. Dann setzte er sie in Gang, glücklich darüber, noch einen Reinigungs-Tab zu finden. Das Rauschen des Wassers, das in die Maschine lief, beruhigte ihn. Er nahm einen sauberen Lappen aus der Schublade, kramte im Schrank unter der Spüle nach einem Putzmittel und wanderte durch die Wohnung, befreite die Tische im Wohn-Ess-Zimmer von Gläser- und Flaschenspuren, säuberte den Nachttisch im Schlafzimmer. Dann putzte er das Badezimmer, was allerdings sehr schnell ging, weil er dort regelmäßig saubermachte, seit Christiane einen Teil ihrer Nächte bei ihm verbrachte. Als er die Armaturen der Badewanne polierte, fiel ihm die Flasche mit dem gelben Zitronenschaumbad in die Hände, das Christiane vor kurzem mitgebracht hatte. Wieder hätte er heulen können, denn er musste daran denken, wie Christiane und er vor noch nicht einmal 24 Stunden gemeinsam in seiner nicht gerade großen Wanne lagen. Christiane hatte über Charlotte gesprochen. Das glaubte er zumindest. Er hatte sich nicht auf das konzentrieren können, was sie sagte, weil er durch die Wassertropfen, die ihr den Hals hinunterrannen, abgelenkt wurde. Viel später wischte er die Überschwemmung vom Badezimmerboden, während Christiane Sushi bestellte.

Er war immer wieder verblüfft und stolz, dass er sie so zum Strahlen bringen konnte. Diese kleinen Funken in ihren Augen, diese Grübchen auf ihren Wangen, dieses glucksende Lachen würde er wohl nie vergessen können. Aber wenn sie so überschäumend glücklich sein konnte, dann war sie sicher auch manchmal unglaublich deprimiert. Und er wusste nicht, ob er ihre düsteren Stimmungen ertragen wollte. Er selbst litt schon unter seinen Verstimmungen, die er bisher allerdings erfolgreich als grippale Infekte hatte kaschieren können. Mit Christiane würde das nicht mehr gehen, sie würde ihn durchschauen. Martina hatte er zwar noch nie so euphorisch erlebt, aber auch nicht so trübsinnig, dass er sie nicht mit einem Witz oder Zärtlichkeiten hatte wieder aufmuntern können. Sie bekam ab und zu Heulanfälle, wenn sie sich mal wieder ungerecht behandelt fühlte. Meistens war er dabei aber nicht anwesend. Wenn doch, nahm er sie in den Arm, hielt sie eine Zeitlang fest, strich ihr durchs Haar, dachte an etwas anderes und sagte:

»Ist ja gut, es wird schon wieder.« Bisher hatte er sich so hervorragend aus der Affäre ziehen können.

Das würde bei Christiane bestimmt nicht funktionieren. Sie würde bemerken, dass er unbeteiligt blieb, und ihn deshalb kritisieren.

Aber wird es überhaupt weitergehen?, fragte er sich. Sie würde es sicher möglich machen, ihn ab und an zu treffen, aber wenn ihr Mann dann wieder auf der Bildfläche erschiene, würde es zu Ende sein. Oder würde sie ihn ab und zu anrufen und ihn zu einem Tête-à-Tête auffordern, weil ihr Mann gerade geschäftlich zu tun hatte? Er wollte nicht der Geliebte einer verheirateten Frau sein.

Er sammelte seine Kleider vom Boden auf. Christiane hatte ihn Stück für Stück ausgezogen. Es war sehr zärtlich gewesen. Sie hatte ihm sogar die Füße massiert und ihn von Kopf bis Fuß mit einer entspannenden Lotion eingecremt. Sein Körper fühlte sich so gut an, seit er Christiane kannte. Seine Haut spannte nicht, wie sie es sonst manchmal tat. Er lächelte auch viel mehr.

Sollte er sie anrufen und sie fragen, wie es ihr ging? Vielleicht erwartete sie das, aber genau das wollte er nicht erfüllen. Er wollte für sie nicht der Partner werden, der sich mit ihr über Alltägliches unterhielt. Er wollte mit ihr diese Zaubermomente erleben, sich auch noch an sie erinnern, wenn er schon lange nicht mehr in der Lage sein würde, eine Frau eine ganze Nacht lang zu lieben.

Er hätte eigentlich damit rechnen können, dass es Christiane war, die klingelte, aber ihr Anblick überraschte Olaf so, dass er sie weder begrüßte noch in die Wohnung bat. Aber das war wohl auch nicht nötig, denn sie hatte etwas anderes vor, als mit ihm in seinem Bett zu verschwinden.

»Hast du Lust auf ein Bad im Heiligen See?«, fragte sie. »Ich habe auch ein Picknick für uns.«

Er fand seine Badehose auf Anhieb. Sie hing auf dem Wäscheständer, der in einer Ecke des Badezimmers aufgestellt war. Er schnappte sich ein sauberes Handtuch und einen Pullover, sah noch einmal in den Spiegel. Christiane roch genauso wie bei ihrem ersten Treffen im Haus am Heiligen See, und sie sah in ihrem lindgrünen Kleid umwerfend aus, obwohl es bestimmt nicht besonders teuer gewesen war. Martina hätte so etwas nicht tragen können, ohne darin gewöhnlich zu wirken, aber zählte Martina eigentlich noch? Olaf konnte sich gar nicht mehr erinnern, wann er zuletzt sehnsüchtig an sie gedacht hatte. Sie war noch nicht aus Mallorca zurück, sondern hatte den Urlaub verlängert. Ob ihm das recht sei, hatte sie ihm am Telefon gefragt, ja natürlich, er habe ziemlich viel mit seinem Hausprojekt zu tun, hatte er geantwortet und das war noch nicht mal eine Lüge gewesen.

Martina schöpfte keinen Verdacht. Er würde dort anknüpfen können, wo er vor den Ferien mit ihr aufgehört hatte. Auch wenn er es sich momentan überhaupt nicht vorstellen konnte, mit einer anderen Frau als Christiane im Bett zu liegen, war es doch beruhigend, dass es Martina gab. So würde die erste Zeit ohne Christiane erträglicher werden, auch wenn er vermutete, dass er seiner Freundin Leidenschaft würde vorspielen müssen, falls sie wider Erwarten danach verlangen sollte.

Die Fahrt durch die Mondnacht entsprach sämtlichen Klischees. Sie hatten Christianes Wagen genommen, einen Passat, glücklicherweise waren keine Kindersitze hinten drin. Das Schiebedach war geöffnet, und Christiane fuhr. Sie hatte die Hand auf sein Knie gelegt – herrlich, diese Automatikschaltung, dachte Olaf. Sie hörten Nora Jones »Come away with me«. Sie sprachen nicht. Olaf streckte seinen Arm aus dem geöffneten Fenster und spürte die Sommerluft weich auf seiner Haut. Als sie durch den Grunewald Richtung Glienicker Brücke fuhren, roch es nach Kiefern und Sandboden. Es war so verdammt schön. Er betrachtete Christiane von der Seite. Sie trug ihre hellroten krisseligen Locken heute offen.

Er kraulte ihren Nacken, bis sie ihn bat, damit aufzuhören, weil sie sich sonst nicht konzentrieren könne.

Sie parkten vor dem Haus. Olaf bedauerte, dass es so gut wie verkauft war. Für einen Moment wollte er Charlottes Hälfte kaufen und mit Christiane in diesem Haus wohnen. Er würde im Sommer fast jeden Abend mit ihr im See baden. Aber das war ja Illusion. Sie musste sich um ihre Kinder kümmern. Die wären bestimmt nicht begeistert, wenn ein anderer Mann als ihr Vater mit ihnen zusammen in einem Haus wohnen und mit ihrer Mutter baden würde. Denn das war ihm mittlerweile klar: Matthias' Platz war nicht frei. Er wurde von Christiane auf eine Olaf nicht verständliche Art sehnsüchtig erwartet: Als Gefährte, mit dem sie ihr Leben teilen wollte – auch ihren Alltag. Darauf war Olaf eifersüchtig, denn das kannte er ja schon: Frauen, die ihn liebten, aber nicht den Alltag mit ihm verbringen wollten oder konnten. Gut, bisher war er auch immer sehr damit einverstanden gewesen, aber wie würde es in zehn Jahren aussehen? Würde er dann als Liebhaber noch genügen? Oder wäre er allein und irgendwann auf die Hilfe von Freunden oder einer Pflegerin angewiesen?

Egal, er wollte an diese Dinge nicht denken, und es fiel ihm auch nicht schwer, sie wegzuschieben, denn vor ihm stand Christiane in ihrem roten Badeanzug. Und dann fragte sie ihn mit dieser besonderen Stimme, ob er nicht Lust hätte mit ihr zu schwimmen, und er konnte gar nichts mehr denken.

Sie schwammen Seite an Seite auf den See hinaus und sprachen nicht. Es war still. Die Villen schienen alle verlassen zu sein. Das Wasser kühlte angenehm. Olaf spürte jeden Muskel und fühlte sich fit und männlich. Er war glücklich, hier mit einer Frau zu sein, die schnell und stetig neben ihm schwamm, der nicht nach zwei Minuten kalt wurde, die auch keine Angst vor Fischen oder sonstigem Getier in dem schwarzen Wasser hatte. In der Mitte des Sees legten sie sich auf den Rücken und betrachteten die Sterne.

»Ich liebe dich«, rutschte es Olaf heraus. Eigentlich hatte er diese Worte niemals zu Christiane sagen wollen. Aber er tat es jetzt, fast gegen seinen Willen, und wusste, dass selten etwas so gestimmt hatte.

Aus dem Liebesspiel im Garten allerdings wurde nichts und auch nicht aus dem Picknick, denn als Christiane und Olaf wieder am Ufer des Sees ankamen, klingelte Christianes Handy.

»Ich muss sofort zu Charlotte«, sagte Christiane, nachdem sie aufgelegt hatte, und Olaf schleppte den Picknickkorb zum Wagen zurück, ohne ihn überhaupt ausgepackt zu haben. Christiane setzte ihn beim Taxistand am Hagenplatz ab und fuhr nach einem kurzen »Entschuldige« und einem flüchtigen Kuss auf die Wange davon.

Die Martiniflasche war am Ende der Nacht leer. Am nächsten Morgen meldete sich Olaf krank.

29

»Bitte komm«, hatte Charlotte auf Deutsch gesagt. Es klang panisch. Nach dem Anruf konnte sich Christiane nicht mehr auf Olaf konzentrieren – was hatte er in der Mitte des Sees zu ihr gesagt? –, sie war auch nicht weiter aus auf Romantik. Ihre mütterlichen Reflexe funktionierten perfekt. Es benötigte jemand Hilfe, der schwächer war als sie. Sie reagierte sofort. Es wäre sicher besser, abgebrühter zu sein. Ich hätte Charlotte ins Krankenhaus schicken sollen, dachte sie. Stattdessen musste ich selbstverständlich meine Hilfe anbieten. Olaf hätte sie ohne zu zögern ins Krankenhaus gebracht. Was ist, wenn ihr was Schlimmes zugestoßen ist? Bin ich dann daran schuld? fragte sie sich, während sie zu schnell zu ihrer Wohnung fuhr. Sie parkte ihren Wagen quer auf dem Bürgersteig und rannte die Treppen zu ihrer Wohnung hoch. Es war drei Uhr. Sie sah automatisch auf die Uhr, bevor sie aufschloss.

Es war merkwürdig still in der Wohnung. Charlotte war nirgendwo zu finden: nicht im Wohnzimmer, nicht in der Küche, im Schlafzimmer, in den Zimmern der Kinder. Sie rief leise nach der alten Frau, um sie nicht zu erschrecken. Nirgendwo waren Spuren von Einbrechern zu entdecken. Hatte die alte Frau in der Zwischenzeit das Haus verlassen und irrte jetzt durch die Straßen?

»Charlotte«, rief Christiane wieder leise, aber sie bekam keine Antwort. Sie lehnte im Flur an der Wand und überlegte, was sie als Nächstes tun sollte. Vielleicht sollte sie Olaf anrufen, aber der saß sicher noch im Taxi und hatte sein Handy bestimmt nicht dabei. Warum hatte sie ihn eigentlich nicht darum gebeten mitzukommen und zu helfen? Matthias hätte sich nicht abwimmeln lassen, sondern wäre selbstverständlich mitgegangen. Hätte Olaf nicht seine Unterstützung anbieten können, obwohl er beleidigt gewesen war? Aber wollte sie seine Hilfe eigentlich?

In der Dunkelkammer hörte sie es scheppern.

»Charlotte, bist du dort?«, fragte sie leise. Wieder schepperte es. Langsam öffnete Christiane die Tür. Die alte Frau kauerte in einer Ecke, den Rücken an die Wand gepresst, die Hände vors Gesicht geschlagen.

Christiane hockte sich hin und sprach mit Charlotte so wie mit Philipp, wenn er außer sich war. Zuerst reagierte die alte Frau nicht. Christiane versuchte, ihr mit sanftem Druck die Hände vom Gesicht zu lösen. Sie wollte sehen, ob sie sich etwas angetan hatte. Aber ihre Arme schienen unverletzt zu sein. Die alte Frau wimmerte, doch als Christiane sie umarmte, ging das Wimmern in ein Schluchzen über, ein herzzerreißendes Schluchzen, das ihren Körper schüttelte und endlos dauerte. Charlotte klammerte sich an ihr fest. Sie stammelte unzusammenhängende Wörter, die Christiane nicht verstand. Muss ich den Notarzt holen?, fragte sie sich. Was würde geschehen, wenn sich Charlotte nicht beruhigen ließe? Aber noch konnte sie diese Situation aushalten, sie war durch ihren Sohn einiges gewöhnt. Er ließ sich manchmal zehn Minuten lang nicht beruhigen, schrie so laut und schrill, dass sie schon mehr als einmal Angst gehabt hatte, die Nachbarn würden die Polizei verständigen. Aber sie hatte es bisher immer geschafft, ihn zu beruhigen, durch einfaches Festhalten und Summen, manchmal hatte sie auch gesungen: »Der Mond ist aufgegangen«, »Bonanox« und Ähnliches. Durch das Singen war es meistens vorbeigegangen. Ihr Sohn hatte sich mit einem Seufzer entspannt und in ihre Arme gekuschelt.

Aber konnte sie es riskieren, deutsche Kinderlieder zu singen? Charlotte kannte sie bestimmt. Vielleicht hatten ihre Mutter oder ihr Vater genau diese Lieder in einer anderen Berliner Wohnung, die nicht weit von dieser entfernt lag, ihr vorgesungen. Würde Charlotte sich durch diese Lieder noch mehr in die andere, nicht reale Welt, in der sie sich gerade befand, verstricken oder würden die einfachen und sicher noch immer vertrauten Melodien sie beruhigen?

Christiane wusste nicht, was sie tun sollte. Zum ersten Mal seit längerer Zeit wünschte sie sich ihren Mann an ihre Seite. Der hätte ihr Kraft gegeben und vielleicht auch passende Vorschläge parat gehabt. Aber sie war in dieser Situation allein und konnte auch nicht eine Sekunde aus ihr heraustreten und Abstand nehmen. Also begann sie zu singen, weil ihr nichts Besseres einfiel.

»Der Mond ist aufgegangen,
die goldnen Sternlein prangen,
am Himmel hell und klar ...«

Sie sang die erste, zweite und dritte Strophe, es veränderte sich nichts an Charlotte. Das Schluchzen wurde nicht weniger, aber sie verkrampfte sich auch nicht mehr.

Sie begann von neuem mit dem Lied. Sang es ein ums andere Mal, weil sie sich an den Text eines anderen Liedes plötzlich nicht mehr erinnern konnte. Charlottes Schluchzen wurde ein wenig leiser.

Endlich fiel ihr noch ein anderes Lied ein, das ihr Sohn so gerne mochte, und sie begann es zu singen:

>Weißt du, wie viel Sternlein stehen,
an dem blauen Himmelszelt,
weißt du, wie viel Wolken gehen ...<<

Sie kannte nur die erste Strophe. Aber als Charlotte die Melodie hörte, entspannte sich ihr Körper schlagartig. Ihre Arme wurden schlaff und schwer. Sie hörte auf zu schluchzen. Bitte schlaf nicht ein, dachte Christiane, ich bekomme dich dann überhaupt nicht mehr auf die Füße. Als sie sicher sein konnte, dass sich die alte Frau beruhigt hatte, stand sie auf und zog sie mit sich hoch.

Charlotte ließ sich ohne Widerstand aus der Dunkelkammer hinaus und in Julias Zimmer führen. Dort legte sie Christiane ins Bett, zog einen Stuhl heran und blieb so still neben ihr sitzen, bis sie sicher sein konnte, dass Charlotte schlief. Dann holte sie sich eine Isomatte und ihr Bettzeug und verbrachte den Rest der Nacht auf dem Boden im Kinderzimmer ihrer Tochter.

30

Die Erschöpfung und die Müdigkeit legten sich wie ein schweres Tuch über Charlotte. Sie hörte Christiane atmen. Es war tröstlich, dass sie neben ihr lag. So würde sie die Nacht überstehen können, und wenn noch einmal eine Angstattacke käme, würde Christiane von ihren Schreien aufwachen und sie wieder in die Wirklichkeit zurückholen.

Sie wusste, was sie in Panik versetzt hatte. Es waren Geräusche im Treppenhaus gewesen: ein Scharren von schweren Schuhen, ein Knarren der Stufen, ein nächtliches Klingeln an der Tür gegenüber. Sie hatte eigentlich ruhig und entspannt geschlafen, doch dann war sie durch diese Geräusche geweckt worden. Nicht so sehr durch die Lautstärke, sondern durch ihre eigene Panik. Sie hatte die Geräusche wohl in ihren Traum integriert. Sie strampelte die Decke weg, wachte mit zugeschnürter Kehle schweißnass auf. Sie versuchte zu schreien, aber sie konnte nur röcheln. Sie wusste nicht, ob die Geräusche Wirklichkeit waren oder nur Teil ihres Traumes, eines Traumes, der die Realität damals, in jenem November, der in ihrer Erinnerung ausschließlich düster war, überdeutlich wiedergab. Der sie aus dem Bett springen und barfuß im Nachthemd durch die Wohnung laufen ließ.

»Ist da wer?«, rief sie. Sie brauchte irgendetwas, um

sich zu verteidigen, wenn sie gleich da sein würden. Irgendetwas zum Schlagen, das hatte sie damals nicht gehabt. Sie suchte im Halbdunkel nach etwas, aber sie fand nichts. Für einen kleinen Moment sah sie klar: Telefonieren, dachte sie. Christiane hatte ihr gesagt, sie sollte einmal auf Grün drücken und dann auf das Symbol des Adressbuches, aber wo war das Telefon? Neben dem Bett, auf dem Nachttisch, fiel ihr ein. Sie ging zurück ins Kinderzimmer und nahm das Telefon in die Hand. Mit zitternden Fingern drückte sie die beiden Tasten, und da war am anderen Ende auch sofort Christianes Stimme. »Hallo, Charlotte, bist du's?«, fragte sie, und Charlotte hörte sich sagen – war das überhaupt ihre Stimme?: »Komm, ich hab Angst, komm.«

Ja, sie würde kommen, aber wie lange würde das dauern? Sie musste sich verstecken, wenn Christiane nicht rechtzeitig da sein würde.

Sie könnten jede Minute gegen die Wohnungstür schlagen, die genauso aussah wie die damals in der Matterhornstraße. »Aufmachen!«, würden sie rufen. Aber sie durfte nicht öffnen, einerlei, wie sehr sie dagegenschlagen würden, nicht den gleichen Fehler machen wie damals. Sie musste sich irgendwo verstecken. Ja, das wäre das Beste: sich verstecken und dort bleiben, bis sie wieder gehen würden. Und sie fand diesen winzigen Raum hinter einer der weiß lackierten Holztüren im Flur. Sie kauerte sich auf den Boden und versuchte, nicht mehr da zu sein.

Damals in diesen grauen Morgenstunden des 10. November 1938 war Mama in ihr Zimmer gekommen und hatte sie geweckt.

»Wach auf«, hatte sie gesagt. »Du gehst heute nicht in die Schule. Aber du musst auf deinen Bruder aufpassen. Ich muss jetzt weg. Du bleibst mit deinem Bruder hier. Du öffnest die Tür nicht, egal, wer dir sagt, dass du aufmachen sollst. Ich muss Papa suchen. Er ist gestern nicht nach Hause gekommen. Vielleicht ist er verhaftet worden. Sie haben die Synagogen angesteckt und viele Juden abgeholt. Jetzt machen sie Krieg gegen uns. Ich muss Papa finden. Du bleibst hier und bist ein großes Mädchen.«

Ihre Stimme hatte so schrill geklungen wie sonst nur, wenn Felix eine seiner Anwandlungen hatte und sie es nach langer Zeit schaffte, ihn wieder zu beruhigen.

»Ich will mitkommen«, sagte Charlotte und hielt sich an ihrem Kleid fest. »Lass uns mitkommen, bitte.«

»Nein, das geht nicht, es ist zu gefährlich. Ihr bleibt hier.«

»Bitte, Mama, ich habe Angst. Lass uns mitgehen.«

»Nein, Lotte«, rief ihre Mutter mit dieser schrillen Stimme, die ihr Angst machte.

»Sei einmal richtig vernünftig. Ich brauche wirklich deine Hilfe.«

»Gut, Mama«, sagte sie und spürte einen scharfen Schmerz in ihrem Herzen. Sie war doch immer vernünftig. Sie machte doch keinen Ärger. Das war doch eher Felix' Spezialität. Warum sagte Mama so etwas Böses zu ihr?

Jetzt nahm ihre Mutter sie in den Arm und drückte sie ganz fest.

»Lass Felix schlafen, und wenn er aufwacht, geh in die Küche und mach euch Frühstück. Es wird nicht so lange dauern. Aber ich muss jetzt gehen. Leg die Sicherheitskette vor, wenn ich draußen bin.«

Mama verschwand. Charlotte verschloss die Tür mit der Kette und drehte den Schlüssel sicherheitshalber zweimal um. Dann schlich sie in Felix' Zimmer, das direkt neben dem Schlafzimmer der Eltern lag, und schlüpfte zu ihm unter die Decke. Er kuschelte sich im Schlaf an ihre Schulter, und sie schlief wieder ein.

Sie wurden von Schreien und von Poltern aus dem Schlaf gerissen.

»Aufmachen, sofort aufmachen!«, riefen Stimmen. Es waren mehrere, und die Stimmen hörten sich wie die von Jungs und nicht von Erwachsenen an.

Felix wollte schreien. Lotte sah es an seinem geöffneten Mund, aber sie hielt ihm den Mund zu.

»Du darfst dich nicht rühren. Sie dürfen nicht wissen, dass jemand da ist«, sagte sie.

»Aber ich habe solche Angst«, sagte Felix und begann leise zu wimmern.

»Wo ist Mama? Ich will zu Mama.«

»Sie ist nicht da, reiß dich zusammen«, zischte Charlotte.

Innerlich betete sie: Geht weg, wir sind nicht da, geht weg, bitte.

Wieder schlug jemand gegen die Tür.

»Lotte«, hörte sie eine Stimme, die sie kannte. Es war Erikas Bruder. Er war älter und zog schon seit Jahren mit seinen Freunden in der Uniform der Hitlerjungen durch die Straßen. Er war kein Freund.

»Lotte, wenn du jetzt nicht aufmachst, dann breche ich die Tür auf«, rief er. Etwas krachte gegen die Tür.

Sie dürfen sie nicht kaputt machen, dachte Charlotte. Papa kann momentan keine neue bezahlen.

»Ich zähle bis drei«, erklang wieder die Stimme von Erikas Bruder. Hieß er nicht Hasso? »Wenn ihr dann nicht öffnet, breche ich die Tür auf.«

Warum sagte ihnen da draußen niemand, dass sie nicht so laut sein sollten?, fragte sich Charlotte, als sie mechanisch aus dem Bett stieg, zur Tür ging, gegen die immer noch geschlagen wurde, die Kette wegschob, den Schlüssel umdrehte und sie öffnete.

Vor ihr standen Hasso und vier andere Jungs, die sie vom Sehen kannte. Ihre Augen hatten einen irren Ausdruck, ihre Gesichter hatten sich zu Grimassen verzogen, die jetzt zu einem Grinsen wurden.

Einer zeigte mit dem Finger auf sie.

»He, du bist ja im Nachthemd«, rief er. Charlotte wusste nicht, wie spät es war. Draußen war es kaum hell geworden.

Die Jungs, alle in Hitlerjungen-Kluft mit Halstuch, Hemd, kurzer Hose und dem Koppel, schoben sie zur Seite und drangen in die Wohnung ein. Einer blieb bei ihr und packte sie am Arm. Die anderen rannten in jedes Zimmer. Es hörte sich so an, als ob jemand etwas umwarf.

Kurze Zeit später kam einer mit dem weinenden Felix zurück, er zog ihn am Ohr hinter sich her.

Charlotte wollte brüllen: »Lass ihn los, du tust ihm weh«, aber ihr blieben die Worte im Hals stecken.

»Los, mit euch ins Wohnzimmer«, sagte der Junge. Und zu den anderen: »Kommt mit, dann werdet ihr etwas zu sehen bekommen.«

Die anderen grölten und klatschten. Sie stapften ins Wohnzimmer. Vorneweg Hasso, der sie am Arm festhielt, und der andere Junge, der Felix gepackt hatte.

Hasso hatte offensichtlich das Kommando.

Er schob sie zur Wand neben dem Klavier.

Sie wurden umgedreht, so dass sie nur die Wand sahen. Charlotte merkte, dass ihr Bruder zitterte, aber jetzt nichts mehr sagte.

Über ihr hing das Bild vom Wannsee, im Vordergrund zwei Kiefern in der Sonne, dahinter ein Streifen Sandstrand und das Wasser mit einigen Segelbooten darauf.

»Wo sind eure Eltern, wo haben sie sich versteckt?«, schrie Hasso ihr jetzt ins Ohr. Er stand ganz dicht neben ihr. Sie konnte seinen Schweiß riechen. Er atmete schwer.

»Ich weiß nicht, sie sind nicht da«, sagte Charlotte. Ihre Stimme bebte. Sie begann zu schluchzen.

»Lass das«, schrie Hasso. Seine Stimme klang jetzt hysterisch. Die anderen Jungs hatten einen Halbkreis um sie gebildet und grölten und lachten jetzt.

»Der hat sich in die Hosen gemacht«, schrien sie. »Der Judenjunge hat sich in die Hosen gemacht. Komm, zeig deinen Pimmel, du beschnittenes Stück Dreck. Zeig ihn uns.«

Charlotte trat nach Hasso, der immer noch dicht neben ihr stand.

»Lass ihn in Ruhe«, schrie sie.

Hasso drehte ihr den Arm gewaltsam auf den Rücken.

»Bist du still, du kleine Schlampe«, zischte er. »Sonst bring ich dich um.«

Er drückte etwas Kaltes an ihre Schläfe. Es war ein Revolver.

»Noch ein Mucks, und ich drücke ab«, sagte er.

Charlotte konnte nur noch gegen die Wand sehen. Sie hörte Felix neben sich schreien: »Nein, ich will nicht«, aber es nützte ihm nichts.

Hasso drückte den Revolver noch härter gegen ihre Schläfe.

»Rühr dich nicht, sonst mach ich dasselbe mit dir«, sagte er mit plötzlich kratziger, belegter Stimme.

Es dauerte eine Ewigkeit. Felix war mittlerweile still bis auf ein Wimmern. Aus den Augenwinkeln sah sie, dass er auf dem Boden lag und blutete.

Jetzt sprach ein anderer Junge.

»Hasso, die sind nicht da, hier ist nichts für uns zu holen. Lass uns gehen. Der blutet. Lass uns von hier verschwinden.«

Hasso reagierte nicht. Ihm schien die Sache Spaß zu machen. Mittlerweile hatte er eine Hand unter ihr Nachthemd geschoben, während die andere Hand den Revolver weiter gegen ihre Schläfe presste. Seine Hand fuhr in ihren Schlüpfer. Sie war erstarrt und konnte sich nicht bewegen.

»Hasso, spinnst du«, rief jetzt ein anderer. »Du willst sie doch nicht ...«

»Warum nicht, sie ist doch nichts wert. Sie ist ein dreckiges Judenmädchen.«

»Lass das, Hasso«, schrie eine andere Stimme. Jemand riss Hasso den Revolver aus der Hand.

»Lass uns jetzt abhauen. Wir hatten doch unseren Spaß«, sagte jemand dicht neben Charlotte. Der Revolver war nicht mehr an ihrer Schläfe. Ein Junge hatte den Arm um Hasso gelegt und sprach auf ihn ein. Charlotte verstand nichts.

»Hockt euch auf den Boden und haltet die Hände vors Gesicht«, befahl der Junge, der mit Hasso gesprochen hatte.

Sie hockte sich gehorsam auf den Boden und hoffte, dass auch Felix dasselbe tat.

Die Jungs verließen polternd das Wohnzimmer. Die Wohnungstür krachte ins Schloss.

Sie trauten sich nicht, sich zu rühren, bis ihre Mutter mit Vater zurückkam. Ihre Eltern hoben sie stumm vom Boden auf und trugen sie ins Badezimmer. Sie zogen ihnen ihre vom Urin durchnässten Kleider aus und wuschen sie. Sie trugen sie hinüber ins Schlafzimmer und legten sie ins Bett. Papa legte sich zwischen sie und hielt sie beide fest im Arm. Mama ging in die Küche und kam mit heißer Schokolade und Keksen wieder. »Papa hat sich die Nacht über bei Freunden versteckt«, erzählte Mama. »Ich habe ihn auf der Straße vor unserem Haus getroffen, nachdem ich überall nach ihm gesucht habe.«

»Es wird alles wieder gut«, sagte Papa, aber zum ersten Mal in ihrem Leben glaubte sie ihrem Vater nicht.

Viel später hatte sie begriffen, dass sie in diesem Moment ihr Urvertrauen verlor. Ihre Wohnung und ihre Familie waren ihre Trutzburg gegen die böse Welt da draußen gewesen. Jetzt fühlte sie sich nirgendwo mehr sicher, noch nicht mal in ihrem Kinderzimmer.

Aber nach einer Zeit wusste sie nicht mehr, wovor sie Angst hatte, wenn sie nachts aus dem Schlaf schreckte.

Oder sie nahm an, dass es nur daran lag, dass sie allein nach London geschickt worden war. Sie vergaß die Einzelheiten jener Nacht, bis nichts mehr übrig blieb als dieses abgrundtief schwarze lebensbedrohliche Gefühl, das sie jedes Mal wieder im November ereilte und sie dann lange nicht mehr vom Haken ließ.

Aber hier in dieser Wohnung war die Erinnerung wieder möglich. Charlotte hatte Vertrauen zu Christiane. Sie wollte sich auf ihre Stärke verlassen. Sie hatte es ja auch schon getan und war nicht enttäuscht worden. Von ihren Armen umfangen und gehalten zu werden war tröstlich. Sie hatte sich getraut, sich wieder zu erinnern, mehr noch, sie wollte sich erinnern. Sie wollte die Lasten, die sie unbewältigt mit sich herumtrug, weitergeben. Auf andere Schultern abladen. Sie wusste, dass Christiane stark genug war, ihre Erinnerungen zu verkraften und sie zu stützen, wenn sie wieder in diese grauenerregende Zwischenwelt geraten würde. Christiane hatte nicht mit Schrecken reagiert. Sie hatte auch nicht gefragt, was in sie gefahren sei. Sie hatte ihre Angst und Hilflosigkeit ausgehalten.

Diese Gedanken gingen Charlotte durch den Kopf, als sie am nächsten Morgen noch im Bett lag. Sie hörte Christiane in der Küche werkeln. Sie roch frischen aufgebrühten Kaffee und beschloss, heute Morgen keinen Tee zu trinken wie sonst immer. Charlotte versuchte, die Buchtitel im Regal gegenüber ihrem Bett zu entziffern. Da standen die Harry-Potter-Bände 1 und 2, Bücher über Pferde. Sie las »Die Reise zum Mittelpunkt der Erde« von Jules Verne, »Trotzkopf«, »Die Brüder Löwenherz«, »Die

Kinder von Bullerbü«, die Michel-Bücher, »Ferien auf Saltkrokan« von Astrid Lindgren. Sie kannte sie alle. Oft hatte sie ihren Kindern auf der Krebsstation daraus vorgelesen. Besonders »Die Brüder Löwenherz«, denn diese Geschichte über eine andere Welt jenseits des Schmerzes und des Todes machte den Kindern Mut. Sie schlug das Buch auf, das schon mehrmals gelesen worden war, und begann leise zu lesen. Erst fiel es ihr schwer, die Bedeutung der Worte zu erfassen, aber da sie den englischen Text ziemlich genau vor Augen hatte, ging es von Seite zu Seite leichter. Die deutschen Worte formten sich in ihrem Innern neu und bekamen Klänge und Farben.

Christiane kam herein und fragte sie, ob sie aufstehen wolle oder ob sie ihr das Frühstück ans Bett bringen solle. Sie hätte aufstehen können. Sie fühlte sich nicht mehr schwach, aber sie wollte nicht. Sie wollte verwöhnt werden. So blieb sie liegen, und Christiane kam mit einem Tablett zurück, das mit gekochtem Ei, Brötchen und Aufschnitt, Marmelade, Honig und Kaffee bestückt war. Sie stellte das Tablett auf einem Stuhl ab, den sie ans Bett zog, schüttelte Charlotte die Kissen und die Bettdecke auf und öffnete das Fenster. Harziger Kieferndüft wehte ins Zimmer.

»Wenn du etwas brauchst, ich bin im Wohnzimmer«, sagte Christiane, dieses Mal auf Deutsch. Nach letzter Nacht war klar, dass sie auch Deutsch als gemeinsame Sprache haben konnten.

»Ja, danke«, antwortete Charlotte auch auf Deutsch. Es klang fremd, aber in diesem Moment war es ihrem Gefühl nach genau richtig, die Sprache ihrer Kindheit zu benutzen.

Mehrere Stunden las sie in »Die Brüder Löwenherz«, immer mehr kam die Erinnerung an ihre verlorene Kindheitssprache zurück, und Charlotte spürte, wie sehr sie die deutschen Idiome liebte.

Nachmittags stand sie auf und zog sich an – Christiane hatte ihre Sachen gewaschen und gebügelt.

»Möchtest du spazieren gehen?«, fragte Christiane vorsichtig. »Es ist so schön draußen. Wir können zum Hagenplatz gehen, der ist hier in der Nähe. Im Café Wiener gibt es phantastischen Kuchen.«

»Meine Mutter liebte Schwarzwälder Kirschtorte«, sagte Charlotte.

Sie sagte es so leichthin, wie wenn ihre Mutter vor kurzem an Altersschwäche gestorben und nicht in einem KZ ermordet worden wäre.

Sie gingen langsam durch die Straßen. Der Sand auf den Gehwegen knirschte unter ihren Füßen. Die Laternen sahen genauso aus wie die, an die Charlotte sich von früher erinnerte. Alles wirkte jetzt vertraut: der samtige Lufthauch auf ihren Armen, das sanfte Rauschen des Windes in den Bäumen, das leise Knacken der Kiefernstämme, das Geräusch langsam fahrender Wagen, die selbstverständliche Herrschaftlichkeit der Villen, dieses unvergleichlich sanfte und zugleich so helle Licht, das sie in dieser Form niemals woanders wahrgenommen hatte als in Berlin.

Sie hakte sich bei Christiane ein, sie sprachen nicht, aber es ging ihr gut. Sie hatte keine Angst mehr. Sie wollte hören, sehen, riechen, schmecken, so, wie sie es als Kind getan hatte, bevor das Vertrauen in ihre eigene Wahrnehmung und Sicherheit zerstört worden war.

Sie bestellte sich Schwarzwälder Kirschtorte, einen Kaffee mit Schlagsahne und auch noch ein Glas Berliner Weiße mit Waldmeister. Früher war es das Lieblingsgetränk ihrer Mutter gewesen. Sie hatte es sich immer bestellt, wenn sie unterwegs irgendwo eingekehrt waren.

Und sie begann von ihrem Vater, ihrer Mutter und Felix zu erzählen. Christiane hörte mit interessiertem Gesichtsausdruck zu. Charlotte kramte die Anekdoten über ihre Familie aus. Sie konnte erzählen, ohne zu weinen. Und sie stellte fest, dass hinter ihrem Schmerz, den sie in ihrem Herzen konserviert hatte und den sie so lange nicht bereit gewesen war herzugeben, weil sie fürchtete, dass sie die Wucht der Erinnerung nicht ertragen könnte, noch etwas sehr Helles, Warmes und Schönes existierte, nämlich all die Erinnerungen, die mit ihrer Familie verbunden waren. Sie bemerkte während der Erzählung, wie Christianes Augen zu leuchten begannen, einmal seufzte sie: »In deiner Familie wäre ich auch gerne Kind gewesen, all die Liebe und die Aufmerksamkeit, die dir und Felix geschenkt worden ist, weißt du eigentlich, wie selten so etwas ist?«

Und auf einmal wurde Charlotte klar, dass Christiane damit recht hatte. Die ersten zehn Jahre ihres Lebens war sie mit Eltern beschenkt worden, die sie so liebten, wie sie war, und sie nicht zu einem anderen Menschen machen wollten. Sie begegneten ihr mit Fürsorge, ohne sich selbst dafür aufzugeben. Sie liebten einander und akzeptierten sich bei aller Verschiedenheit. Und sie hatten noch Liebe und Freundschaft für Familie und Freunde übrig. Es hatte natürlich auch Streit und Zank gegeben, und als die Repressionen gegen die Juden stärker wurden, war Mama öfter traurig als sonst. Charlotte fiel wieder ein, wie sehr sie darunter gelitten hatte, dass das volle und mitreißende Lachen ihrer Mutter nicht mehr so oft wie sonst ihre Wohnung erfüllte. Sie konnte auch nicht mehr so gut mit Felix' Späßen umgehen, die sie vorher zum Lachen gebracht hatten.

Ihr Vater hatte sich in den letzten zwei Jahren, die sie zu Hause verbrachte, immer öfter stumm in sein Arbeitszimmer zurückgezogen, und wenn sie hereinkam, um ihn etwas zu fragen, hatte sie ihn hinter seinem Schreibtisch vorgefunden. Er las nicht, die Schreibtischplatte vor ihm war leer. Er wirkte viel kleiner als sonst. Er saß dort in sich zusammengesunken inmitten von dichten Rauchschwaden, die aus seiner Pfeife kamen. Wenn sie dann wagte, näher zu kommen, und neben ihm stand, streckte er eine Hand aus und strich ihr durch das Haar.

»Ach Lotte«, sagte er, nichts mehr, nur das. Aber es gab bis zum Schluss auch immer wieder diese strahlenden Tage und Stunden, in denen sie Lachen und Scherze verbanden, in denen sie etwas gemeinsam unternahmen, mit dem Boot hinaus auf den Heiligen See fuhren, schwammen, Frösche fingen, spielten oder im Winter mit Mama in die Stadt »konditern« gingen, wie sie es nannte. Sie und Felix mussten sich dann ihre feinen Sachen anziehen, und sie fuhren mit der Bahn zum Kurfürstendamm und setzten sich in eines der Cafés. Mama sah immer ganz anders aus, wenn sie mit ihnen konditern ging. Sie war geschminkt und hatte ihre Haare auf besondere Art frisiert. Zu Hause trug sie ihre Haare oft einfach offen, steckte sie nur mit einer Spange an der Stirn zurück, damit sie ihr nicht in die Augen fielen. Und ihre Augen strahlten. Sie sah sich neugierig im Café um und hoffte, jemanden zu entdecken, den sie kannte. Und Felix versuchte dann, für sie den Gentleman zu mimen. Er schenkte ihr Kaffee nach und lobte ihr Kleid, und sie lachte dann ihr glucksendes Lachen und zwinkerte ihm mit den Augen zu, dass Charlotte manchmal eifersüchtig wurde und sich plötzlich allein fühlte. Aber bevor sich dieses Gefühl ausbreiten und festsetzen konnte, wandte sich ihre Mutter ihr zu, begann mit ihr ein Gespräch über das, was sie gerade las, oder etwas, das ihre Mutter im Theater gesehen hatte.

»Ich hoffe, dass meine Kinder später so über mich reden wie du über deine Mutter«, seufzte Christiane.

»Das werden sie, denn du liebst sie, das spüre ich, und du stehst hinter ihnen, einerlei, was sie tun und wie schwierig sie ab und zu sind. Meine Mutter hat wegen Felix manchmal geweint. Ich konnte ihr Schluchzen durch die Schlafzimmertür hören. Sie hat sich gefragt, was sie falsch macht, weil er sich nicht so entwickelte wie ich. Er konnte erst sehr spät laufen, sprechen, allein aufs Klo gehen, allein essen. Ich habe ihm viel geholfen. Ich liebte ihn auch damals sehr. Er war schließlich mein Bruder. Er machte mich fröhlich. Wenn ich traurig war oder mich allein fühlte, spürte er es und legte dann seine warme Hand auf meine Schulter. Es wird schon wieder, sagte er dann. In solchen Momenten wirkte er fast weise. Das war unheimlich.«

»Wie lange seid ihr bei den Pflegeeltern geblieben?«, fragte sie.

»Bis zum Ende des Krieges. Da war ich schon Krankenschwester. Und Felix gerade mit der Schule fertig.«

»Und ihr habt die ganze Zeit nichts von euren Eltern gehört?«

»Nach Anfang 1943 nichts mehr.«

»Wie hast du das ertragen?«

»Ich habe sie an meine Seite geträumt und mir eingeredet, sie wären am Leben und irgendwo im Exil, wo sie mich nicht erreichen könnten. Mir ist während des Krieges nicht in den Sinn gekommen, dass sie tot sein könnten. Wenn ich diese Gedanken zugelassen hätte, hätte ich nicht überleben können. Nach dem Krieg war ich dann stark genug, die Wahrheit zu akzeptieren.«

Christiane fragte nicht weiter. Charlotte kannte sich in der Gegend nicht aus, aber sie genoss es, durch die wenig befahrenen Straßen zu gehen und die Villen zu betrachten.

Sie kamen zum Bahnhof Grunewald. Eigentlich wollte Christiane einen Bogen um den Bahnhof machen, aber Charlotte hatte ihn schon entdeckt. Sie näherte sich dem altmodischen Bahnhofsgebäude mit dem kleinen Türmchen und blieb vor dem Eingang zur Unterführung stehen. Christiane bemerkte, dass Charlottes Hände zitterten und sie wieder unsicher auf den Beinen war. Sie nahm Charlottes Arm und stützte sie.

»Hier ging der Transport meiner Eltern ab«, sagte sie. »Felix hat es irgendwann nach dem Krieg herausgefunden. Ich weiß nicht wie. Ich habe ihn nicht danach gefragt. Aber hier mussten sie in den Zug steigen. Am 26. Februar 1943. Das hat er auch herausgefunden.«

Dasselbe Datum hatte Christiane auch in dem Gedenkbuch für die Berliner Juden gefunden. Sie verfluchte sich, dass sie nicht einen anderen Weg eingeschlagen hatte. Was sollte sie jetzt tun? Würde Charlotte wieder zusammenbrechen wie gestern Nacht? Und würde ihre eigene Kraft auch dieses Mal für sie beide ausreichen?

»Es gibt hier ein Mahnmal«, sagte Christiane, ohne nachzudenken. »Es ist auf dem Gleis siebzehn. Dort sind die Züge abgefahren.«

»Ich will dorthin«, sagte Charlotte.

Muss das sein?, dachte Christiane. Aber sie sagte nichts, sondern führte die alte Frau in die Unterführung hinein. Sie kamen an einem Blumengeschäft vorbei.

»Ich möchte für meine Eltern Blumen kaufen«, sagte Charlotte. Da sie selbst keine Euros mehr hatte, kaufte Christiane ihr den Strauß aus Kornblumen, Rosen, Levkojen. In diesem Moment verfluchte sie ihre Entscheidung, das Erbe anzunehmen. Nichts in ihrem bisherigen Leben hatte sie darauf vorbereitet, mit einer alten Frau, die sie fast gar nicht kannte, auf einen Bahnsteig zu gehen, auf dem vor 62 Jahren deren Eltern wie Vieh zu den Schlachtbänken abtransportiert worden waren. Eigentlich wollte sie weg von diesem Ort – zu Olaf und seiner Oberflächlichkeit, mit ihm schlafen und lachen und vergessen, dass es Menschen gab, deren Lebensstrategie nicht darin bestand, oberflächlich zu sein und alles Schwierige zu verdrängen. Aber sie wusste auch, dass sie noch nie zur Oberflächlichkeit geneigt hatte und auf keinen Fall aus dieser Situation herauskam.

Christiane erinnerte sich, einen Artikel über das Mahnmal gelesen zu haben. Es wurde 1998 geschaffen. Im begrenzten Wettbewerb wurde die Aufgabe ausgeschrieben, ein zentrales Mahnmal zu errichten, das an die Deportationstransporte der Deutschen Reichsbahn während der Jahre der NS-Herrschaft erinnerte. Die Jurymitglieder waren Ignatz Bubis, damaliger Vorsitzender des Zentralrates der Juden in Deutschland, Heinz Dürr, damals Vorsitzender der Deutschen Bahn AG, Prof. Gottmann, Direktor des Museums für Verkehr und Technik, Jerzy Kanal, Vorsitzender der Jüdischen Gemeinde Berlin, und Dr. Salomon Korn, Architekt aus Frankfurt am Main gewesen. Die Jury entschied sich für den Entwurf des Architektenteams Hirsch, Lorch und Wandel aus Saarbrücken und Frankfurt.

Es wurden 186 in Schotter eingebettete Stahlgussobjekte installiert, hieß es damals. In diesen seien unmittelbar an der Bahnsteigkante das Datum des Transports, die Anzahl der Deportierten, der Abgangsort Berlin und der Bestimmungsort zu lesen. Die Vegetation, die sich gebildet hatte, wurde unverändert gelassen und in das Mahnmal integriert. Sie war Bestandteil des Mahnmals und sollte symbolhaft ausdrücken, dass von diesem Gleis nie wieder ein Zug abfahren würde.

Sollte sie Charlotte darüber aufklären, was sie oben erwartete? Sollte sie ihr angelesenes Wissen vor jemandem ausbreiten, für den dieser Ort eine so fatale Bedeutung hatte?

Sie stieg mit Charlotte die Stufen zum Gleis 17 hinauf. Sie musste die alte Frau stützen, die den Blumenstrauß in ihren zitternden Händen hielt. Würde sie mit Charlotte das ganze Gleis abschreiten und die Inschriften lesen müssen wie *1.9.42 100 Juden Theresienstadt* oder *3.2.43 952 Juden Auschwitz*?

Christiane war schon einmal hier gewesen und hatte sich damals gefragt, was die Anwohner in unmittelbarer Nähe des Bahnhofes beim Anblick der vielen hundert Menschen dachten, die Tag für Tag abtransportiert wurden. Es war nicht möglich, die Transporte zu ignorieren, selbst wenn sie oft abends oder nachts stattfanden. Die Menschen mussten in einer langen Prozession über den Vorplatz gegangen sein. Ahnten die Anwohner damals, wohin die Züge fuhren und was mit den Juden passieren sollte? Hatten sie es gebilligt oder gut geheißen? Hatte irgendjemand jemals versucht, einen Transport zu verhindern? War es ihnen egal, was mit den Juden geschah, oder hatten sie Angst, etwas zu unternehmen? Christiane war sich sicher, dass es gar keinen Sinn haben würde, die wenigen Zeitzeugen zu diesem Thema zu befragen, denn sie würden sowieso lügen.

Auf dem Gleis 17 war sonst niemand. Vogelstimmen vermischten sich mit dem Rauschen der Weiden und Eichen, die zwischen den Holzbohlen am Gleisendpunkt wuchsen. Die Hitze brachte die Luft zum Flirren. Der Schotter knirschte zwischen den Stahlsegmenten. Auf den anderen Gleisen fuhr eine gelb-rote S-Bahn Richtung Innenstadt ab. Ganz hinten an den Gleisen waren Arbeiter mit Reparaturen beschäftigt. Auf dem anderen Bahnsteig warteten einige Menschen im Schatten. Christiane war sich sicher, dass niemand wusste, was die Tafel in der Unterführung bedeutete, die zum Gleis 17 wies, und sie wünschte sich, auch so ahnungslos zu sein.

Es war ein friedlicher Ort, so paradox das Christiane auch erschien. Sonnenflecken tanzten auf dem Boden.

Auf dem Stahlgitter und dem Schotter konnte man nur vorsichtig gehen. Christiane hielt Charlotte noch fester am Arm. Sie sollte nicht fallen und doch noch ins Krankenhaus kommen. Zwischen den Gleisen wuchsen weiße Blumen. Auf einigen Inschriften reflektierten blaue und weiße Glassteine, die zum Andenken dorthin gelegt worden waren, das Sonnenlicht.

Langsam schritten Christiane und Charlotte das Gleis ab. Mit jeder Inschrift, die Charlotte las, wurden ihre Schritte wieder fester und sicherer.

»Dies ist ein guter Platz, um zu gedenken«, sagte sie nach einer Weile beinahe leichthin. »Hier kann ich meinen Eltern nahe sein. Sie mussten auch mit einem Zug abfahren, genau wie ich«, sagte sie. »Nur dass meiner in die Freiheit ging und ihrer in den Tod. Und sie wussten es.«

»Ob sie Angst hatten?«, fragte Christiane.

»Natürlich hatten sie Angst, aber sie hatten keine Wahl mehr. Sie mussten sich beugen, und sie taten es in dem Bewusstsein, dass sie zumindest ihre Kinder hatten retten können«, sagte Charlotte. Was wäre geschehen, wenn sie sich gewehrt hätten, fragte sich Christiane, aber sie traute sich nicht, diese Frage auszusprechen. Vielleicht war sie auch nur dumm.

Halblaut las Charlotte die Inschriften auf den Stahlplatten vor: *2.9.42 100 Juden Theresienstadt, 3.9.42 100 Juden Theresienstadt, 4.9.42 100 Juden Theresienstadt* und immer so weiter.

Sie gingen auf der anderen Seite des Gleises zurück. Charlotte las weiter. *1000 Juden Berlin–Auschwitz, 952 Berlin–Auschwitz* und so weiter. Plötzlich blieb sie stehen. »Hier ist es«, sagte sie und las die Inschrift auf der Stahlplatte zu ihren Füßen vor: *26.2.43 1000 Juden Berlin-Auschwitz.*

Charlotte verharrte schweigend vor der Inschrift. Sie weinte nicht. Sie hatte die Augen geschlossen. Ihre Hände zitterten. Christiane blieb dicht neben ihr stehen, um sie auffangen zu können, wenn sie wieder einen Kollaps bekommen sollte, wagte aber nicht, sie zu berühren. Am liebsten wäre Christiane gegangen, aber sie konnte es nicht riskieren, die alte Frau allein zu lassen.

Sie hörte das Brummen und Quietschen der abfahrenden und ankommenden Züge von den Gleisen gegenüber; die Lautsprecheransagen, die Vögel, hier und da Reifen auf Kopfsteinpflaster und den Lärm einer Motorsäge. Die Zeit verging. Christiane schaute verstohlen auf die Uhr. Es verstrichen fünf Minuten, zehn Minuten, zwanzig Minuten. Sie wusste nicht, was sie denken sollte. Sie stellte sich vor, wie dieser jetzt so friedliche Bahnsteig damals ausgesehen hatte: Bevölkert von diesen vielen Menschen mit Koffern und Taschen, die durch ihr Entsetzen und ihre Angst verbunden waren. Sie wussten mit Sicherheit, was diese Zugfahrt nach Osten bedeutete. Vielleicht beteten einige, vielleicht hielten sich Charlottes Eltern an den Händen und sprachen über ihre Kinder, bevor sie in die Waggons gepfercht wurden. Vielleicht warfen sie noch einen letzten Blick zurück und verabschiedeten sich von ihrem geliebten Berlin. Vielleicht weinten sie oder blieben sie ruhig? Vielleicht hatten die Anwohner in den angrenzenden Häusern etwas gewusst, wenn sie schon damals hier gewohnt hatten? Aber Christiane war sich sicher, dass sie nichts sagen würden, sie würden behaupten, sie hätten nichts bemerkt, sie würden behaupten, sie hätten die Nazis niemals unterstützt, und die Wahrheit würden sie mit ins Grab nehmen.

Die Täter sind fast alle tot, dachte Charlotte. Ich kann wohl niemanden mehr zur Rechenschaft ziehen. Ich wünsche ihnen, dass sie zu ihren Lebzeiten unter ihren Alpträumen und Gewissensbissen gelitten haben. Und wenn das nicht der Fall war, unter ihrer Kälte und ihrem inneren Totsein. Ich werde niemals vergeben. Das kann ich nicht, aber ich kann es jetzt ruhen lassen, da ich mit Christianes Hilfe so viele gute Erinnerungen an meine Eltern wiedergefunden habe. Ich kann jetzt auch mit Freude anstatt nur mit Schmerz und Trauer an sie denken, weil ich begriffen habe, dass sie mich und Felix über alles liebten und sie mir das Geschenk zu leben machten, als sie mich nach England schickten.

Sie bückte sich und legte den Strauß auf den Schriftzug *Berlin–Auschwitz*. Jetzt würde sie sich von ihren Eltern verabschieden und sie endlich gehen lassen können. Es war nicht mehr nötig, sie in ihrem Entsetzen festzuhalten. Vielleicht wäre es gut gewesen, das viel früher zu tun, dachte Charlotte. Aber dann wäre Christiane wohl nicht an meiner Seite gewesen. Sie drehte sich nach der jungen Frau um, die immer noch fürsorglich dicht neben ihr stand, und hakte sich bei ihr ein.

»Jetzt kann ich gehen«, sagte sie.

31

Hatte er sich mit seiner Liebeserklärung mitten auf dem Heiligen See zu weit aus dem Fenster gelehnt? Es war nicht so, dass Olaf daran zweifelte, dass er Christiane liebte, aber liebte er nicht auch Martina auf irgendeine Weise? Zwar hatte er sie in den vergangenen Wochen nicht vermisst und war darüber froh gewesen, dass sie sich schon immer nicht gegenseitig anriefen, wenn sie getrennt voneinander Ferien machten, aber nachdem Christiane so gar nicht auf seine Liebeserklärung reagiert hatte und ihn dann noch brüsk an einem Taxistand absetzte, hatte er wieder begonnen, an Martina zu denken. Sie hätte sein »Ich liebe dich« hundertprozentig nicht überhört. Sie wäre ihm mitten im Wasser um den Hals gefallen aus lauter Freude und Dankbarkeit, dass er endlich das gesagt hatte, was sie sich schon seit Jahren von ihm erhoffte. Es stimmte, er war mit Liebesbekundungen sehr sparsam. Er fand es einfach zu anstrengend, sich auf diese Gefühlsduselei einzulassen, und meinte, dass es doch ausreichen müsste, wenn er den Frauen, mit denen er zusammen war, einmal am Anfang klarmachte, dass er sie liebte, so wie es ja auch ausreichte, dass man seinem Freund kameradschaftlich auf die Schulter klopfte und »Mensch, Alter« sagte.

Er hatte sich also selten zu Liebesschwüren hinreißen

lassen, weil er sie nicht nötig fand. Aber wenn er dann doch so etwas wie »Ich liebe dich« sagte, wollte er die dementsprechende Aufmerksamkeit gleich im Anschluss: heiße Küsse, verliebte Blicke und dann ein hingebungsvolles Liebesspiel.

All das war mit Christiane nicht so gewesen. Sie hatte gar nicht reagiert, war einfach neben ihm ans Ufer geschwommen, hatte sich abgetrocknet, und dann hatte gleich ihr Handy geklingelt.

»Wir müssen sofort zurück«, hatte sie gesagt, »Charlotte braucht mich«, und er hatte sich beleidigt seine Shorts über seine schon begonnene Erektion gezogen und war hinter ihr her zum Auto getrottet, ohne von ihr noch weiter beachtet zu werden. Wie er das hasste, nicht den Ton anzugeben, wenn er mit einer Frau zusammen war, aber das schien bei Christiane der Normalzustand zu sein, es sei denn, man nahm ihr gleich zu Beginn des Treffens das Heft aus der Hand. Aber war ihm das in den vergangenen Wochen eigentlich oft gelungen? Im Bett auf jeden Fall immer. Es war eine Wonne gewesen, diese Frau, die sich eigentlich nichts sagen ließ und nur ungern die Kontrolle abgab, dazu zu bringen, sich dort seinem Willen freudig und leidenschaftlich zu unterwerfen.

Christiane meldete sich am Tag nach dem Mondscheinbad nicht, und Olaf war ziemlich froh darüber. Er hoffte, dass sie seinen Gefühlsausbruch entweder nicht zur Kenntnis genommen oder, wenn ja, durch die Belastung mit Charlotte schnell wieder verdrängt hatte.

Denn eines war ihm nach Charlottes Hilferuf klargeworden: So würde es immer sein, wenn er mit ihr richtig zusammenkäme, wenn sie ihren Mann seinetwegen verlassen und mit ihren Kindern allein leben würde. Sie würde ein maßlos schlechtes Gewissen gegenüber ihren beiden Kindern haben – und der Sohn war ja wohl sowieso nicht sehr leicht zu behandeln, wie sie einmal nebenbei erzählt hatte. Sie war nicht geübt im Alleinerziehen, auch wenn ihr Mann jedes Jahr einige Wochen auf Forschungsreise ging. Er war bisher immer zurückgekommen und hatte sich dann in die Familie eingebracht, wie sie erzählte. Mit ihr gemeinsam entschieden, sich um die Kinder gekümmert. Matthias schien auch ein Familientier zu sein. Und das würde sie im Hintergrund verlieren. Olaf gab sich keinen Illusionen hin, dass Matthias der perfekte geschiedene Vater werden würde. So etwas gab es dann doch sehr selten. Matthias würde sich bestimmt erst einmal gekränkt von seiner Familie abwenden, und dann wäre er der typische Wochenendpapa mit begrenzter Verantwortungsbereitschaft. Olaf wusste, wie so etwas ging, er war ja auch seit Jahren etwas Ähnliches, wobei er fast stolz darauf war, dass Max ihn noch nie Papa genannt hatte, obwohl der ja nun wirklich keinen anderen besaß, auf den er hätte zurückgreifen können, wie das bei Julia und Philipp der Fall wäre.

Christiane würde in erster Linie für ihre Kinder da sein, und sie würde Ansprüche an ihn stellen, sehr wahrscheinlich würde sie ihm irgendwann vorschlagen, sich eine gemeinsame Wohnung zu suchen, weil es ja viel billiger und einfacher wäre. Und Olaf war sich nicht so sicher, ob er ihr diese Bitte dann würde abschlagen können, wenn sie mit diesem bestimmten Blick aus ihren bernsteinfarbenen Augen einherging, dem er schon in anderen Situationen zum Opfer gefallen war.

Er hatte im Flur gemeinsam mit ihr Fotos aufgehängt, weil sie ihn so angesehen hatte, obwohl er dazu grundsätzlich erst nach Monaten in einer Beziehung bereit war. Er war mit ihr kreuz und quer durch Berlin gerannt und hatte Teile ihrer Fotoausrüstung getragen, ihr die verschiedenen Objektive gereicht und immer dann den Mund gehalten, wenn sie »sch« gemacht hatte, weil sie sich auf das Motiv konzentrieren wollte.

Er war mit ihr sogar im Baumarkt gewesen, weil sie noch Schrauben für ein Regal brauchte, das sie in ihrer Dunkelkammer anbringen wollte. Und sie hatte diese Tätigkeiten von ihm als selbstverständlich hingenommen. Klar, sie war auch über zehn Jahre verheiratet. Da hatte man sicher die eine oder andere Stunde mit seinem Ehegatten im Baumarkt verbracht.

Martina verlangte so etwas nicht von ihm. Sie hatte ihren Lehrerkollegen, der sie anhimmelte, mit dem sie in der Woche ab und zu Kaffee trinken oder ins Kino ging, der ihr dafür aber schon aus lauter Dankbarkeit die handwerklichen Arbeiten zu Hause abnahm – auch deshalb, weil er so der Einsamkeit seiner Wohnung für einige Zeit entging. Martina hatte mit ihrem Sohn fast immer allein gelebt, etwas anderes kannte sie gar nicht, und deshalb kam sie auch nicht auf den Gedanken, Olaf in eine Familienstruktur einzubauen, weil sie selbst gar nicht wusste, wie so etwas aussehen könnte.

Während sich Olaf mit den Vorstellungen seiner Kunden für das Haus am Heiligen See auseinandersetzte – der Notartermin war schnell und problemlos über die Bühne gegangen –, stellte er fest, dass er sich nach Wochen endlich wieder auf seine Arbeit konzentrieren konnte. Er war nicht mehr unzufrieden mit sich, sondern fand sich im Gegenteil ziemlich gut und sexy. Was einige Wochen ungezwungener Sex so alles verändern können, dachte er. Vielleicht wäre es ja möglich, die Affäre mit Christiane weiter laufenzulassen, aber eben als Geschichte neben den anderen Beziehungen, ohne dass diese dadurch in Gefahr gebracht würden? Denn auch wenn er sie nicht ganz wollte – er würde das Zusammensein mit Christiane schon vermissen. Er wollte sich gar nicht vorstellen, sie überhaupt nie mehr sehen zu können.

Olaf saß in seinem Büro, neben sich einen Stoß Blätter, weil er sich angewöhnt hatte, den ersten Entwurf für ein Haus mit der Hand zu zeichnen: Er hatte die Füße auf dem Tisch, auf dem Boden stapelten sich Bücher über Architektur. Hier und da blätterte er in ihnen, obwohl er eigentlich schon genau wusste, wie das Haus aussehen sollte. Die Seite zum Garten hin sollte fast nur aus Glas bestehen. Die Natur sollte praktisch in das Haus integriert werden. Man sollte im Wohnzimmer den Eindruck bekommen, dass man im Garten säße. Er würde große Schiebetüren vorschlagen und Erle für die Fensterverkleidungen. An der Seite würde er die Küche einrichten, mit einer Tür nach draußen auf eine kleine Veranda, auch ganz aus Holz im Stil der Veranden der Südstaatenvillen. Das Schlafzimmer im ersten Stock müsste natürlich Blick auf den Garten haben, so dass man morgens aus dem Bett auf den See gucken konnte, während man sich dann zu seiner Frau hinüberlehnte, um sie mit einem Kuss auf den Hals zu wecken und zum Sex zu animieren.

Die Kinderzimmer würden auf der Vorderseite des Hauses im ersten Stock liegen, eins rechts und eins links von einem gemeinsamen Kinderbad. Die Kinder brauchten keinen Ausblick auf den See. Er würde gleich große Kinderzimmer vorschlagen, damit es zwischen dem Jungen und dem Mädchen keinen Streit geben könnte; sonst würde er vorschlagen, nichts weiter einzubauen, damit die Kinder je nach Alter ihr Zimmer immer neu gestalten könnten.

Auf der anderen Seite des Eingangsbereiches im Erdgeschoss würde das Büro liegen und daneben ein weiterer Raum mit einer kleinen abgeteilten Kammer ohne Fenster, die man als Dunkelkammer verwenden könnte.

Olaf zeichnete und zeichnete, trank dazu mexikanisches Bier aus der Flasche, hörte Sambamusik. Er arbeitete voll Euphorie bis spät in die Nacht, dann ging er nach Hause und schlief sofort ein.

Als er am nächsten Morgen mit leichten Kopfschmerzen ins Büro kam und sich seine Skizzen noch einmal ansah und sie mit den Vorgaben seiner Kunden verglich, stellte er fest, dass seine Kunden vier Kinder hatten und überhaupt kein Atelier mit Dunkelkammer oder ein Büro wünschten.

Er zerriss die Skizzen und warf die Schnipsel in den Papierkorb. Es bedeutet überhaupt nichts, redete er sich ein, dass ich ein Haus für Christiane, mich und die Kinder entworfen habe. Es war ein Versehen, das nur wegen der vielen Biere und der Sambamusik geschehen konnte.

Er wollte keine Komplikationen. Er wollte nicht Christianes Ehe zerstören und dann den Kindern den Vater ersetzen müssen. Aber bei der Vorstellung, sie abends in ihrer gemeinsamen Küche beim Gemüseschnipseln und Fleischmarinieren zu beobachten, wurde ihm augenblicklich heiß. Natürlich trug sie in seiner Vorstellung keine alten Jeans und ein verwaschenes T-Shirt, sondern ein dekolletiertes Kleid und mindestens niedliche Ballerinaschuhe, wenn nicht Pumps oder Riemchensandalen. Aber Olaf wusste auch, dass, wenn er mit ihr zusammenzöge, die Ballerinaschuhe schnell gegen zerlatschte Hausschuhe eingetauscht werden würden und das Kleid im Schrank hängen bliebe, weil es zu kompliziert wäre, es zu bügeln. Klar, es war ein Klischee, dass die Idylle einer Familie in Alltag und Langeweile enden musste, aber leider hatte er es noch nie anders beobachtet. Christiane würde so etwas wollen wie Nähe und Vertrauen. Im Baumarkt hatte sie ihn sogar einmal Matthias genannt, ohne es zu bemerken. Und ihr Tonfall war bei dieser Freizeitbeschäftigung gar nicht mehr liebevoll oder aufreizend gewesen wie sonst immer in den vergangenen Wochen, sondern kühl und sachlich.

Aber er vermisste sie so. Es tat richtig weh. Sollte er sich nicht vielleicht doch bei ihr melden? Waren ihre Kinder schon wieder da? War Charlotte abgereist? Warum brauchte Christiane ihn bei Charlottes Betreuung nicht? Er hatte sich ausgemalt, dass sie ihn anrufen und um Hilfe bitten würde, weil sie mit der alten Dame allein nicht zurechtkäme, aber sie schien seine soziale Kompetenz nicht sehr hoch einzuschätzen.

Er könnte Christiane gefahrlos anrufen, denn ihr

Mann weilte immer noch nichtsahnend irgendwo auf einem Forschungsschiff, und ihre Kinder würden keinen Verdacht schöpfen. Warum war er nur zu feige, die Initiative zu ergreifen? Anstatt anzurufen und sich Klarheit zu verschaffen, grübelte er über die Situation mit Christiane nach und konnte sie selbst beim Arbeiten nicht aus dem Kopf bekommen, wie sein erster Entwurf ja gezeigt hatte.

Also, was sollte er tun? Am liebsten hätte er einen Freund um Rat gefragt, aber dann hätte er ja auch beichten müssen, dass er Martina nicht treu war, und diese Blöße wollte er sich vor einem Freund nicht geben, obwohl er wusste, dass es bei einigen Männern in seinem Alter eher gut ankam, wenn man zugab, neben der Hauptbeziehung noch eine oder mehrere Nebenbeziehungen zu haben. Das zeigte doch, dass man noch gefragt war und nicht schon auf der Reservebank saß.

Ja, schade, dass er nicht mit seiner Eroberung prahlen konnte, weil er sonst seinen Ruf als glücklicher Teil einer Fernbeziehung aufs Spiel setzen würde. Um Christiane hätten ihn viele beneidet. Sie war sexy, hübsch, sehr nett, liebevoll und erotisch, intelligent und zeitweise ungebunden, weil ihr Mann diesen verrückten Job hatte.

Vielleicht sollte er über seinen Schatten springen und sie anrufen, anstatt beleidigt zu sein, dass sie sich nicht meldete. Aber dazu musste er vorher seinen Stolz beiseiteschieben. Aber wie machte man das?

32

Christiane hätte gar nicht sagen können, wann Charlotte und Philipp miteinander Freundschaft schlossen, so schnell ging es. Sie spürte sofort, dass Charlotte ihren Sohn ins Herz schloss, sobald sie ihn sah. Vielleicht war es ein Blick oder eine Geste, die Charlotte an ihren Bruder Felix erinnerte. Zuerst blieb Christiane wie immer in der Nähe der beiden, weil sie dachte, sie müsse zwischen ihrem Sohn und der alten Frau vermitteln, eventuell übersetzen, was er versuchte zu sagen, oder ihn davon abhalten, die alte Frau körperlich zu sehr zu bestürmen. Sie hatte immer Angst, ihr Sohn könne falsch verstanden und dann schlecht behandelt werden. Sie selbst verstand Philipp auch manchmal falsch und behandelte ihn nicht immer gerecht. Sie war darüber traurig, aber sie wurde zur Furie, wenn jemand anderer ihn demütigte oder ablehnte.

Ganz anders war es bei Charlotte. Als Christianes Mutter die Kinder wieder zurückgebracht hatte – sie blieb nur auf einen Kaffee und um Bericht zu erstatten –, war Philipp gleich in sein Zimmer gelaufen und hatte angefangen, mit seinen Murmeln zu spielen, wie er es seit mehreren Monaten nur noch tat und was Christiane wahnsinnig machte, sobald sie hörte, dass andere Jungen mit Lego spielten. Daran war bei ihrem Sohn gar nicht zu denken. Vielleicht hatte er einfach keine Lust auf diese Art von Spiel, aber sie vermutete eher, dass er nicht in der Lage war, die kleinen Bausteine zusammenzustecken.

Charlotte war ihm nach einiger Zeit in das Kinderzimmer gefolgt. Das hatte Christiane aus den Augenwinkeln gesehen, und sie konnte es kaum erwarten, dass ihre Mutter den Kaffee austrank und sich nach mehrmaligen Beteuerungen, dass es sehr anstrengend mit den Kindern gewesen sei, verabschiedete.

»Julia, guck doch mal, was Philipp macht«, hatte sie ihre Tochter gebeten, aber die war in ihrem eigenen Zimmer so vertieft in ihr Spiel gewesen, dass sie nicht hörte.

Also ging sie selbst in das Kinderzimmer, sobald ihre Mutter sich verabschiedet hatte. Und da fand sie Charlotte auf dem Boden kniend, inmitten der blauen, grünen, gelben und roten Murmeln, dicht neben Philipp, der ihr etwas erklärte, was Christiane nicht verstand. Sie wollte schon dazwischengehen, weil sie dachte, dass Charlotte bestimmt genervt durch sein Kauderwelsch wäre, aber sie zögerte einen Augenblick. Denn Charlotte antwortete ihm auf Deutsch. Sie sprach mit ihm auf die gleiche Weise wie Julia. Philipp verstand sie, lachte über ihre Wortspiele, kugelte sich sogar auf dem Boden vor Lachen. Sein glucksendes, so fröhliches, befreites Lachen erfüllte das ganze Zimmer und die Wohnung. Und auch Charlotte lachte und spielte dann weiter mit den Kugeln. Sie steckten die Köpfe zusammen. Christiane sah weiße Haare neben dem blonden Haarwust ihres Sohnes. Sie lachten

schon wieder und lächelten dann beide zu ihr her-
auf.

»Hallo, Christiane«, sagte Charlotte, »wir verstehen
uns gut. Nicht, Philipp, tun wir doch?«, fragte sie, und
Philipp nickte.

Christiane ging zu Julia und unterhielt sich mit ihr.

»Du siehst gut aus«, sagte Julia. »Waren die Ferien
ohne uns schön?«

»Ja, das waren sie, genauso wie ihr euch ohne mich
amüsiert habt. Manchmal braucht man Urlaub voneinander, auch wenn man sich liebt«, sagte Christiane, und
Julia nickte mit dem Kopf.

»Ich hätte gerne mal Urlaub von Philipp, der hat
manchmal ziemlich genervt«, sagte Julia.

»Das tun alle kleinen Brüder ab und zu«, erwiderte
Christiane, ohne sich, wie sonst immer, darüber Gedanken zu machen, ob sie Julia für ihre Äußerung zurecht-
weisen sollte.

Nachmittags fuhren sie zusammen an den Heiligen See.
Julia hatte es sich gewünscht. Sie wollte das coole Grundstück am See und das Haus, in dem sie beinahe gewohnt
hätte, kennenlernen. Christiane hatte nachgegeben, obwohl das Haus schon wieder verkauft war. Olaf hätte
sicher nichts dagegen, dass sie dort noch einmal hin-
fuhr. Sie nahmen ihre Badesachen und Kekse, Obst, Saft
und Wasser für die Kinder, Berliner Weiße und Prosecco
mit. Sie hielten auf dem Weg zur Avus am Hagenplatz,
um dort Kuchen zu kaufen. Die Kinder und Charlotte
wollten mit in den Laden. Es war ein lautes, wildes
Durcheinander, bevor sie alles eingekauft hatten, was

sie wollten: Apfelkuchen, Erdbeertorte, Vanilleschnitte, Mohnkuchen und Mandelhörnchen. Christiane verkrampfte sich und versuchte, die Kinder dazu zu bewegen, leiser zu sein, aber es gelang ihr nicht.

»Wir sind hier in Berlin«, sagte Charlotte beruhigend. »Nicht im zurückhaltenden, fast schon unterkühlten Hamburg oder London. Hier stört es nicht sofort, wenn man lauter redet, und wenn ja, bekommt man das gleich auf eine ziemlich direkte Art mitgeteilt«, sagte sie auf Englisch. »Außerdem sind deine Kinder entzückend. Guck sie dir doch mal an, wie sie strahlen. Du hast sie toll hinbekommen. Und sie lieben dich sehr.«

»Aber siehst du nicht Philipp? Alle starren ihn schon an, weil er nicht richtig sprechen kann.«

»Das bildest du dir ein. Die meisten gucken, weil sie ihn entzückend finden. Er hat eine so nette, freundliche Ausstrahlung. Sie freuen sich über ihn. Die anderen Missmutigen musst du übersehen. Philipp tut das auch. Es ist seine Strategie, um klarzukommen. Felix war auch so, als er klein war. Natürlich hat er gemerkt, dass er nicht bei allen ankam, so wie er war und dann noch obendrein jüdisch. Aber soweit er es konnte, hat er es ignoriert. Solange sie ihn nicht verprügelten. Oft kam er mit Nasenbluten nach Hause, aber er hat nie begonnen, seinen Kopf deshalb einzuziehen. Erst als er nach Australien ausgewandert war, habe ich begriffen, dass er mich oft gestützt hat und nicht nur umgekehrt, wie ich die ganze Zeit annahm. Er ist viel stärker und widerstandsfähiger als ich. Er ist wohl schon so auf die Welt gekommen.«

»Aber ich habe Angst, dass sich bei Philipp nichts ändert. Dass es immer so bleibt und er bei allem hinterherhinkt. Dass niemand erkennt, wie klug er ist.«

»Das Wichtigste ist, dass du es weißt und ihm vermittelst, dass du ihn liebst. Dein Mann muss das natürlich auch tun.«

Matthias, ach der, hätte Christiane am liebsten gesagt. Sie hatte beschlossen, nicht zu beichten. Philipp brauchte seine Familie mehr als alles andere. In seinem Zimmer hing ein Foto über seinem Bett, das klassische Mama-Papa-Kinder-Foto. Er hatte es aus Hamburg mitgebracht und erst in seinem neuen Zimmer schlafen wollen, als es wieder über seinem Bett hing. Auf dem Foto wirkten sie sehr glücklich. Olaf hatte es gesehen, dasselbe Foto stand auch im Wohnzimmer auf der Fensterbank. Er hatte es in die Hand genommen, lange betrachtet und dann schweigend wieder weggestellt.

Christiane hatte Charlotte einen schwarzen Badeanzug geliehen. Würdevoll, selbstbewusst, ohne sich anscheinend über die Zeichen ihres Alters Gedanken zu machen, stand Charlotte im seichten Wasser und unterhielt sich mit Philipp, der noch nicht schwimmen konnte und deshalb Schwimmflügel tragen musste, was er peinlich fand. Er vergaß diesen Umstand aber schnell, denn er beobachtete mit Charlotte Fische und kleine Frösche und versuchte sie zu fangen. Julia lag auf dem Steg und las. Ich werde nicht gebraucht, dachte Christiane erstaunt. Sie ging ins Haus.

Es war noch immer genauso muffig und ungemütlich im Erdgeschoss wie bei ihrem ersten Besuch. Sie stieg die

Treppe hinauf und erinnerte sich daran, dass sie zu nervös gewesen war, um zu bemerken, wie sehr Olaf sie damals begehrte.

In der Mitte des Raumes mit dem phantastischen Ausblick stand ein Tapeziertisch, davor ein drehbarer Hocker. Auf dem Tisch befand sich ein wildes Durcheinander aus Skizzen, Bierflaschen, einem Aschenbecher randvoll mit Zigarettenkippen und einem Kassettenrekorder. In der Luft hing kalter Rauch. Christiane stellte sich vor, dass Olaf vielleicht noch vor kurzem hier gesessen und bei lauter Musik gearbeitet hatte. In den Denkpausen hatte er ein Bier getrunken, auf den See geschaut und vielleicht an sie gedacht. Ich liebe diesen Chaoten, dachte Christiane. Ich will ihn nicht verlieren.

Sie hörte Schritte auf der Treppe, blieb aber am Fenster stehen, weil sie wusste, wer es war.

Olaf trat hinter sie und umfasste ihre Taille.

»Die Kinder dürfen uns nicht sehen«, sagte sie leise. Olaf führte sie vom Fenster weg in eine Ecke, zog seine Jacke aus und legte sie auf den Boden. Als Olaf sie berührte, vergaß sie ihre Kinder sofort. Sie liebten sich schnell und heftig, bis sie Charlotte von unten rufen hörten.

»Wir wollen gleich picknicken. Kommst du auch? Ist alles in Ordnung?«

»Ja«, antwortete Christiane und hielt Olaf den Mund zu.

»Ich habe gehört, was du neulich im See zu mir gesagt hast«, sagte sie, als Charlotte wieder fort war. Sie lagen dicht beieinander, die Beine ineinander verschränkt, die

Gesichter einander zugewandt. Sie berührten sich an den Händen und sahen sich in die Augen.

»Ich liebe dich auch«, sagte sie und küsste ihn.

Jetzt riefen Julia und Philipp von draußen.

»Mami, komm runter, wir warten auf dich.«

»Kommst du mit zu Charlotte und den Kindern?«, fragte Christiane. Sie hoffte, dass er ja sagen würde.

»Nein, ich glaube, das ist keine gute Idee. Lassen wir es einfach so, wie es ist.«

»Aber wie ist es denn?«, fragte Christiane.

»Ich möchte deine Familie nicht zerstören.«

»Würdest du dich von Martina trennen, wenn ich Matthias verlasse?«

»Und was wäre dann? Ich würde mit dir und den Kindern zusammenziehen. Wir würden auch eine dieser fröhlichen Patchwork-Familien bilden, die momentan so in sind. Ich eigne mich nicht zu so etwas, wie du weißt. Du würdest mich nach kurzer Zeit zum Teufel jagen und Matthias wiederhaben wollen«, sagte Olaf. Christiane küsste ihn auf den Mund.

»Ja, das glaube ich auch. Dennoch liebe ich dich.«

Die Kinder riefen wieder aus dem Garten nach ihr.

»Ich muss mich beeilen, sonst kommen sie noch hier hoch«, sagte sie.

»Ich werde auch gleich wieder gehen. Ich wollte nur die Skizzen holen«, sagte Olaf.

Auch er zog sich an. Christiane sah ihm dabei zu. Sie hätte ihn gerne fotografiert. Sie umarmten und küssten sich wieder.

»Was weiter?«, fragte er.

»Ich weiß es nicht«, sagte Christiane, löste sich von

ihm und ging die Treppe hinunter. Bitte, komm hinter mir her, betete sie.

Er tat es nicht.

»Bis bald?«, hörte sie ihn von oben rufen.

»Bis irgendwann – oder bis morgen«, antwortete sie.

33

In London holte sie niemand vom Flughafen ab. Ihre Freundin Rose hätte es bestimmt getan, aber Charlotte hatte sie nicht angerufen. Sie wollte mit sich allein sein und ihre Heimatstadt ohne Zuschauer aufs Neue auf sich wirken lassen. Jetzt hatte sie zwei Heimatstädte, Berlin, die Heimat ihres ersten Lebens, an das sie sich wieder erinnern wollte, und London, die Heimat ihres zweiten Lebens. Sie fuhr mit der Bahn in das Zentrum von London, stieg am Marble Arch aus und wanderte durch den Hyde Park. Sie fühlte sich nicht mehr alt. Sie wusste, dass in ihrem Innern wieder auch das kleine Mädchen von einst präsent war, Lotte mit den Zöpfen und den ewig rutschenden Kniestrümpfen, die im Schlachtensee schwimmen gelernt hatte, die Himbeerbonbons liebte und Milchpudding hasste, der das Wasser im Mund zusammenlief, wenn ihre Mutter ihre Kohlrouladen machte oder den Schokoladenkuchen nach Oma Potsdams Rezept buk. Die ihrem Bruder nie länger als eine halbe Stunde böse sein konnte, auch wenn er ihr manchmal wirklich sehr schmerzhaft auf die Nerven ging. Charlotte ließ Gedanken und Gefühle kommen und gehen, während sie auf altbekannten Wegen durch den Park wanderte. Sie erkannte, dass sie sich eigentlich immer nach dem Grunewald gesehnt hatte, wenn sie durch den Hyde Park spaziert war. Jetzt konnte sie diese Sehnsucht zulassen, weil Berlin für sie keine verlorene Stadt mehr war, sondern nur zwei Flugstunden entfernt. Sie würde dieses Jahr noch mal nach Berlin zurückkehren. Dann wollte Christiane ihr das moderne Berlin zeigen. Sie wollten zusammen ins Theater gehen und mit den Kindern in den Zoo. Sie würden sich einige schöne Tage machen, und Christiane hatte sogar angeboten, dass sie bei ihr und ihrer Familie wohnen könnte, aber das würde sie nicht tun. Die Wohnung war für fünf zu klein, und außerdem würde sie es genießen, sich in einem Hotel in der Nähe von Christianes Wohnung einzuquartieren. Jetzt konnte sie so etwas ohne weiteres tun. Das Geld aus dem Hausverkauf würde sie bis an ihr Lebensende nicht ausgeben können, selbst wenn sie sich anstrengte und anfangen würde, verschwenderisch zu sein, auch wenn sie gar nicht wusste, wie das funktionierte. Bei Felix war sie sich sicher, dass er das Geld in kurzer Zeit wieder unter die Leute bringen würde, er war ganz anders als sie, gab immer genauso viel aus, wie er einnahm, einerlei, wie viel er einnahm. Früher, als Junge, hatte er Charlotte immer schon in der Monatsmitte gestanden, dass sein Taschengeld zur Neige ging, und Charlotte hatte ihm dann ab und zu etwas spendiert, denn gegen seinen flehenden, entzückenden Hundeblick hatte sie auch damals nichts ausrichten können.

Wie sehr sie sich nach Felix sehnte. Sie nahm sich vor, ihn morgen anzurufen und ihm ihren Besuch anzukündigen. Dann würde sie einen Flug buchen.

Es war eine Erleichterung, sich einzugestehen, dass sie

England nicht lieben musste, obwohl sie immer noch dankbar war, dass sie damals als Zehnjährige einreisen durfte. Sie musste gar nicht patriotischer als die Briten selbst sein. Sie war es nicht, das wusste sie jetzt. In ihrem Herzen war sie immer eine Berlinerin geblieben, keine Deutsche, aber eine Berlinerin.

Sie fühlte sich jung, glücklich, nicht einsam, denn sie hatte das kleine Mädchen wiedergefunden, das sie selbst gewesen war, bevor ihre Welt aus den Fugen geriet.

Sie ließ sich mit einem Taxi nach Hanwell fahren und genoss den Anblick der vertrauten Wege. Sie würde bis zu ihrem Tod hier wohnen. Sie wollte sich nicht mehr verpflanzen lassen, aber sie wusste jetzt, dass ihre Welt viel weiter und reicher war, als sie bisher sich vorzustellen gewagt hatte. Sie klingelte bei ihrem Nachbarn, gleich nachdem sie zu Hause ankam.

»Hast du meine Pflanzen noch?«, fragte sie. »Ich möchte sie wieder zu mir nehmen und einpflanzen. Sie gehören in meinen Garten.«

»Ich dachte mir schon so was. Sie sind im Keller. Ich hol sie«, sagte George. »Willst du, dass ich dir beim Einpflanzen helfe?«

»Ja, George, sehr gerne«, antwortete Charlotte.

Danksagungen

Bertha Leverton und Hermann Hirschber-
ger und Judy Benton – den ehemaligen Kin-
dertransportkindern – für ihre Herzlichkeit
und Offenheit in Gesprächen. Hella Pick
für ihr Interesse.

Claudia Curio vom Institut für Antisemitis-
musforschung, Karsten Krieger vom Jüdischen Museum Berlin und Gaby Müller-
Oelrichs von der Bibliothek des Hauses der
Wannseekonferenz für ihre Unterstützung
bei den historischen Recherchen.

Meiner Lektorin Christine Steffen-Reimann
für die Offenheit gegenüber meinen Ideen.

Meiner Mutter: Sie hat mir die Liebe zu Berlin in die Wiege gelegt.

Meinem Vater: Er hat mir Berlin als zweite
Heimat ermöglicht.